Denkmaschinen?

Interdisziplinäre Perspektiven zum Thema Gehirn und Geist

Herausgegeben von
Andreas Elepfandt und Gereon Wolters

Mit Beiträgen von
W. Bechtel · M. Carrier · J. Delius
P. Janich · F. Kambartel · E. Pöppel
B. Preilowski · St. Stich · H. Tetens
G. Wolters

UVK · Universitätsverlag Konstanz

Die Deutsche Bibliothek - CIP-Einheitsaufnahme

Denkmaschinen? : Interdisziplinäre Perspektiven zum Thema
Gehirn und Geist / hrsg. von Andreas Elepfandt und Gereon Wolters.
Mit Beitr. von William Bechtel ... - Konstanz : Univ.-Verl.
Konstanz, 1993
  (Konstanzer Bibliothek , Bd. 19)
  ISBN 3-87940-457-7
NE: Elepfandt, Andreas [Hrsg.]; Bechtel, William; GT

ISSN 0933-1204
ISBN 3-87940-457-7

© Universitätsverlag Konstanz GmbH, Konstanz 1993
Einbandgestaltung und Satz:
multimedia Electronic Publishing GmbH, Konstanz
Druck: Druckerei Konstanz GmbH, Konstanz

Konstanzer Bibliothek   Denkmaschinen?
Band 19   Herausgegeben von Andreas Elepfandt und Gereon Wolters

KONSTANZER
BIBLIOTHEK
BAND 19

Inhalt

Vorwort

Die in diesem Band versammelten Aufsätze sind großenteils die ausgearbeiteten, schriftlichen Versionen von Vorträgen, die im Rahmen einer von der Fakultät für Biologie und dem Zentrum Philosophie und Wissenschaftstheorie veranstalteten Vorlesungsreihe »Gehirn und Geist« im Sommersemester 1990 an der Universität Konstanz gehalten wurden. Das Thema »Gehirn und Geist« ist wie kein zweites für eine interdisziplinäre Vorgehensweise geeignet und wie kein zweites verlangt es sie auch. Die Läsion einer bestimmten Hirnstruktur beispielsweise bringt unsere Empfindungswelt auf eine Weise in Unordnung, die sich in einem absonderlichen Verhalten unseren Mitmenschen gegenüber äußern mag. Ein einziger Vorgang – aber wie viele Aspekte für wieviele Wissenschaften! Neurowissenschaften, Kognitionswissenschaften, Verhaltenswissenschaften und – wenn auch nicht unumstritten – Philosophie sind involviert und aufeinander angewiesen, wenn es gilt, diesen einen Vorgang und seine Konsequenzen zu klären. Der irreduziblen Komplexität des Themas entsprechend, wurde bei der Auswahl der einzelnen Arbeiten aus klinischer Neuropsychologie und Philosophie, aus Kognitionswissenschaft und Psychologie angestrebt, es von möglichst unterschiedlichen Seiten zu beleuchten.

Die Arbeiten werden aber nicht nur von der Identität des Themas ›Gehirn und Geist‹ zusammengehalten. Obwohl dies nicht bewußt herbeigeführt wurde, stehen sie alle, mehr oder weniger ausgesprochen und kontrovers, auch unter einem gemeinsamen Frageaspekt, dem Naturalisierungsproblem, d.h. der Frage, ob und wenn ja inwieweit zur Lösung von Fragen im Bereich von Gehirn und Geist naturwissenschaftliche Methoden ausreichen.

Die Herausgeber danken allen die am Entstehen des Bandes hilfreich beteiligt waren. Annette Barkhaus, Birgit Fischer, Rolf Jenne und Dr. Martin Schnur für Korrekturarbeiten, unserem Kollegen Martin Carrier für viele sehr sachdienliche, kritische Hinweise und Frau Erika Fraiss für ihr unermüdliches und nicht leichtes Bemühen, die Dinge in die richtige Form zu bringen.

Andreas Elepfandt und Gereon Wolters

Gereon Wolters

Einleitung

Wendet man das Auge vom sicher vorwärtsschreitenden Gang der neuzeitlichen Wissenschaft einmal zurück, dann fällt der Blick auf Wracks von Theorien, Begriffen und Objekten, die den Weg des Fortschritts säumen: über der mittelalterlichen Impetustheorie der Bewegung wölbt sich das stattliche Grabmal, das ihr die klassische Mechanik errichtet hat, die Phlogistonchemie ruht neben der Wärmestofftheorie, der animalische Magnetismus lehnt erstorben an die tote Affinitätstheorie. Seit 105 Jahren ist nun auch Gott schon tot[1], was sich allerdings noch nicht überall herumgesprochen hat. Auch die Seele ist dahingegangen, jedenfalls redet diejenige Wissenschaft, die, wie ihr Name ›Psycho-logie‹ es eigentlich nahelegt, die Seele zum Gegenstand haben sollte, von allem Möglichen, aber nicht von der Seele.[2]

Im Hin und Her unseres Alltagsleben sind wir ein bißchen schwerfälliger, weniger zielstrebig als in der Wissenschaft, wir sind in Maßen fortschrittsresistent. Die Auffassungen zum Beispiel, die die meisten Menschen – unverdorben durch das Studium der klassischen Mechanik – von den Bewegungen der Körper haben, stehen der mittelalterlichen Impetustheorie näher als der Newtonschen Mechanik.[3] Viele glauben an Gott und manche daran, daß die immaterielle Seele nach dem Tod zu ihm[4] aufsteigt bzw. zu pyrotechnischer Läuterung noch eine Zeitlang im Fegefeuer verweilen muß, oder aber endgültig in die Hölle fährt, während der materielle Leib seinem pulverisierten Endzustand zugeht.

Gehört zu solchen, vielfach als liebenswürdige, aber doch im Grunde überholte Skurrilitäten betrachteten Orientierungen im Reich der Wissenschaftsresistenz auch unser Glaube, daß wir als unverwechselbare Subjekte es sind, die etwas meinen, hoffen, wissen? Daß wir der Ansicht sind, wir seien frei, eine Handlung H oder aber auch ihr Gegenteil nicht H bzw. eine von H verschiedene Handlung I zu tun? Oder ist es nicht vielmehr so, daß uns die entsprechenden Wissenschaften längst gelehrt haben, daß all dies Naivitäten sind, erklärbar nur aus der Unkenntnis von Neurophysiologie, Computerwissenschaft und Verwandtem. *In Wirklichkeit,* so mag uns gesagt werden, ›wissen‹ wir nicht, sondern in unserem Kopf feuern Neuronen, laufen computerprogramm-ähnliche Prozesse und dergleichen ab. Unser gewissermaßen alteuropäischer Glaube an frei und verantwortlich handelnde Subjekte sei eine, wenn auch traditionsreiche Illusion, die endlich durch Wissenschaft ersetzt zu werden habe; eine Illusion von eben der Art wie sie vom wissenschaftlichen Fortschritt im Laufe der Jahrhunderte hinweggefegt wurden?

Auf diese Frage und einige mehr geben die Beiträge dieses Buches façettenreiche – und sich teilweise widersprechende – Antworten. Diese Antworten bewegen sich im Rahmen einer wissenschaftsphilosophischen Fragestellung, die einen Teil der Diskussion der letzten Jahre bestimmt: müssen die Gegenstände, von denen ›anständige‹ Wissenschaften sprechen und müssen die Methoden, mit denen das geschieht, die Gegenstände und Methoden der *Natur*wissenschaften sein, oder gibt es auch noch andere, respektable Objekte des Wissens und entsprechende, nicht-naturwissenschaftliche Wege, zu ihnen zu gelangen. Es geht also um das Problem der *Naturalisierung*, in unserem Fall um das Problem der verwissenschaftlichenden Objektivierung unserer alltagspsychologischen Einstellungen und lebensweltlichen Orientierungen. Ist das die letzte Naivität, die noch durch Wissenschaft ausgeräumt werden muß, das letzte Hindernis einer durchgängigen Rationalisierung unseres Lebens?

Angefangen hat unsere Fragestellung im 17. Jahrhundert, und zwar mit der ganz fraglosen Behauptung des Gegenteils: die Welt besteht aus zwei toto genere voneinander getrennten Seinsbereichen, die nur beim Menschen über einen Gehirnteil eine fragwürdige Verbindung besitzen: Geistiges und Materielles, so lehrte Descartes, gehören je eigenen Welten an. Daß das Materielle und die Methoden seiner Erforschung je das Geistige und Seelische verdrängen oder ersetzen könnten, ist ihm ein so ungeheuerlicher Gedanke, daß er ihm nicht einmal in den Sinn kommt.

Man kann sagen, daß Philosophie und Wissenschaft sich über drei Jahrhunderte an der von Descartes inaugurierten Fragestellung abgearbeitet haben. Unter dem unpassenden Titel ›Leib-Seele-Problem‹[5] wurden die unterschiedlichsten Varianten erörtert, wie das Verhältnis der materiellen und geistigen Welt zueinander zu denken sei. Der einleitende Beitrag von *Gereon Wolters* verfolgt die historische Entwicklung des Körper-Geist-Problems (KGP). In dieser Entwicklung werden im Kern auch schon diejenigen Grundpositionen sichtbar, die auch noch die heutige, außerordentlich ausdifferenzierte Diskussion in den unterschiedlichsten Disziplinen charakterisieren, wenn auch vom klassischen KGP nicht mehr allzuviel die Rede ist.

Zwei Autoren dieses Bandes, nämlich *Peter Janich* und *Holm Tetens* halten das KGP sogar für ein Scheinproblem. Die Gründe für diese Annahme und die Resultate, zu denen ihre Überlegungen führen, könnten allerdings kaum verschiedener sein. Einig sind sich beide darin, daß es sich – gut philosophisch – bei der Klärung dieser Frage um eine begriffliche Arbeit handelt und daß es der philosophischen Analyse nicht um Substanzen geht, sondern um unsere Redeweisen in zwei Bereichen, die uns intuitiv zunächst einmal irgendwie verschieden vorkommen. Damit aber hören die Gemeinsamkeiten auch schon auf.

Janich will mit seiner These vom Scheinproblem KGP nicht etwa unser alltägliches Reden über Geistiges, Psychisches, Mentales oder wie immer man es nennen mag, zugunsten neuro- oder computerwissenschaftlichen Redens eliminieren. Auch ist er nicht der Meinung, daß sich die Sprache der exakten Wissenschaften und die der psychisch-geistigen Orientierungen des Alltags – in Cartesischer Perspektive gewissermaßen – inkommensurabel gegenüberstünden. Ganz im Gegenteil! Denn stellt man die Zweck-Mittel-Relationen unseres Redens und Handelns in Rechnung, dann erweist sich, daß schon die Sprache, in der wir die Anleitungen zur materiellen Konstruktion von Computern ausdrücken, nicht unabhängig ist von der Sprache der Programme, mit denen wir rechnen, da Rechner eben zu dem Zweck, Berechnungen auszuführen, gebaut werden. Über den Ebenen von Konstruktions- und Funktionssprachen spannt sich sodann als eine dritte Hierarchieebene noch die Sprache, in der wir als aktive, zweckorientiert handelnde Beobachter, die Resultate der Maschinenarbeit nach ›wahr‹ und ›falsch‹ zu beurteilen haben. Mutatis mutandis läßt sich diese Hierarchie von Sprachebenen auch auf neurowissenschaftliche Untersuchungen übertragen. Alle drei Sprachebenen sind voneinander abhängig. In neuro- und kognitionswissenschaftlichen Untersuchungen, die das Prädikat ›wissenschaftlich‹ verdienen sollen, müssen die Hierarchieebenen des Sprechens zusammengeführt werden. Das Problem der Vermittlung des anscheinend Unvermittelbaren, eben das KGP, besteht in Wirklichkeit nicht. Unsere lebensweltlichen Zweckorientierungen können durch den neurowissenschaftlichen Fortschritt nicht eliminiert werden, sie sind vielmehr Bedingung seiner Möglichkeit.

Das sieht *Tetens* anders. Hatte Janich noch darauf bestanden, daß eine rein naturwissenschaftliche ›Körper-Sprache‹ ein sprachlogisches Unding ist, so geht Tetens zunächst von der Beobachtung aus, daß Computer- und Neurowissenschaftler ganz ungeniert die alltagspsychologische und die Sprache ihrer Wissenschaften verschränken.[6] Da findet man kybernetische Maschinen-Feiglinge, das Gehirn verarbeitet Farben, es weiß etwas Bestimmtes usw. Solche Kategorien-Verschränkungen lassen dem auf saubere kategoriale Abgrenzung bedachten Philosophen die Haare zu Berge stehen: Maschinen haben keinen Charakter und eine neurophysiologische Struktur verarbeitet keine Empfindungen und sie weiß auch nichts. Den Wissenschaftler aber kümmert solches Abgrenzungsbedürfnis keinen Deut, solange ihm der biokybernetisch-alltagspsychologische Kategorienhybrid in seiner Arbeit weiterhilft. Die Tendenz geht dahin, daß die Ausdrücke für mentale Zustände »so fest in ein semantisches Netz mit Ausdrücken für physische Zustände verwoben« sind, daß uns einmal die kategoriale Verschränkung von Physischem und Psychischem so wenig problematisch vorkommen wird, wie die Annahme, daß Bäume zur physischen Welt gehören. Die Sprache unserer Lebenswelt ist in der biokybernetischen Sprache aufgegangen. Das KGP ist damit gewissermaßen evaporiert.

Das ist nun aber eine Perspektive, die nicht nur Janich wenig erfreut. In weiten

11

Bereichen der Kognitionswissenschaft, insbesondere im Funktionalismus,[7] besteht man auf der irreduziblen Eigenständigkeit der Sprache und Orientierungen des Alltags und ihrer Systematisierungen in der Alltagspsychologie.[8] Diese Sprache ist durch ›Intentionalität‹[9] gekennzeichnet, d.h. dadurch, daß sich ihre Sätze auf bestimmte Gehalte beziehen oder mentale Repräsentationen[10] vornehmen (ich bin überzeugt, daß... [hier wäre ein bestimmter Sachverhalt anzugeben, von dem man überzeugt ist].; ich weiß, daß...; ich habe Angst, daß...; ich wünsche, daß... usw.). J. Fodor, den man als Begründer des Funktionalismus bezeichnen kann, und andere sind der Ansicht, daß die Elimination der Alltagswelt durch Wissenschaft eine große, ja sogar die größte anzunehmende Katastrophe (GRAK) in der Geschichte der Menschheit bedeuten würde: Wir hätten dann nämlich die bisherigen, definierenden Parameter des Menschseins als ein zwar vielleicht liebenswürdiges, aber doch durch den wissenschaftlichen Fortschritt überholtes Relikt aus grauer Vorzeit zu betrachten. Die GRAK ist nach Fodor nur dadurch zu vermeiden, daß es gelingt, die Alltagspsychologie auf das Niveau einer akzeptablen wissenschaftlichen Theorie zu bringen oder – wie man in der Kognitionswissenschaft sagt – eine naturalistische Theorie des mentalen Gehalts oder der mentalen Repräsentation zu liefern.

Stephen Stich, dem eine gewisse Nähe zu eliminativistischen Ideen durchaus zugesprochen werden kann, geht diesen Befürchtungen auf ihren begrifflichen Grund. Resultat: vorerst Entwarnung. Die definitionstheoretische Analyse zeigt nämlich, daß es keinen einheitlichen Begriff und folglich auch nicht *die* Theorie der mentalen Repräsentation gibt. Die Frage, die sich jetzt sofort stellt, ist, ob unterschiedliche Theorien der mentalen Repräsentation auch eine unterschiedliche Ontologie, d.h. unterschiedliche mentale Zustände implizieren. Aus letzterem ergäbe sich ja, daß sich das alltagspsychologische Sprechen über mentale Gehalte auf andere Objekte bezöge als das kognitionswissenschaftliche und deshalb nicht so einfach zu ersetzen sei. Hier spielt ganz offensichtlich das Problem der Identifikation gleicher mentaler Zustände und damit das sprachphilosophische Lehrstück der Bezugnahme[11] von Begriffen eine entscheidende Rolle. Aber auch hier gibt es keine einheitliche Theorie. Folglich hängt das, was der eliminative Materialismus allenfalls eliminieren könnte, davon ab, auf welche Theorie des Bezugs er sich jeweils stützt. Das heißt, daß es mindestens so viele eliminative Materialismen wie Theorien des Bezugs gibt. Die eine oder andere davon möchte tatsächlich zutreffend sein, das aber müßte erst noch gezeigt werden.

Stich hält eine Naturalisierung des Intentionalen für ein hoffnungsloses Unternehmen: einmal wegen der Schwierigkeit des theorieübergreifenden Bezugs von Begriffen und zum anderen weil es kaum vorstellbar ist, eine naturwissenschaftlich akzeptable Definition von ›mentale Repräsentationen‹ zu liefern. Aber das mache nichts. Man könne viele Begriffe nicht naturalisieren (›Phonem‹, ›Angriffsverhalten‹ usw.), ohne daß dadurch die Existenz von Phonemen oder aggressivem Verhalten bestritten würde. Und so folge aus der Nicht-Naturalisierung des Mentalen nicht seine Nicht-Existenz. Es mag – so Stich – gute Gründe für den eliminativen Materialismus geben, die Unmöglichkeit einer Naturalisierung der mentalen Repräsentation gehört nicht dazu.

Auch *Martin Carrier* befaßt sich mit der Naturalisierung mentaler Gehalte. Er geht dabei, anders als Stich, nicht von der mentalen Repräsentation der Alltagspsychologie aus, sondern davon, daß mentale Gehalte und Intentionalität auch im Gegenstandsbereich der wissenschaftlichen Psychologie eine zentrale Rolle spielen, insofern deren Gesetze Verallgemeinerungen über intentionale Zustände darstellen. Insbesondere stellt sich Carrier die Frage, ob bei angenommener, gleicher methodischer Orientierung von Physik (bzw. Neurophysiologie) und wissenschaftlicher Psychologie die Dinge so liegen, daß beide Disziplinen von den gleichen Zuständen sprechen. Die wissenschaftliche Psychologie wäre in diesem Fall als ein Zweig der Neurophysiologie aufzufassen. Zunächst charakterisiert Carrier die Struktur der wissenschaftlichen Psychologie durch die Ergebnisse der Symbolverarbeitungs- oder Rechnertheorie[12] des Geistes. Diese ist hierfür hervorragend geeignet, weil sie wegen der prinzipiell multiplen Interpretierbarkeit formaler Systeme die Viele-Viele-Beziehung[13] zwischen psychischen und physischen Zuständen adäquat zum Ausdruck bringt. Nach diesem Rechnermodell des Geistes – Carrier legt es seiner Untersuchung hypothetisch zugrunde – ist Denken als Durchlaufen eines Programms zu verstehen. Dabei ist allerdings zu beachten, daß so zwar mentale Operationen, nicht aber auch das Zustandekommen mentaler Inhalte erklärt werden kann. Anders gesagt: wegen der Viele-Viele-Beziehung definiert das physikalische System Computer, das hier stellvertretend für das Gehirn steht, keine Bedeutungen auf der formal-syntaktischen Ebene seines Funktionierens. Wenn aber die Gesetze der Psychologie letztlich solche der Neurophysiologie sein sollen, dann müßte es möglich sein, die Mehrdeutigkeiten zwischen beiden Ebenen durch Bildung kognitiver Äquivalenzklassen[14] zu beseitigen. Bei der Bildung dieser Äquivalenzklassen aber darf man keine anderen als physikalische und formale Methoden verwenden. Carrier zeigt, daß F.I. Dretskes Versuch, dies zu leisten, gescheitert ist, weil er versteckt mentale Inhalte und Bedeutungen heranziehen muß, die zu eliminieren er eigentlich angetreten war.[15] Es ist – und das mag Fodor ebenso überraschen und erfreuen – die Naturalisierungsresistenz des Intentionalen, die verhindert, daß sich bereits die wissenschaftliche Psychologie nicht in Neurophysiologie auflösen läßt. Jedenfalls solange nicht, als die Rechnertheorie des Geistes als adäquates Modell des Denkens und die Intentionalität als Charakteristikum mentaler Zustände betrachtet wird.

Die Rechnertheorie des Geistes, d.h. die Auffassung, daß Denken Symbolverarbeitung darstellt, ist nicht die einzige Modellierung des Funktionierens des Gehirns geblieben. In den letzten Jahren haben solche Computer zunehmend an Bedeutung gewonnen, deren Konstruktionsprinzipien sich teilweise und rudimentär an der Anatomie des Gehirns mit seinen neuronalen Verschaltungen orientieren. Die Theorie neuronaler Netzwerke heißt ›Konnektionismus‹. *William Bechtel* stellt den Konnektionismus in seinem Beitrag vor. Er wendet sich ausführlich gegen die Verknüpfung oder gar Identifizierung des Mentalen mit seiner sprachlichen Repräsentation,[16] wie sie sich etwa in Fodors These von einer Sprache des Denkens darstellt. Hier werde ein Modell, das für die Kommunikation *zwischen* Personen von zentraler Bedeutung sei, umstandslos und unbegründet auf *inner*personale Vorgänge übertragen. Bechtel zeigt, daß sich viele Bereiche mentaler Tätigkeit befriedigender mit der konnektionistischen Grundoperation der Mustererkennung als mit dem der Sprachverarbeitung erklären lassen, und vermutet, daß Mustererkennung die grundlegende kognitive Aktivität darstellt und daß Wissen weniger Aussagewissen (knowing that) als vielmehr Verfahrenswissen (knowing how) ist.

Mit der Modellierung mentaler Aktivität befaßt sich auch der Beitrag von *Ernst Pöppel*. Pöppel versteht die neuropsychologische Erklärung der Empfindung subjektiver Kontinuität als Beschreibung der entsprechenden Gehirnzustände. Gute empirische Gründe sprechen dafür, das (in vier Unterklassen zu unterteilende) psychische Repertoire als durch neuronale Programme verfügbar gemacht zu modellieren. Diese funktionstragenden Programme sind voneinander unabhängig und häufig räumlich getrennt im Gehirn lokalisiert und wie separate technische Funktionseinheiten am besten als Module[17] zu interpretieren. Durch einen weiteren, die einzelnen Funktionen integrierenden Typ neuronaler Mechanismen wird jedoch sichergestellt, daß wir einheitliche, subjektive Empfindungen besitzen. Bei der Erklärung der Einheit der Empfindung und noch mehr bei der Empfindung der subjektiven Kontinuität der mentalen Zustände stellt sich die Frage nach den Zeitkonstanten der einzelnen psychischen Funktionsklassen. Diese können von wenigen Millisekunden bei der Wahrnehmungsfunktion bis zu Jahrzehnten bei der Gedächtnisfunktion reichen. Als Grundlage der Betrachtung dienen hier die ›Systemzustände‹ des Gehirns, d.h. jene Zustände von 30-40 Millisekunden Dauer, in denen für das Gehirn (wenn auch nicht notwendig den bewußten Betrachter) physikalisch noch zeitlich unterscheidbare Information nicht mehr unterscheidbar, sondern gleichzeitig ist. Diese Systemzustände werden vermutlich durch eigene, neuronale Programme räumlich und zeitlich integriert. Auf einer ersten Ebene geschieht dies z.B. in der Zusammenfassung identischer Eigenschaften in verschiedenen Teilen des Gesichtsfelds. Die nächsthöhere Ebene faßt verschiedene Qualitäten (z.B. Form und Farbe beim Sehen) zusammen, während die dritte zu einer Integration von Informationen aus verschiedenen Sinneskanälen führt (z.B. Hören und Fühlen). Subjektive Kontinuität wird dadurch erreicht, daß auf einer unteren Ebene zeitlicher Integration von ca. 3 Sekunden aufeinander folgende Systemzustände noch als eine Art einheitlicher Wahrnehmungsgestalten empfunden werden. Ein weiterer Integrationsprozeß schließlich setzt die Drei-Sekunden-Segmente miteinander in Beziehung und stiftet eine semantische Verbindung zwischen ihnen. Hier spielen möglicherweise die relativ langen Zeitkonstanten emotionaler Bewertungen und von Gedächtnisprozessen eine wichtige Rolle.

14

Auch *Bruno Preilowskis* Studie entstammt der Neuropsychologie, ist jedoch aus den Bedürfnissen der klinisch-psychologischen Praxis mit neurologisch geschädigten Patienten erwachsen. Hier stellen sich vor allem drei Probleme: erstens, das teilweise unbegreifliche Verhalten solcher Patienten zu verstehen und zu Prognosen von Verhaltensregularitäten zu gelangen, um so, zweitens, den Betreuern dieser Patienten sinnvolle Hinweise für den Umgang mit der Behinderung zu geben und drittens vielleicht Ansätze zu Therapien zu gewinnen. Dabei erweist sich die Einführung des Bewußtseinsbegriffs im Rahmen einer Klassifikation neuropsychologischer Störungen als hilfreich. Preilowski versteht Bewußtsein als die dynamische, d.h. sich in beständigem Neuaufbau befindende, Gesamtheit der »Gehirnfunktionen, die unsere Gehirnwelt aufbauen«. Gestörte Funktionen bedeuten somit spezifisch von der Norm abweichende Bewußtseinszustände oder Gehirnwelten. Preilowski stellt sodann eine Vielfalt neuropsychologischer Störungen und die mit ihnen verbundenen Bewußtseinsstörungen vor. Von besonderem Interesse sind dabei die Ergebnisse der Split-Brain-Forschung,[18] an der Preilowski im Labor von Roger W. Sperry selbst teilgenommen hat. Haben Split-Brain-Personen zwei Gehirnwelten? Wie sieht es mit der ›Einheit des Bewußtseins‹ aus? Es ergibt sich das erstaunliche Resultat, daß trotz zweier Gehirnwelten beim Patienten selbst wie auch in seiner Umgebung der Eindruck einer Einheit des Bewußtseins entsteht. Zu den Erklärungen für dieses Phänomen gehört auch die sozialpsychologische Annahme einer ›kognitiven Dissonanzreduktion‹. Das Gefühl der Einheit des Bewußtseins mag auch einen wichtigen Aspekt des Selbstbewußtseins ausmachen, das sich durch den »Unterschied zwischen der Vorstellung, ein Gehirn zu haben, anstatt ein Gehirn zu sein« charakterisieren läßt. Hier ist noch ein weites und wenig bearbeitetes Forschungsfeld. Wie auch immer die positiven Ergebnisse sind und sein werden: Sir John Eccles' Auffassung, daß (Selbst-)Bewußtsein unaufhebbar an Sprache gebunden, Sprache aber an die linke Hirnhemisphäre, während die rechte ›sprachlos‹ sei, ist empirisch nicht überzeugend gestützt: Die Sprachfähigkeit der rechten Hemisphäre scheint durchaus für (selbst-)bewußte Leistungen auszureichen.

In ein anderes Gebiet naturalistischer Betrachtung des Geistigen führt *Juan Delius'* beispielreiche Untersuchung der starken Parallelen zwischen der genetischen und der kulturellen Evolution. Den Genen des phylogenetischen Prozesses entsprechen die ›Meme‹ der auf Tradition fußenden kulturellen Entwicklung. In einem frühen Zustand der Entwicklung des Menschen konnten sich nur solche Meme durchsetzen, die auch die Gene ihrer Träger beförderten oder, mit anderen Worten: lebensfeindliche Traditionen wurden mit ihren Trägern ausgerottet. Gene kontrollierten also Meme. Der Fortschritt der Kultur brachte auf einer zweiten Stufe eine immer zunehmende Unabhängigkeit der Meme von den Genen mit sich. Die Elimination von Memen erfolgt immer mehr durch andere Meme. Die eine Theorie ersetzt die andere, die eine Mode folgt der anderen usw. Auf einer dritten Stufe kann man sogar von einer Ausrottung von Genen durch Meme sprechen. Man denke etwa an Geburtenbeschränkung, unterschiedliche Mortalität auf Grund unterschiedlicher medizinischer Versorgung oder an Glaubenskriege.

Während Delius »als erklärter Materialist« keine Probleme bei seiner (wenigstens methodologischen) Naturalisierung der Kultur sieht, beharrt *Friedrich Kambartel* auf eben dem, was auch schon Tetens im Gang der Wissenschaft mehr und mehr entschwinden sah: die strikte und unaufhebbare kategoriale Trennung wenigstens einiger Teile unseres Redens über Physisches und Mentales. Als Beispiel zweier, prinzipiell begrifflich irreduzibler Bereiche betrachtet Kambartel menschliches Handeln auf der einen und die auf eine bestimmte Weise mit ihm verbundenen neurophysiologischen Prozesse auf der anderen Seite. Die Frage ist: kann eine bestimmte Handlung H als durch einen neurophysiologischen Prozeß P *verursacht* betrachtet werden? In subtilen begrifflichen Analysen, insbesondere der Konzeption des Blindversuchs gelangt Kambartel auf der Basis einer Unterscheidung von ›Bedingungen‹ und ›Ursachen‹ des Handelns zu dem Resultat, daß es zwar notwendige und oft auch hinreichende neurophysiologische Bedingungen für Handlungen gibt, die sich als Ursachen von Handlungskompetenz verstehen lassen, daß es aber begrifflich, d.h. prinzipiell ausgeschlossen ist, daß diese physiologischen Bedingungen von Handlungskompetenz auch deren Aktualisierungen, d.h. konkrete, einzelne Handlungen verursachen. Und wenn es doch so kommt, wie Tetens es – ohne daß ihn dies zu beschweren scheint – kommen sieht, daß »jemand [...] die begrifflichen Formen unseres Handlungsverständnisses selbst verändern, z.B. materialistisch transformieren möchte«? Kambartels Antwort ist eine praktisch-philosophische: keine begrifflich möglichen Forschungsergebnisse können uns zu einem solchen Verständnis unserer Handlungen und damit auch unserer selbst zwingen. »Wir können uns allerdings dagegen wehren, in einer Welt zu leben, in welcher unser gewissermaßen alteuropäisches Handlungsverständnis an den Rand gedrängt wird [...] durch technizistische Verständnisse des Menschen.«

Anmerkungen

1 Das heißt seit der 2. Auflage (5. Kapitel: »Wir Furchtlosen«) von Nietzsches *Fröhlicher Wissenschaft: »Was es mit unserer Heiterkeit auf sich hat. –* Das grösste neuere Ereigniss, – dass ›Gott todt ist‹, dass der Glaube an den christlichen Gott unglaubwürdig geworden ist – beginnt bereits seine ersten Schatten über Europa zu werfen. [...] das Ereigniss selbst ist viel zu gross, zu fern, zu abseits vom Fassungsvermögen Vieler, als dass auch nur seine Kunde schon *angelangt* heissen dürfte. [...] In der That, wir Philosophen und ›freien Geister‹ fühlen uns bei der Nachricht, dass der ›alte Gott

todt‹ ist, wie von einer neuen Morgenröthe angestrahlt, [...] endlich erscheint uns der Horizont wieder frei, gesetzt selbst, dass er nicht hell ist, endlich dürfen unsere Schiffe wieder auslaufen, [...] jedes Wagniss des Erkennenden ist wieder erlaubt, das Meer, *unser* Meer liegt wieder offen da, vielleicht gab es noch niemals ein so ›offnes Meer‹« (Nietzsche (1887).

2 Vgl. Jüttemann (1986), 100ff.

3 Vgl. z.B. McCloskey (1983).

4 Denjenigen LeserInnen, die möglicherweise diesen Text daraufhin untersuchen, ob androzentrischer Sprachgebrauch wieder einmal die weibliche Perspektive unterdrückt, sei hier ein für allemal mitgeteilt, daß es mir gleichgültig ist, ob Gott männlich, weiblich oder sonst etwas ist, und daß mit ›Lesern‹, ›Wissenschaftlern‹ usw. unabhängig von ihrem Geschlecht alle Personen gemeint sind, die lesen, Wissenschaft treiben usw. , und daß in diesem Text fürderhin – jedenfalls in dieser Hinsicht – der deutschen Sprache keine Gewalt angetan wird.

5 Das Wort ›unpassend‹ bezieht sich nur auf die deutsche Formulierung. Richtigerweise müßte man im Deutschen von einem ›Körper-Geist-Problem‹ sprechen. Das Wort ›Leib‹ hat nämlich die Konnotation des belebten und deswegen beseelten Körpers und ist deswegen wenig geeignet, als konträrer Begriff zu ›Seele‹ zu fungieren. Im Englischen gibt es kein Äquivalent zu ›Leib‹. ›Body‹ bezeichnet sowohl den belebten, als auch den unbelebten Körper.

6 Man sieht dies auch gelegentlich in Beiträgen dieses Bandes.

7 Vgl. Glossar: Funktionalismus, Kognitionswissenschaft.

8 Vgl. Glossar: Alltagspsychologie.

9 Vgl. Glossar: Intentionalität.

10 Vgl. Glossar: mentale Repräsentationen.

11 Vgl. Glossar: Bezug.

12 Vgl. Glossar: Symbolverarbeitungstheorie.

13 Diese besteht darin, daß unterschiedliche, physikalische Gegebenheiten (z.B. physische Indikatoren eines bestimmten Witterungszustandes) zur gleichen psychischen Überzeugung (vom Bestehen dieses Zustandes) und umgekehrt gleiche physikalische Gegebenheiten (z.B. ein Wetterbericht) zu unterschiedlichen Überzeugungen (etwa über das Wetter des folgenden Tages) führen kann.

14 In diesen werden unterschiedlichen physikalischen (neurophysiologischen) Zuständen der gleiche mentale Gehalt, oder einem einzigen physikalischen Zustand unterschiedliche mentale Gehalte zugeordnet.

15 Es ist also ähnlich wie bei Janich eine dritte Sprachebene anzusetzen. Hier ist es diejenige der Psychosemantik.

16 Dagegen argumentiert Schleichert (1992) für eine Identifikation von Bewußtsein und Sprache.

17 Vgl. Glossar: Modularität.

18 Als ›Split Brain‹ bezeichnet man den Gehirnzustand nach der Durchtrennung der Nervenfaserbündel der sog. Kommissurenbahnen, die die rechte mit der linken Hirnhälfte verbinden.

Literatur:

Jüttemann, Gerd (1986): »Die geschichtslose Seele – Kritik der Gegenstandsverkürzung in der traditionellen Psychologie«, in: ders. (ed.), *Die Geschichtlichkeit des Seelischen. Der historische Zugang zum Gegenstand der Psychologie,* Weinheim (Psychologie Verlagsunion/Beltz).

McCloskey, Michael (1983): »Intuitive Physics«, *Scientific American* 284 (4), 114-122.

Nietzsche, Friedrich (1980): *Die fröhliche Wissenschaft (»la gaya scienza«),* 2. Aufl. 1887, in: ders., *Sämtliche Werke. Kritische Studienausgabe in 15 Bänden,* eds. G. Colli/M. Montinari, München/Berlin (dtv/de Gruyter), 343-651.

Schleichert, Hubert (1992): *Der Begriff des Bewußtseins. Eine Bedeutungsanalyse,* Frankfurt (Klostermann).

GEREON WOLTERS

Geist und Maschine

Historische Bemerkungen zu einem nicht ganz alten philosophischen Problem

I. Einleitung: wissenschaftliche und philosophische Probleme

Die philosophischen Begriffe von Leib und Seele, so lehrt uns das *Historische Wörterbuch der Philosophie*, sind ungefähr so alt wie die abendländische Philosophie. Wir finden sie also schon bei den Vorsokratikern. ›Leib‹ und ›Seele‹ besitzen somit das für philosophische Begriffe gerade richtige Alter. Wie ist es mit der uns so geläufigen[1] Verbindung dieser beiden Begriffe zum ›Leib-Seele-Problem‹, das man besser ›Körper-Geist-Problem‹ (KGP) nennen sollte? Es ist kein Thema für Heinrich Heimsoeths erstmals 1934 publizierte und immer noch lesenswerte[2] *Sechs großen Themen der abendländischen Metaphysik* (Heimsoeth (1974)).[3] Das ist kein Zufall und auch keine Nachlässigkeit. Denn unser Problem ist für ein philosophisches Problem geradezu jugendlich. Während die klassischen, philosophischen Probleme mühelos einen Stammbaum bis zu den Vorsokratikern oder doch wenigstens bis Platon und Aristoteles vorweisen können und damit um die zweieinhalbtausend Jahre alt sind, ist das KGP nicht einmal vierhundert. Es wird in aller Schärfe erstmals bei René Descartes (1596-1650) formuliert. Warum ist das KGP ein solcher philosophischer Problem-Parvenü?

Um diese Frage einigermaßen schlüssig beantworten zu können, müssen wir einen Augenblick beim Begriff des *philosophischen Problems* verweilen. Philosophische Probleme haben zunächst einmal mit den (natur-) wissenschaftlichen gemeinsam, daß irgendetwas fraglich geworden ist. Die Fragerichtung ist jedoch verschieden. Zwei Unterschiede zwischen naturwissenschaftlichen und philosophischen Problemen seien hervorgehoben: erstens ein *inhaltlicher* und zweitens ein *logischer*. Zum ersten: naturwissenschaftliche oder auch mathematische Probleme sind dazu da, um *gelöst* zu werden, philosophische dagegen wollen in erster Linie *verstanden* sein. Wo wäre das bedeutende philosophische Problem, das eine Lösung gefunden hätte, die man in ihrer zeitlosen Verbindlichkeit etwa mit mathematischen Sätzen oder den Erhaltungssätzen der Physik vergleichen könnte? Wo sind die philosophischen Problemlösungen, die jeder Normalsinnige und Kompetente akzeptieren müßte wie den Satz des Pythagoras oder die Unschärferelation? – Es gibt sie nicht. Und doch gibt es philosophische Probleme, die man nur um den Preis szientistischen Selbstbetrugs zu ›Scheinproblemen‹ herabstufen kann. *Große* philosophische Probleme sind solche, in denen zentrale Fragen der menschlichen Existenz zum Ausdruck kommen. Diese Fragen können kaum endgültig und für alle verbindlich beantwortet werden. Sie stellen sich auf je mehr oder weniger verschiedene Weise in jeder historischen Situation von neuem. Wenn Antworten gefunden werden, dann handelt es sich um Deutungsentwürfe, die – jedenfalls überwiegend – keinen deskriptiv-empirischen Charakter besitzen. Eben deswegen unterliegen sie auch nicht den Bestätigungsanforderungen der Sätze empirischer Wissenschaft.[4] Wenn philosophische Sätze sachhaltig sind, dann handelt es sich um eine andere und auf andere Weise verbindliche Art von Sachhaltigkeit als in den deskriptiv-empirischen Wissenschaften. Das Verständnis der Individualität bei Leibniz z.B. ist gewiß von Interesse, wenn wir über Individualität nachdenken. Wir können aber kaum unser Verständnis von Individualität in der Weise als hervorragend bestätigt von Leibniz übernehmen wie seinen Satz von der Erhaltung der kinetischen Energie.

Es ist immer wieder als Skandal empfunden worden, daß die Philosophie ihre Probleme nicht löst wie die Wissenschaften, sondern sie bestenfalls versteht. Auf den ersten Blick ist diese Fundamentalkritik an der Philosophie ganz verständlich, da man ja üblicherweise zu Recht darauf beharrt, daß Probleme da sind, um gelöst zu werden. Ein zweiter Blick macht freilich deutlich, daß es vielleicht gar nicht so gut wäre, wenn die Philosophie ihre Probleme auf gleiche Weise wie die Wissenschaft löste. Wie schon gesagt, betreffen philosophische Probleme Grundfragen unseres menschlichen Selbstverständnisses, insbesondere – nach einer Aufstellung von Kant[5] – die Fragen nach der Möglichkeit und den Grenzen menschlichen Wissens, der Begründung moralisch relevanten Handelns und schließlich – derzeit in unseren Breiten etwas aus der Mode gekommen – die Fragen nach Gott und Unsterblichkeit. Nach Kant stellen sich diese Fragen ›unaufhaltsam‹ (KrV B21). Nehmen wir einmal an, wir hätten für sie eine Dauerlösung der Art gefunden, wie sie der Satz des Pythagoras seit weit über zweitausend Jahren für das Problem des Verhältnisses zwischen den Quadraten über den Seiten im rechtwinkligen Dreieck darstellt. Wir besäßen in einem solchen Fall überzeitliche und überindividuelle Bestimmungen der allgemeinen menschlichen und der je eigenen Situation. Das aber wäre nicht nur das Ende der Philosophie im bisherigen Sinn, sondern das ›Ende der Geschichte‹.[6] Das Ende der Geschichte, das ich hier meine, besteht darin, daß wir keine *vernünftige* Freiheit mehr hätten, uns anders oder neu zu verstehen und im Sinne selbstgesetzter Ziele moralisch zu handeln. Denn was wir sind, würde tendenziell ein für allemal wissenschaftlich feststehen. Nur um den Preis wissenschaftlicher Unvernunft könnten wir uns anders verstehen. Moralisches Handeln könnte seine Zwecke nicht frei wählen, denn auch diese wären mit wissenschaftlicher Sicherheit vorgegeben. Lediglich über die Art und Weise, sie in wechselnden Situationen zu erreichen, ließe sich diskutieren. Vernünftige Selbstbestimmung hätte in diesem Fall zweckrationalem Verhalten Platz gemacht. Ich zweifle nicht daran, daß eine solche verwissenschaftlichte Existenz vielen ganz richtig und sogar angenehm vorkommt. So jedenfalls deute ich die weithin positive bis enthusiastische Resonanz die heute evolutionäre Erkenntnistheorie und evolutionäre Ethik bei einem breiten Publikum finden. Die meisten Ansätze in diesen Disziplinen beruhen auf der Prätention, nun endlich ›wissenschaftliche‹, d.h. evolutionsbiologische Lösungen für philosophische Probleme zu geben, mit denen die Philosophie über die Jahrtausende infolge der ihr eigenen Unfähigkeit angeblich nicht fertig geworden ist.[7] Manches, was im Umkreis des Körper-Geist-Problems gesagt und geschrieben wird, scheint in eine ähnliche Richtung zu weisen. Es scheint sich in den genannten Ansätzen zur ›Verwissenschaftlichung‹ der Philosophie im wesentlichen die gleiche Trivialität zu wiederholen, die schon ähnliche Bestrebungen gegen Ende des vorigen und zu Beginn dieses Jahrhunderts geprägt hatte, als man z.B. in einer ›Sozialphysik‹ und ›Sozialchemie‹ die sozialen Beziehungen der Menschen in physikalischen und chemischen Modellen adäquat erfassen zu können glaubte.[8]

Ein zweites ist zu philosophischen Problemen im Unterschied zu naturwissenschaftlichen zu sagen. Sie unterscheiden sich von diesen nicht bloß inhaltlich darin, daß sie kulturvariante Deutungsentwürfe darstellen, die den empirischen Testkriterien für wissenschaftliche Sätze weder unterliegen, noch auch überhaupt unterliegen können. Vielfach haben philosophische Probleme auch eine *andere logische Struktur*: während wissenschaftliche Aussagen deskriptiv-sachhaltig sind oder wenigstens sein sollen, liegen philosophische Sätze einer bestimmten Art den einzelwissenschaftlichen systematisch voraus: Philosophie hat seit jeher auch und insbesondere die Aufgabe, die *Begriffe zu klären*, die in den Wissenschaften Verwendung finden. In dieser Perspektive sind philosophische Sätze keine Antworten auf (wissenschaftliche und philosophische) Fragen, sondern stellen vielmehr den Versuch dar, ihre *Bedeutung* zu analysieren.[9]

II. Warum ist das Körper-Geist-Problem neu?

Zurück zur Frage, warum das KGP ein philosophischer Problem-Parvenü ist. Für uns Heutige gehört es doch zu den ›großen‹ philosophischen Problemen. Wie konnten da die Alten, deren philosophische Kompetenz außer Frage steht, eine adäquate Analyse der condition humaine geben, ohne überhaupt auf dieses Problem zu stoßen?

Es ist zunächst nicht ganz richtig, zu sagen, das Leib-Seele-Problem habe vor Descartes überhaupt nicht bestanden. Es hat sich bis dahin vielmehr nicht in voller Schärfe gestellt. Die Gründe dafür sind verschieden und können hier nicht alle angeführt werden. Vielfach – vor allem wohl in der griechischen Frühzeit – trat die analytische Unterscheidung von Leib und Seele zurück hinter der lebendigen Erfahrung ihrer Einheit im menschlichen und tierischen Leben. Ein Bedürfnis, die dieser Erfahrung nachgeordneten Analyseprodukte ›Leib‹ und ›Seele‹ wieder zu vermitteln, gibt es in einer solchen begrifflichen Situation natürlich kaum.

In der vorcartesischen Philosophie gibt es keine allgemein akzeptierten Unterscheidungskriterien von Leib und Seele. Manche halten die Seele für einen stofflichen Gegenstand wie den Leib, nur von ›feinerer‹ Konsistenz; andere nehmen sie als unstofflich an. Die einen glauben an eine unsterbliche Seele, während sie für die anderen zusammen mit dem Leib dahingeht. Platon (428/7-348/7 v.u.Z.) z.B. hielt die Seele für unsterblich. Nach dem berühmten Wort des Dialogs »Kratylos« schmachtet sie im Leib wie in einem Gefängnis.[10] Diese auf die Orphiker und Pythagoräer zurückgehende Auffassung ist der Kern aller Konzeptionen, die das Leib-Seele-Verhältnis weniger unter wissenschaftlichen, erkenntnistheoretischen oder metaphysischen, sondern unter *asketischen* Aspekten sehen: das Fragen ist hier nicht kognitiv-philosophisch, will also nicht wissen, wie Leib und Seele sich faktisch zueinander verhalten oder in der Erkenntnis zusammenwirken, sondern wie sich die Seele von den gewöhnlich als minderwertig verstandenen Regungen des Leibes befreien kann. Das Christentum insbesondere hat diesen asketischen Dualismus lange und mit Verve vertreten. Obwohl Platon auch der Meinung ist, daß die Seele den Leib bewege, widmet er der nicht-asketischen, sondern philosophischen Frage, wie das im einzelnen vor sich gehen soll, nicht allzuviel Aufmerksamkeit.[11]

In anderen, eher philosophischen als asketischen Konzeptionen dominiert der Aristotelische[12] Gedanke, daß die Seele keine selbständige Existenz wie der Leib besitzt, sondern ein die Materie organisierendes Lebensprinzip darstellt. Die aristotelische Konzeption kann als der Ausdruck der lebensweltlichen Erfahrung der Einheit von Leib und Seele gelten. Das, was wir unmittelbar erfahren, sind wir selbst und andere lebendige Wesen mit Lebensäußerungen, die wir erst ex post als ›leiblich‹ oder ›seelisch‹ unterscheiden. Dabei kann sich ebensowenig das Leib-Seele-Problem im strengen Sinne stellen wie in denjenigen Auffassungen, die wie z.B. die Stoiker eine wie auch immer geartete Materialität der Seele annehmen. Wo kein großer oder gar kein Gegensatz ist, da gibt es eben auch nicht viel zu vermitteln.

Welcher wirklich neue Punkt in der Lehre von Descartes ruft nun das KGP in seiner vorher nicht gekannten Schärfe hervor? – Ich glaube, daß man nicht ein einziges, ›verantwortliches‹ cartesisches Lehrstück nennen kann. Ich vermute vielmehr, daß sich im Werk von Descartes ein schon vorher virulenter,[13] säkularer Wandel in der philosophischen Auffassung der ›condition humaine‹ ausdrückt, d.h ein Auffassungswandel hinsichtlich der Situation des Menschen in der Welt. Dieser Auffassungswandel dürfte in der wachsenden und bei Descartes sich exemplarisch ausdrückenden Einsicht in die Möglichkeit einer auf Kausalwissen beruhenden, mechanischen Naturerklärung und Naturbeherrschung bestehen. Ohne Übertreibung kann man sagen, daß dieser Wandel die vielleicht entscheidende Signatur der Neuzeit darstellt – wie nicht wenige meinen, zum Verderben der Menschheit überhaupt.

In der ersten Hälfte des 17. Jahrhunderts entwickelte sich zum erstenmal in der Geschichte ein einheitliches Verstehensmodell für alle irdischen Ortsbewegungen; ein Modell, das auf keinerlei verborgene ›substantiellen Kräfte‹ zurückzugreifen brauchte; ein Modell, das im Experiment und in technischen Anwendungen glanzvolle Bestätigung fand. Nichts lag näher als der Versuch, nicht nur die Ortsbewegungen, sondern alle Veränderung und damit die gesamte Natur, einschließlich der belebten, im Rahmen dieses Modells zu verstehen. Descartes hat diese Konsequenz gezogen: auch Organismen sind Maschinen. Sie unterscheiden sich von den gewöhnlichen nur dadurch, daß ihr Konstrukteur, d.h. Gott, den menschlichen Maschinenbauern haushoch überlegen ist. Wenn menschliche Maschinenbauer so gut Mechanik könnten wie Gott und über die gleiche Fingerfertigkeit verfügten, dann könnten auch sie Tiere und sogar Menschen basteln. Das war ein nicht nur intellektuell sehr gefährlicher Gedanke. Was ist denn, so mußte man sich fragen mit der menschlichen Seele, die nach kirchlicher Lehre unsterblich ist und nach dem Tode, eventuell über die Zwischenstation Fegefeuer, in den Himmel aufgenommen wird oder aber in die Hölle fährt? Fällt auch die Seele in die Kompetenz der Maschinenbauer? Diese und ähnliche philosophische Fragen, denen teilweise durch die Folterkammern der Heiligen Inquisition ein gewisser Nachdruck verliehen wurde, bewogen Descartes zu seiner bekannten dualistischen Lösung. Danach besteht die Welt aus zwei sich gegenseitig vollständig ausschließenden Bereichen, dem materiellen der ›ausgedehnten‹, d.h. einen Raum einnehmenden (res extensa) und den geistigen der ›denkenden‹ Substanz (res cogitans). Zur res extensa gehören alle materiellen Dinge, zur res cogitans der ganze Bereich des Mentalen, d.h. alles, was wir im Deutschen in die Kategorien ›seelisch‹, ›geistig‹, ›gefühlsmäßig‹ und dergleichen einordnen können. Die (materielle) Körperwelt ist durchgängig durch die Gesetze der Mechanik bestimmt.[14] Auch der Mensch wäre (wie die Tiere) nichts anderes als ein Automat, wenn er nicht – und nur er allein in der ganzen Körperwelt – sprechen könnte. Sprache läßt sich nämlich nach Descartes nicht mechanisch erklären. Sie ist vielmehr Ausdruck von Vernunft und deswegen dem geistigen Bereich zugehörig. Folglich erleidet dort, wo die Körpermaschine absichtsvoll und mit Wahrheitsanspruch spricht und nicht bloß Laute hervorbringt, die mechanische Kausalkette eine Unterbrechung. Es erfolgt ein Eingriff aus der Sphäre der denkenden Substanz, die den körperlichen Automaten für einen Augenblick stillstellt, bevor er, um die Wirkung des geistigen Eingriffs bereichert, seinen seelenlosen Lauf fortsetzen kann.[15] – *Der Geist sitzt in der Maschine*, treibt sie gelegentlich an und wird ihrerseits von ihr getrieben.

Damit ist das KGP in der klassischen, cartesischen Perspektive gestellt: wie hat man sich die nach Descartes ganz offensichtliche *Wechselwirkung* von leiblosem Geist und leiblicher Maschine vorzustellen? Wie z.B. das Verhältnis von materiellem Baum und der erkennenden Vorstellung von diesem Baum? Descartes vielfach belächelte[16]›Lö-sung‹, daß über die Zirbeldrüse (Epiphyse) im Gehirn die Geist-Maschine-Kommunika-tion erfolge, kann natürlich nur als eine Lokalisierung, nicht aber auch als eine Lösung des Problems gelten. Wie sollte das Problem der Leib-Seele-Kommunikation auch ge-löst werden? *Naturwissenschaftlich* kann man es in cartesischen Kategorien prinzipiell nicht lösen. Denn eine solche Lösung müßte mechanisch sein. Die Mechanik gilt aber nur im Bereich der ausgedehnten materiellen Dinge. Folglich kann es kein mechani-sches Modell der Maschine-Geist-Kommunikation geben. Es ist jedoch von Descartes selbst und auch in nachcartesischer Zeit immer wieder versucht worden.

Einer dieser Versuche, vielleicht der geistesgeschichtlich bedeutendste, ist Franz An-ton Mesmers (1734-1815) ›animalischer Magnetismus‹.[17] Worum geht es im animali-schen Magnetismus, d.h. einem Magnetismus, der in besonderer Beziehung zum tieri-schen und damit auch menschlichen Körper steht? – Die Cartesische Mechanik war auf Druck und Stoß als die einzig ›zugelassenen‹ Phänomene beschränkt. Mesmer begei-sterten die neu ins Zentrum der Physik tretenden und noch sehr geheimnisvollen Berei-che der Elektrizität und des Magnetismus. Ein großer Unterschied bestand für ihn zwi-schen diesen beiden Phänomenen jedoch nicht.[18] Eher zufällig entschied er sich für den Magnetismus als Modell der Leib-Seele-Interaktion. Es handelt sich aber bei Mesmer freilich nicht um den altbekannten mineralischen oder den Ferromagnetismus, sondern um solche Wirkungen wie sie noch heute in metaphorischen Wendungen wie ›magneti-sches‹ Angezogensein durch eine Person oder Sache ausgedrückt werden. Mesmer meinte, diese in unseren Augen eher psychischen Phänomene seien Wirkungen eines universalen Magnetismus, von dem der mineralische nur ein Sonderfall sei. Er hat sei-nen animalischen Magnetismus denn auch nicht metaphorisch, sondern naturwissen-schaftlich-konkret verstanden. Sein Versuch, für dieses Verständnis des ›animalischen Magnetismus‹ in der Wissenschaftlergemeinschaft Anerkennung zu finden, ist aller-dings kläglich gescheitert. Eine Kommission der Pariser Akademie der Wissenschaften unter Vorsitz von Lavoisier erklärte 1784 Mesmers Theorie nach gründlicher Prüfung und ganz zu recht für unwissenschaftlich. In der Ablehnung des animalischen Magnetis-mus wird freilich noch ein Desiderat deutlich, nämlich der Lösung des Leib-Seele-Pro-blems näher zu kommen. Denn die Kommission sieht in den mesmeristischen Phänome-nen, die wir heute im wesentlichen dem hypnotischen und suggestiven Bereich zuordnen würden, Datenmaterial für das, was sie die neue ›Wissenschaft vom Einfluß des Moralischen [d.h. Psychischen] auf das Physische‹ nennt.[19]

III. Nachcartesische Positionen

Im Folgenden möchte ich die wesentlichen Lösungsansätze skizzieren, die sich direkt oder indirekt in kritischer Auseinandersetzung mit der Cartesischen Wechselwirkungsposition herausgebildet haben.[20] Es sind dies

(1) Positionen, die die Cartesische Zwei-Substanzen-Lehre in ihrem hier interessierenden Kern akzeptieren, eine Wechselwirkung zur Erklärung eines allfälligen Verhältnisses zwischen ihnen aber ablehnen: der *Okkasionalismus* und die *Lehre von der prästabilierten Harmonie*.

(2) Positionen, die – gewissermaßen pragmatisch – den Cartesischen Dualismus von Geist und Materie akzeptieren, eine Korrelation zwischen beiden behaupten, ohne eine Wechselwirkung zu bestreiten, aber nichts über den genauen Charakter dieser Wechselwirkung aussagen. Ich denke z.B. an *Phrenologie* und *Physiognomik*.

(3) Positionen, die den Cartesischen Dualismus zugunsten eines Monismus verwerfen, bei denen die *eine* Substanz aber weder Geist, noch Materie, sondern ein von beiden verschiedenes Drittes ist. Es war Bento Baruch de Spinoza (1632-1677), der diese ›Doppel-Aspekt-Auffassungen‹ begründete, die über Gustav Theodor Fechner (1801-1887) und Ernst Mach (1838-1916) bis heute vertreten werden.

(4) Positionen, die ebenfalls den Cartesischen Dualismus durch einen Monismus ersetzen, aber durch einen solchen, der jeweils eine der beiden Komponenten des Cartesischen Dualismus zur eigentlichen Wirklichkeit erklärt. Hier ist einmal die erstmals von George Berkeley (1685-1753) vertretene *idealistische* Lösung denkbar, welche die Existenz der ausgedehnten materiellen Substanz für eine Illusion erklärt, da unser Wissen immer nur ein Wissen in Bewußtseinsinhalten sein könne (›esse est percipi‹). Zum anderen bietet sich die alte *materialistische* These von der Bestreitung eines selbständigen Reichs des Geistes an. Natürlich wäre auch von Immanuel Kant (1724-1804) zu reden. Kant hat eine sehr interessante Formulierung und Lösung des Problems kausaler Beziehungen zwischen dem materiellen und geistigen Bereich gegeben, auf die an dieser Stelle lediglich aufmerksam gemacht zu werden braucht.[21]

Nun zum *ersten* Typ der gerade angeführten dualistischen Positionen. Die *Lehre von der ›prästabilierten Harmonie‹* geht auf Gottfried Wilhelm Leibniz (1646-1716) zurück. Sie enthält empirisch in gewisser Hinsicht weniger als die eine Kausalbeziehung zwischen Körpermaschine und Geist behauptende, cartesische Wechselwirkungskonzeption. Nach Leibniz besteht zwar eine genaue Entsprechung zwischen körperlichen und mentalen Phänomenen, aber dem äußeren Anschein zuwider keinerlei kausale Beziehung. Es sieht nur so aus, *als ob* die Maschine auf den Geist wirke und umgekehrt. Der Schein von Austausch und Wechselwirkung zwischen Materie und Geist wird – grob gesprochen – dadurch erzeugt, daß Gott bei der Schöpfung der Welt die materiellen und die geistigen Abläufe in vollkommenster Weise synchronisiert hat. So entspricht, um ein triviales Beispiel zu nennen, im göttlichen Schöpfungsplan der Folge wirkungskausaler, mechanisch beschreibbarer Vorgänge, die in einem Schnitt in den Finger beim Zwiebelschälen resultieren, eine zweckkausale Abfolge im ›Reich der Geister‹, die in einem heftigen Schmerz endet. Leider versäumt es Leibniz, uns mitzuteilen, woran wir eine nicht wechselwirkende, durchgehende Korrelation zwischen Geist und Maschine, d.h. eine als-ob-Wechselwirkung von einer tatsächlichen Wechselwirkung unterscheiden können. Empirisch unterscheiden sie sich ja nicht.

Im *Okkasionalismus*[22] gibt es – jedenfalls nach der starken Version von Nicolas Malebranche (1638-1715) – überhaupt keine natürliche Kausalität als ›notwendige‹ Verknüpfung von Ereignissen mehr. Wenn die Seele den Leib bewegen will, wird Gott durch das Wollen der Seele veranlaßt, den Leib wunschgemäß zu bewegen. Entsprechend wird die Seele durch am Leib anlangende Sinneseindrücke durch Vermittlung Gottes in einen neuen Zustand versetzt.

> »Die *causa efficiens* der Veränderungen des Körpers durch die Seele und der Seele durch den Körper ist also stets nur Gott; das Wollen der Seele und die Sinneseindrücke sind nur die *causae occasionales* für die unaufhörlich erneuten Eingriffe seiner Allmacht«,

so charakterisiert der Physiologe Emil Du Bois-Reymond (1818-1896) in seiner berühmten ›Ignorabimus-Rede‹ von 1872 den Okkasionalismus.[23] In prästabilierter Harmonie und Okkasionalismus ist der Geist nicht mehr wie bei Descartes in der Maschine. Er steht, liegt oder sitzt *daneben*, *darunter* oder *darüber* – um in der Cartesischen räumlichen Metaphorik zu bleiben.

(2) Positionen des *zweiten* dualistischen Typs, nämlich solche, die zwar auch eine Dualität von Geistigem und Materiellem annehmen, aber im Unterschied zu Okkasionalismus und prästabilierter Harmonie eine Wechselwirkung zwischen Leib und Seele nicht ausschließen, treten vor allem in der medizinischen Literatur des 18. Jahrhunderts ziemlich häufig auf. Ich möchte sie *Korrelationskonzeptionen* nennen. Sie vertreten zwar eine Leib-Seele-Verknüpfung, lassen aber die Frage nach der kausalen Basis dieser Verknüpfung offen. Überwiegend sind die Korrelationskonzeptionen von einer eher unspezifisch-physiologischen Art wie z.B. in der Dissertation des nachma-

ligen Militärmedikus Friedrich Schiller von 1780, die den Titel trägt: »Versuch über den Zusammenhang der thierischen Natur des Menschen mit seiner geistigen«.[24] Mit mehr dichterischem als medizinischem Schwung stellt Schiller die Korrelation von Psychischem und Physischem heraus. Einige Zitate:

> »Die Thätigkeiten des Körpers entsprechen den Thätigkeiten des Geistes; d.h. jede Überspannung von Geistesthätigkeit hat jederzeit eine Überspannung gewisser körperlicher Aktionen zur Folge, so wie das Gleichgewicht der erstern [...] mit der vollkommensten Übereinstimmung der letztern vergesellschaftet ist. [...] Geistiges Vergnügen befördert das Wohl der Maschine.[...] Geistiger Schmerz untergräbt das Wohl der Maschine.«

Diesem Einfluß des Psychischen auf das Physische entspricht auch ein umgekehrter Einfluß:

> »So ist es also ein zweites Gesez der gemischten Naturen, daß mit der freien Thätigkeit der Organe auch ein freier Fluß der Empfindungen und Ideen [...] sollte verbunden seyn.«[25]

Während solche allgemeinen Korrelationsstudien wie diejenige Schillers oder das fünf Jahre vorher in Amsterdam erschienene Werk »De l'homme ou des principes et des lois de l'influence de l'ame sur le corps et du corps sur l'ame« von Jean Paul Marat eher rhapsodisch die unterschiedlichsten Beobachtungen zusammentrugen, gab es auch stärker systematische Versuche. Zwei davon haben es im 18. Jahrhundert und darüber hinaus zu Berühmtheit gebracht. Es sind dies die *Phrenologie* von Franz Joseph Gall (1758-1828) und die *Physiognomik* von Johann Kaspar Lavater (1741-1801).

Gall war der Auffassung, daß alle mentalen Fähigkeiten angeboren seien. Ihr organischer Sitz ist das Gehirn. Jeder mentalen Fähigkeit entspricht ein spezifischer Gehirnteil. Dessen Entwicklungsstand gibt Auskunft über den Grad der betreffenden Fähigkeit. Der Entwicklungsstand der Gehirnteile drückt sich ›nach außen‹ hin in der Form der entsprechenden Schädelpartie und in ihrem Verhältnis zu anderen Schädelpartien aus. Sorgfältige Schädelmessung liefert deshalb Aufschluß über den charakterlichen und intellektuellen Zustand eines Menschen.[26] Gall unterschied genau 27 an der Schädelform unterscheidbare Fähigkeiten, darunter eine für Theosophie. Die durch Galls Theorie ausgelöste phrenologische Bewegung, die sich vor allem in Amerika erfolgreich kommerzialisierte, erhöhte diese Anzahl beträchtlich. Bald war die Phrenologie eine geachtete Provinz im Reich der Quacksalberei und Scharlatanerie geworden. Ihr Erbe freilich war seriös. Mit ihr trat nämlich wieder eine Idee ins wissenschaftliche Bewußtsein, die man schon in medizinischen Traktaten des Mittelalters finden kann, sofern sie in der

Galenischen Medizintradition stehen.[27] Die Idee nämlich, daß bestimmte mentale Leistungen bestimmten Gehirnorten zugeordnet werden. In diesem Sinne wirkte Galls Phrenologie entscheidend an der Herausbildung der Lokalisationstheorie mit, die heute einen wichtigen Teil der Hirnforschung bildet.

Ähnlich wie Gall aus der Schädelform glaubte Lavater aus den Gesichtszügen Auskunft über charakterliche und intellektuelle Anlagen zu erhalten. Beide Gelehrte vermieden es jedoch, einen Mechanismus anzugeben, der die Expression des Mentalen in Schädelform bzw. Gesichtszügen hätte erklären können. Sie verblieben im deskriptiven, korrelierenden Bereich. Geist und Maschine gehören zwar irgendwie aufs engste zusammen, es wird aber darauf verzichtet, dieses Verhältnis in einer räumlich formulierbaren Metapher zu klären.

(3) *Monistische* Positionen der ersten, nicht-reduktionistischen Art gehen auf Spinoza zurück. Für Spinoza sind Leib und Seele keine selbständigen Substanzen, sondern ›Attribute‹ der *einen* Substanz. Diese eine und einzige Substanz heißt ›deus sive natura‹.[28] Jeder Zustand der Substanz kann unter physischem und zugleich unter psychischem Aspekt betrachtet werden. Der Kern dieser ›Doppelaspekt-Konzeption‹ ist im 19. Jahrhundert insbesondere von Fechner im Rahmen einer experimentalpsychologischen Disziplin namens Psychophysik erneut vertreten worden. Psychisches und Physisches sind nichts anderes als der Innen- bzw. der Außenaspekt ein und derselben Wirklichkeit der empfindenden Materie.[29] Geist und Maschine sind also ein und dasselbe, jeweils unter anderer Perspektive betrachtet, und es kommt darauf an, die beiden Perspektiven in einen gesetzmäßigen Zusammenhang zu bringen. Gesetzmäßiger Zusammenhang der beiden Seiten heißt aber nicht: Reduktion[30] der einen auf die andere. Sinnesempfindungen bilden die eine, ›innere‹ Seite der Wahrnehmung, physikalisch-physiologische Vorgänge die andere, ›äußere‹. Beide Seiten des einen Prozesses sind und bleiben autonom und verschieden. Ernst Mach bemerkt sarkastisch gegen solche, die den prinzipiellen und fundamentalen, wenn auch nicht dualistischen, Unterschied zwischen physikalischem Reiz und psychischer Empfindung, oder genauer: gegen Materialisten, die die Empfindungen ganz der scheinbaren Erklärungskraft des Fortschritts von Physik und Physiologie opfern zu können glauben:

> »Gewiß wird man sich aber wundern, wie uns die Farben und Töne, die uns doch am nächsten liegen, in unserer physikalischen Welt von Atomen abhanden kommen konnten, wie wir auf einmal erstaunt sein konnten, daß das, was da draußen so trocken klappert und pocht, drinnen im Kopfe leuchtet und singt.«[31]

(4) Die vierte der Descartes malgré soi beerbenden Positionen, nämlich der *reduktioni-*

28

stische Monismus ist vor allem in seiner *materialistischen* Form für die Gegenwart weitgehend bestimmend geworden. In einer ersten Phase versuchten die sogenannten französischen Materialisten und die englischen Empiristen mechanische Modelle des Mentalen zu entwerfen.[32] Julien Offray de La Mettries (1709-1751) thesenhafter Buchtitel *L'homme machine* sagt schon alles. Der Geist ist nicht in, neben oder ein anderer Aspekt der Maschine, sondern ist, wenn man es genau und empirisch betrachtet, und seine idealistischen Vorurteile ablegt, *nichts anderes* als eine Maschine. In ähnlichem Sinne entwirft Thomas Hobbes (1588-1679) in England eine kausale Wahrnehmungstheorie, die ein auf den Begriffen von Druck und Gegendruck aufbauendes mechanisches Modell für das Entstehen von seelischen Empfindungen auf Grund von Reizungen der Sinnesorgane liefert.[33] Dies hat bedeutende Folgen für den Charakter der Lösungen des Körper-Geist-Problems. Die bisher betrachteten, dualistischen Antworten sind *philosophisch*, insofern sie durch ontologische Unterscheidungen das Problem zu klären versuchen. Die monistische, parallelistische Konzeption und der reduktionistische Monismus in seiner materialistischen Variante sind dagegen ihrer Tendenz nach – wenn dies denn überhaupt begrifflich möglich ist – *wissenschaftliche* Lösungsansätze. Danach sind die Phänomene, die man als physisch bzw. mental unterscheidet, bei allem möglichen Unterschied doch Phänomene gleichen Typs. Deshalb ist ihr Zusammenhang mit den üblichen Mitteln der Wissenschaft *im Prinzip* beschreibbar. Eben das aber schließt die dualistische Ontologie aus, da sich der Geist den Methoden empirischer Wissenschaft prinzipiell entzieht.[34]

Im vorigen Jahrhundert erreichten die materialistischen Ansätze eine neue Stufe ihrer Entwicklung und – speziell in nicht kirchengebundenen Kreisen – breite Popularität. Marx und Engels scheinen für diese neue Version des Materialismus die wenig schmeichelhafte Bezeichnung ›Vulgärmaterialismus‹ erfunden zu haben.[35] Auf der Basis stark erweiterter physiologischer Kenntnisse kam der aus Deutschland emigrierte Genfer Zoologieprofessor Karl Vogt (1817-1895) im 12. seiner *Physiologischen Briefe* zu folgender ›wissenschaftlichen‹ Lösung des Körper-Geist-Problems:

> »Ein jeder Naturforscher wird wohl, denke ich, bei einigermaßen folgerechtem Denken auf die Ansicht kommen, daß alle jene Fähigkeiten, die wir unter dem Namen der Seelentätigkeiten begreifen, nur Funktionen der Gehirnsubstanz sind; oder, um mich einigermaßen grob hier auszudrücken, daß die Gedanken in demselben Verhältnis etwa zu dem Gehirne stehen wie die Galle zu der Leber oder der Urin zu den Nieren.«[36]

Der ziemlich drastische Vergleich von Denken und Urinproduktion empörte manche zarte und aufs Höhere gestimmte Bürgerseele des 19. Jahrhunderts. Darüber hinaus hinkt er bis zum Umfallen. Das hat schon Vogts Co-Vulgärmaterialist Ludwig Büchner (1824-1899) bemerkt, als er in seinem erstmals 1855 erschienen Werk *Kraft und Stoff* Vogts Intention einer funktionalen Abhängigkeit des Geistes vom Gehirn gegen dessen Darstellung dieser Abhängigkeit zu verteidigen suchte:

> »Auch bei genauester Betrachtung sind wir nicht imstande, ein Analogon zwischen der Gallen- und Urinsekretion und dem Vorgang, durch welchen der Gedanke im Gehirn erzeugt wird, aufzufinden.«

Galle und Urin sind stofflich, Gedanken hingegen nicht.

> »So ist das Gehirn wohl *Träger* und Erzeuger des Geistes, des Gedankens, aber doch nicht *Sekretionsorgan* desselben.«

Es besteht vielmehr das

> »Gesetz, daß Geist und Gehirn sich wechselseitig aufs Notwendigste bedingen, daß sie in einem untrennbar kausalen Verhältnis zueinander stehen. Wie es keine Galle ohne Leber, wie es keinen Urin ohne Nieren gibt, so gibt es auch keinen Gedanken ohne Gehirn; die Seelentätigkeit ist eine Funktion der Gehirnsubstanz. Diese Wahrheit ist einfach, klar, leicht mit Tatsachen zu belegen, und riecht nicht ›urinös‹, wie fade Witzlinge behaupten.«[37]

Geist als Funktion, nicht als Produkt der Maschine, das ist kurzgefaßt die Botschaft des sogenannten Vulgärmaterialismus, an dem ich, jedenfalls in der Büchnerschen Formulierung des Problems, nichts Vulgäres zu entdecken vermag. Er stellt in meinen Augen vielmehr ein achtbares Forschungsprogramm dar, dem die heutigen Neurowissenschaften, aber auch etwa der Funktionalismus[38] über weite Strecken folgen. Ich will den historischen Abriß über Konzeptionen des KGP an dieser Stelle schließen. Wie sieht die Lage heute aus?

IV. Heutige Problemstellungen

Man kann sagen, daß die klassische philosophische Problemstellung in den höchst unterschiedlichen Bereichen, in denen das KGP heute eine Rolle spielt, mindestens indirekt stets präsent ist. Hierzu sind nur einige Andeutungen möglich. Descartes ontologisch-dualistische Position einer kausalen Interaktion von Physischem und Mentalem ist vor dem Hintergrund der Ergebnisse der neueren Neurowissenschaft von Sir Karl Popper und John Eccles neu ausgearbeitet worden, hat aber kaum Anhänger gefunden.[39] Hier wird, im Grunde genauso wie bei Descartes, das Problem nur lokalisiert: im sogenannten Liaison-Hirn soll sich die Schnittstelle befinden, an welcher ein Informations-, aber kein Energiefluß zwischen der materiellen Welt W1 und der Welt W2 des Psychischen stattfinden soll.

Carrier und Mittelstraß haben in ihrem schon mehrfach erwähnten Buch eine interessante, geradezu trickreiche, methodologische Reformulierung des Cartesianismus herausgearbeitet, die sie als ›pragmatischen Dualismus‹ bezeichnen. Sie argumentieren einerseits mit achtbaren, wissenschaftstheoretischen Argumenten gegen monistische Ansätze, andererseits nehmen sie die Realität der Psychologie als Wissenschaft ernst. Die besten psychologischen Theorien aber stützen sich auf mentale Größen. Nach einer Theorie von Quine, die inzwischen im sogenannten wissenschaftlichen Realismus ausgebaut wurde, »gilt die Zweckmäßigkeit eines Begriffsapparates als Kriterium dafür, ob deren theoretische Begriffe faktische Referenz aufweisen, also tatsächlich existierende Gegenstände bezeichnen« (Carrier/Mittelstraß (1989), 161). Einfacher gesagt: unsere Ontologie, d.h. das, was wir als existierend annehmen, bestimmt sich nach den tragenden Begriffen unserer jeweils besten, wissenschaftlichen Disziplinen. Die Psychologie redet von mentalen Größen, also ist es richtig, sie als seiend anzunehmen. Das ist keine überzeitliche, ontologische Aussage, sondern eine respektiv zum Stand der Wissenschaft. Die Welt wird nicht kategorisch und endgültig in res extensa und res cogitans eingeteilt, sondern mit pragmatischer Vorläufigkeit.

Die Eigenständigkeit des Mentalen wird – wenn auch in materialistischer Grundorientierung – mit Nachdruck im *Funktionalismus* betont, der vor allem von Hilary Putnam und Jerry Fodor entwickelt wurde.[40] Mentale Zustände werden als abstrakte funktionale Zustände des gesamten Organismus verstanden. Was heißt das? – Ein Begriff wie ›Mausefalle‹ gibt nur an, welche Funktion ein Gerät erfüllen muß, das zu recht diesen Namen tragen soll. Er legt nicht auch schon fest, wie es gebaut sein muß. Ebenso sind die Begriffe für mentale Zustände nicht notwendig an die gewohnte irdisch-organische Hardware gebunden. Psychologie verhält sich zur Neurophysiologie wie die funktionale Beschreibung einer Maschine zu einer bestimmten Realisierung dieser funktionalen Beschreibung. Die Realisierung könnte aber auch anders sein. Sie muß nur die vorher definierte Funktion erfüllen. Eine durch ihre Funktion charakterisierte Maschine kann ihren Zweck eben durch sehr unterschiedliche Konstruktionsweisen erreichen. Ebenso können mentale Zustände in den unterschiedlichsten Systemen materialisiert sein. Wollte man sie – wie im Materialismus – mit Gehirnzuständen identifizieren, dann würde man behaupten,

31

»daß *jeder* Organismus genau dann Schmerz empfindet, wenn sein Gehirn in einem exakt festgelegten Zustand Z ist. Dies dürfte nicht allein für Säugetiere zutreffen, sondern müßte auch z.B. für Krokodile und Tintenfische gelten.«

Das ist eine ziemlich starke Behauptung, für deren Zutreffen nicht allzuviel spricht. Entsprechend ist für einen Funktionalisten »nicht einzusehen, warum nicht auch extraterrestrische Lebéwesen Schmerzen oder Computer Überzeugungen haben sollten«.[41] Es ist allerdings hier zu fragen, ob die Frage der Reduktion schon dadurch aus der Welt geschafft ist, daß man – wie der Funktionalismus – mentale Zustände statt sie an *einen* Typ physischer Systeme zu binden, mit beliebig vielen verknüpft.

Der *Dualismus* in den Konzepten von Okkasionalismus und prästabilierter Harmonie scheint sich überlebt zu haben. Der theologische Input mit seiner gänzlichen Ausschaltung einer natürlich-kausalen Beziehung zwischen den beiden Bereichen von Geist und Materie dürfte zu stark und unplausibel gewesen sein, um sich angemessen säkularisieren zu lassen.

Die *monistischen* Positionen haben sich insgesamt gegenüber den dualistischen als zählebiger erwiesen. Der Parallelismus wird etwa von dem Zoologen Rensch (1977) in seinem ›Panpsychistischen Identismus‹ vertreten. Danach liegt bereits in den kleinsten Materiebausteinen eine ›protopsychische‹ Potenz, die sich dann in der Evolution weiter entfaltet. Hans Jonas vertritt in *Organismus und Freiheit* (Jonas(1973)) ähnliche, wenn auch schwächere Auffassungen.

Das Gros der neueren Theorien neigt jedoch einem reduktionistischen Konzept zu, das lediglich mehr oder weniger scharf vertreten wird. In den 50er Jahren wurde insbesondere von Herbert Feigl die sogenannte Identitätstheorie entwickelt. Sie kann als ein Musterbeispiel philosophischer Begriffsklärung gelten. Ausgangspunkt ist die materialistische Intuition, daß wir es nur mit *einer* grundlegenden Wirklichkeit, eben der materiellen zu tun haben. Diese Intuition wird logisch so rekonstruiert, daß Leib-Seele-Identität besagt, daß sich Aussagen über psychische Ereignisse und Aussagen über Hirnprozesse auf den gleichen (materiellen) Gegenstand beziehen. Die eine Wirklichkeit kann also sowohl durch psychologische als auch äquivalent durch physikalische Begriffe bezeichnet werden. Es werden also physikalische und psychologische Begriffe identifiziert. Die Frage ist: welche und wie? Ich kann auf diesen sehr schwierigen und elaborierten Problemkomplex hier nicht näher eingehen, sondern will nur bemerken, daß es bereits nicht klar ist, ob man Klassen von psychischen Zuständen (z.B. Freude) mit Klassen von physiologischen Zuständen (z.B. ›Erregung von F-Fasern‹) mit einander identifiziert (›type-type-identity‹), oder nur konkrete, individuelle Zustände (›token-token-identity‹). In jedem Fall ergibt sich eine Menge von Problemen, die zu einer Radikallösung, dem sogenannten eliminativen Materialismus42 geführt haben, der die in der Identitätstheorie immerhin noch erlaubte Rede über psychische Phänomene zugunsten einer rein materialistischen, d.h. neurophysiologischen Redeweise zu eliminieren versucht.

V. Wissenschaftliche Forschungsprogramme

Ich habe – sieht man vom Funktionalismus einmal ab – bisher über neuere *philosophische* Konzepte im Gefolge altcartesischer Grundunterscheidungen gesprochen. Diese Konzepte, Teile davon, oder daran anschließende Fragestellungen werden heute vielfach im Rahmen einer interdisziplinären Veranstaltung namens ›Kognitionswissenschaft‹ oder auf neudeutsch ›cognitive science‹ bearbeitet. Howard Gardner hat in seinem Buch über die Geschichte der cognitive science diese Disziplin so definiert: Cognitive science ist »the contemporary, empirically based effort to answer long-standing epistemological questions – particularly those concerned with the nature of knowledge, its components, its sources, its development, and its deployment«.[43] Gardner nennt a.a.O. fünf besonders wichtige Aspekte der Kognitionswissenschaft: (1) Die Untersuchung der menschlichen Erkenntnisaktivität besteht in der Untersuchung ›mentaler Repräsentationen‹. Eine solche Untersuchung unterscheidet sich prinzipiell von neurologisch-biologischen Untersuchungen auf der einen und kulturwissenschaftlichen auf der anderen. (2) Das zentrale Modell des menschlichen Geistes ist der Computer, sei es wie in ›orthodoxen‹ Ansätzen der gute, alte digitale Computer oder seien es wie im Konnektionismus[44] die sogenannten neuronalen Netzwerke, die partiell den Gehirnstrukturen nachgebildet sind. (3) Aus Praktikabilitätsgründen werden psychische und kulturell-historische Faktoren der Erkenntnisfunktionen weniger beachtet. (4) Kognitionswissenschaft ist ein interdisziplinäres Unternehmen, an dem insbesondere Philosophie, Psychologie, Künstliche Intelligenz, Linguistik, Anthropologie und Neurowissenschaft beteiligt sind. (5) Kognitionswissenschaft versteht sich als Nachfolgedisziplin der philosophischen Erkenntnistheorie, eine Auffassung, die unter Kognitionswissenschaftlern aber umstritten ist.[45]

Ich kann hier auf Details der Kognitionswissenschaft nicht eingehen, möchte aber doch wenigstens die immense Bedeutung erwähnen, welche – unabhängig von allen philosophischen Kontroversen über ihren Status – insbesondere die Ergebnisse von Neurowissenschaft und Künstlicher Intelligenz für unser Verständnis mentaler Prozesse haben.

Das intellektuelle Kampffeld von Gehirn und Geist ist heute zu einem guten Teil von Einzelwissenschaften besetzt. Was kann da die Philosophie noch leisten? Diese Frage führt uns an den Anfang zurück. Philosophie trägt zum einen als Wissenschaftstheorie ihren Teil zur begrifflichen (d.h. der Bedeutungs-) Analyse kognitionswissenschaftlicher

Unternehmungen bei. Wer Arbeiten aus diesem Bereich gelesen hat, wird die Wichtigkeit, ja Unersetzlichkeit logisch-scharfer, philosophischer Analysen in diesem Bereich kaum unterschätzen. Oft ist z.B. den Autoren nicht klar, ob sie sich mit ihren Aussagen im Bereich deskriptiver Wissenschaft, im Bereich definitorischer Normierung oder sonstwo befinden.[46]

Zum anderen hat sich die Philosophie auf ihr ureigenes Feld zu besinnen. Wissenschaftliche Aussagen geben immer nur je perspektivische Blicke auf die Welt frei. Philosophie besitzt gewiß nicht die Gesamtperspektive, dafür aber ihre eigenen, unverzichtbaren und wissenschaftlich nicht einholbaren Sehweisen. Keine Wissenschaft kann uns z.B. sagen, was es heißt, in der Welt zu sein oder was es heißt, einen Leib zu haben.[47] Manchmal prätendiert speziell die Evolutionstheorie, sie könne philosophische Selbstvergewisserung durch Wissenschaft ersetzen. Zureichendes Selbstverständnis wird dadurch, aber auch durch andere wissenschaftliche Veranstaltungen nicht gewonnen. So ist etwa das Problem des Sterbenmüssens und des Todes ja nicht damit erledigt, daß man auf seine evolutionäre Zweckmäßigkeit, ja Notwendigkeit verweist. Auch weitere Einblicke in Physiologie und Psychologie des Sterbens werden das Problem des Todes nicht lösen. Selbst ein so scheinbar ausschließlich physikalisch-physiologisches Phänomen wie das Sehen hat auch seine irreduzible, philosophische Perspektive, wie dies z.B. von Hans Jonas in seinem Aufsatz »Der Adel des Sehens« überzeugend gezeigt wurde.[48] Auch die Kognitionswissenschaft wird uns nicht umfassend, ja vielleicht nicht einmal in einer interessanten Weise sagen können, was z.B. Bewußtsein oder Willensfreiheit sind.

Doch, ich muß schließen, denn – auch das ein Aspekt des Leib-Seele-Problems – man wird schnell müde, zumal beim Lesen langweiliger Artikel. Das wußte auch schon Militärmedikus Schiller:

> »Der Verstand darf kaum ein wenig auf einer Idee gehaftet haben, so versagt ihm die träge Materie; die Saiten des Denkorgans erschlaffen, wenn sie kaum ein wenig angestrengt worden; der Körper verläßt uns, wo wir sein am meisten bedürffen. Welch erstaunliche Schritte [...] würde der Mensch in der Bearbeitung seiner Fähigkeiten machen, wenn er in einem Zustand ununterbrochener Intensität fortdenken könnte. [...] Aber es ist nun einmal nicht so.«[49]

Anmerkungen

1 Rebecca Goldsteins (1983) Roman *The Mind-Body Problem* über einen in seinem sozialen Leben ziemlich gestörten Princetoner Mathematikprofessor führt das englische Äquivalent unseres Problems sogar im Titel.

2 Das gilt ebenfalls – wenn auch in anderer Hinsicht – für das wohl nach dem 30. Januar 1933 geschriebene, deutschtümelnde Einleitungskapitel, in dem ›zugunsten‹ der Deutschen Mystik die Bedeutung der italienischen Renaissance für die Entstehung der neuzeitlichen Philosophie heruntergespielt wird.

3 Die »sechs großen Themen« sind: Gott, Unendlichkeit, Seele und Außenwelt, Sein und Leben, Individuum, Verstand und Wille.

4 Das heißt freilich nicht auch, daß man in der Philosophie beliebig daherreden kann. Jedoch kann auf Adäquatheitsfragen systematischen Philosophierens hier nicht näher eingegangen werden.

5 I. Kant, *Logik* A26, in: *Werke in zehn Bänden*, Bd. V, 448.

6 Allerdings nicht so, wie es nach dem Scheitern des realsozialistischen Experiments neuerdings aus dem US State Department verkündet wird. Danach ist die Geschichte zu ihrem Ende gekommen, weil der Kapitalismus alternativlos geworden ist (Fukuyama (1992)).

7 Vgl. dazu Wolters (1988), (1991).

8 Von meiner Kritik unbetroffen sind natürlich alle Versuche, das methodische Instrumentarium der Philosophie zu ›verwissenschaftlichen‹ in dem Sinne, daß die verwendeten Methoden für jede und jeden (nach)vollziehbar sein müssen. Hier liegt das große Verdienst der vor allem mit dem Namen ›Wiener Kreis‹ verknüpften ›wissenschaftlichen Philosophie‹ unseres Jahrhunderts.

9 Auf diesen Unterschied philosophischer und wissenschaftlicher Ansätze weist neuerdings nachdrücklich H. Schleichert (1992, 11 u.ö.) hin. Sein eigenes Buch besteht in einer Bedeutungsanalyse des Bewußtseinsbegriffs. Ebenso überraschendes wie wohlbegründetes Resultat: ›Bewußtsein‹ und ›Sprache‹ sind Ausdrücke für dasselbe.

10 Platon, Kratylos 400c.

11 Im wesentlichen greift er dabei auf seine Lehre von den drei Seelenteilen zurück: logistikón, thymoeidés, epithymetikón. Nur der ›denkartige‹ Teil der Seele, das logistikón, ist unsterblich. Die beiden anderen Seelenteile sind mit dem Leib verbunden, bewegen ihn (thymoeidés) bzw. werden von ihm bewegt (epithymetikón) und scheiden mit ihm dahin. Freilich wird der Körperkontakt der beiden ›unteren‹ Seelenteile wieder vorwiegend unter asketischen Gesichtspunkten beurteilt (vgl. Politeia 439 c-441b; Phaidros 246 a-d, 253d-254e; Timaios 69 c/d).

12 Aristoteles (384-322 v.u.Z.).

13 Vgl. R. Specht (1966).

14 Ich folge hier der Darstellung von Schleichert (1992, 18ff.).

15 Umgekehrt erfolgt der Eingriff der res cogitans auf der Grundlage von Kenntnissen des Maschinenzustandes, die ihr via Zirbeldrüse übermittelt werden.

16 Die Idee mit der Zirbeldrüse ist so abwegig wie manchmal dargestellt in Wirklichkeit nicht: Sie »markiert die Lücke [in der durchgehenden Kausalität] der Mechanik« (Schleichert (1992), 37).

17 Zu Mesmer und dem animalischen Magnetismus vgl. die Beiträge in Wolters (ed.) (1988). – Mit dem ›animalischen Magnetismus‹ leistete die Bodenseeregion einen ihrer raren Beiträge zur internationalen Gelehrsamkeit. Denn Mesmer stammt aus Iznang am Untersee und besuchte das Konstanzer Jesuitengymnasium, bevor es ihn in die weite Welt verschlug. Nach einem aufregenden Leben in Wien und Paris zog er sich wieder an den See zurück, erst nach Frauenfeld, dann nach

Konstanz und schließlich nach Meersburg, wo man heute noch an seinem Grab über die Vergänglichkeit alles Irdischen meditieren kann.

18 Natürlich nicht deswegen, weil Mesmer bereits die Identität von Elektrizität und Magnetismus als Wellenphänomenen erkannt hätte, sondern weil ihm und seiner Zeit manche begrifflichen und experimentellen Unterscheidungsmittel fehlten.

19 Vgl. meinen Beitrag in Wolters (ed.) (1988), 132.

20 Ich stütze mich hier auf den ausgezeichneten Überblick in Carrier/Mittelstraß (1989), 17ff.

21 Eine ausführliche Diskussion findet man in Kambartels Beitrag in diesem Band.

22 Kant nennt ihn (KrV A 390) das System »der übernatürlichen Assistenz«.

23 Du Bois-Reymond (1907), 36. – In dieser Rede erklärt Du Bois-Reymond das Körper-Geist-Problem für wissenschaftlich unlösbar: »ignoramus [...] ignorabimus« (a.a.O., 51).

24 Stuttgart 1780 (Reprint Ingelheim 1959).

25 a.a.O., § 18.

26 Die prognostischen Möglichkeiten der Phrenologie liegen auf der Hand. In Cohen (1980), 223 heißt es – offenbar mit besonderem Blick auf leidvolle amerikanische Erfahrungen – trocken: »Phrenology served the same purpose in the nineteenth century that psychological testing does today (and with about the same success). Ambitious parents took their children to the phrenologist to learn their aptitudes, so that their futures could be carefully and rationally planned.«

27 Die Aristoteliker verbanden Mentales organisch nicht mit dem Gehirn, sondern mit dem Herzen.

28 Spinoza (1955), 51f. (Buch II, Lehrsätze 1 und 2).

29 Genauer versteht sich die Fechnersche ›Psychophysik‹ als messende Untersuchung des Zusammenhangs der leiblichen mit der seelischen Seite, insbesondere von (physischem) Reiz und (psychischer) Empfindung. Danach ist die Veränderung E der Empfindungsstärke dem Logarithmus des Verhältnisses der verglichenen Reizstärken proportional: $E \sim \log (I_2/I_1)$. Man spricht vom Weber-Fechnerschen Gesetz, das heute allerdings weitgehend nicht mehr akzeptiert wird.

30 Vgl. Glossar: Reduktion.

31 Mach (1923), 244.

32 Freilich haben sich auch hochinteressante, mehr oder weniger idealistische Konzepte durchgehalten. Die zeitgenössischen Theorien von Maturana und Varela scheinen dazuzugehören. Ich kann jedoch hier auf den idealistischen Monismus nicht näher eingehen.

33 Carrier und Mittelstraß ((1989), 31) charakterisieren den Hobbesschen Ansatz treffend so: »Die Gesetze der seelischen Welt ergeben sich aus der Betrachtung physikalischer Mechanismen.«

34 Rust (1987) empfiehlt in diesem Sinne, unterscheidend vom tendenziell wissenschaftlich lösbaren ›mind-body-problem‹ und vom philosophischen ›Leib-Seele-Problem‹ zu reden.

35 »Vogt, Moleschott und Büchner werden in der marxistischen Literatur nicht deshalb als ›Vulgärmaterialisten‹ bezeichnet, weil sie schlechthin Metaphysiker waren. Sie sind vielmehr darum Vulgärmaterialisten, weil sie zu einer Zeit auf dem metaphysischen Materialismus beharrten, als der dialektische Materialismus nicht nur Möglichkeit, sondern auch Wirklichkeit geworden war.« So erklärt D. Wittich in der Einleitung zu Vogt/Moleschott/Büchner (1971 I, LXIV) den marxistischen Tadel, der sich in der Bezeichnung ›Vulgärmaterialisten‹ ausdrückt.

36 Vogt/Moleschott/Büchner (1971, I, 17f.).

37 ebd. II, 443ff.

38 Vgl. Glossar: Funktionalismus.

39 Vgl. Popper/Eccles (1982).

40 Ich folge der Darstellung von Carrier/Mittelstraß (1989), 61ff.

41 Carrier/Mittelstraß (1989), 62.

42 Vgl. Glossar: eliminativer Materialismus.

43 Gardner (1985), 6.
44 Vgl. Glossar: Konnektionismus.
45 Sie dürfte in starker Form ebensowenig haltbar sein wie die evolutionär-erkenntnistheoretischen Versuche einer Ersetzung der Erkenntnistheorie (vgl. Wolters (1991)).
46 Schleichert (1992) zeigt dies für Untersuchungen des Bewußtseins.
47 Vgl. Grene (1987).
48 Jonas (1973), Kapitel 8.
49 Schiller (1959), 39.

Literatur:

Carrier, Martin/Mittelstraß, Jürgen (1989): *Geist, Gehirn, Verhalten. Das Leib-Seele-Problem und die Philosophie der Psychologie,* Berlin/New York (de Gruyter).

Cohen, I. Bernard (1980): *Album of Science. From Leonardo to Lavoisier 1450-1800,* New York (Scribner).

Fukuyama, Francis (1992): *Das Ende der Geschichte. Wo stehen wir?,* München (Kindler).

Gardner, Howard (1985): *The Mind's New Science. A History of the cognitive Revolution,* New York (Basic Books).

Goldstein, Rebecca (1983): *The Mind-Body Problem. A Novel,* New York (Random House).

Grene, Marjorie (1987): »Wahrnehmung und Wirklichkeit. Die Gibsonsche Angebotstheorie in ihrer Beziehung zum Leib-Seele Problem«, *Studia Philosophica* 46, 98-112.

Heimsoeth, Heinz (1974): *Die sechs großen Themen der abendländischen Metaphysik und der Ausgang des Mittelalters,* Darmstadt (Wissenschaftliche Buchgesellschaft), 6. Aufl.

Jonas, Hans (1973): *Organismus und Freiheit. Ansätze zu einer philosophischen Biologie,* Göttingen (Vandenhoek & Ruprecht).

Kant, Immanuel (1968): *Werke in zehn Bänden,* ed. Wilhelm Weischedel, Darmstadt (Wissenschaftliche Buchgesellschaft).

La Mettrie, Julien Offray de (1909): *Der Mensch eine Maschine,* ed. und übers. Max Brahn, Leipzig (Dürr).

Lange, Friedrich Albert (1926): *Geschichte des Materialismus und Kritik seiner Bedeutung in der Gegenwart,* ed. Heinrich Schmidt, Leipzig (Kröner).

Mach, Ernst (1923): *Populär-wissenschaftliche Vorlesungen,* Leipzig (J.A. Barth) 5. Aufl.

Popper, Karl R./Eccles, John C. (1982): *Das Ich und sein Gehirn,* München (Piper).

Rensch, Bernhard (1977): *Das universale Weltbild. Evolution und Naturphilosophie,* Frankfurt (Fischer).

Rust, Alois (1987): »Ist das Leib-Seele-Problem ein wissenschaftliches Problem?«, *Studia Philosophica* 46, 113-134.

Schiller, Friedrich (1780): *Versuch über den Zusammenhang der thierischen Natur des Menschen mit seiner geistigen,* Stuttgart (Cotta), Reprint Ingelheim (Boehringer) 1959.

Schleichert, Hubert (1992): *Der Begriff des Bewußtseins. Eine Bedeutungsanalyse,* Frankfurt (Klostermann).

Specht, Rainer (1966): *Commercium mentis et corporis. Über Kausalvorstellungen im Cartesianismus,* Stuttgart-Bad Cannstatt (Frommann).

Spinoza, Benedict de (1955): *Die Ethik nach geometrischer Methode dargestellt,* Hamburg (Felix Meiner).

Vogt, Karl/Moleschott, Jakob/Büchner, Ludwig (1971): *Vogt, Moleschott, Büchner: Schriften zum kleinbürgerlichen Materialismus in Deutschland,* 2 Bde., ed. Dieter Wittich, Berlin (Akademie-Verlag).

Wolters, Gereon (1988): »Evolutionäre Erkenntnistheorie: eine Polemik«, *Vierteljahrsschrift der naturforschenden Gesellschaft Zürich* 133, 125 – 142.

Wolters, Gereon (ed.) (1988): *Franz Anton Mesmer und der Mesmerismus: Wissenschaft, Scharlatanerie, Poesie,* Konstanz (Universitätsverlag).

Wolters, Gereon (1991): »Die Natur der Erkenntnis. Ein Thema der Philosophie oder der Biologie?«, in: H. Bachmaier/E.P. Fischer (eds.), *Glanz und Elend der zwei Kulturen. Über die Verträglichkeit der Natur- und Geisteswissenschaften,* Konstanz (Universitätsverlag), 141-155.

PETER JANICH

Das Leib-Seele-Problem als Methodenproblem der Naturwissenschaften

Einleitung

Das sogenannte »Leib-Seele-Problem« hat unübersehbar Konjunktur. Handelt es sich dabei nur um eine Wissenschaftsmode, oder gibt es gute Gründe, daß dieses unbestritten uralte Thema gegenwärtig auf neues Interesse stößt?

Wenigstens in zwei Bereichen liefert die Forschung solche Gründe: zum einen wirft das Zusammentreffen enormer Fortschritte der Computertechnologie mit eklatanten Mißerfolgen der technischen Simulation menschlicher Intelligenzleistungen im Feld der sogenannten KI-Forschung neue Probleme auf, zum andern sind es Fortschritte der Neurowissenschaften und der Gehirnforschung, die mit zunehmendem Wissen über Aufbau und Funktion von Nervensystemen immer dringender die Frage nach dem Verhältnis zwischen Organismus und seinen »geistigen« Leistungen stellen.

Unabhängig von diesen fachwissenschaftlichen Entwicklungen hat es in der Philosophie immer eine autonome Diskussion des Leib-Seele-Problems gegeben, die in unserem Jahrhundert neu beflügelt wurde durch den »lingustic turn« der modernen Philosophie. Unter der Bezeichnung »Analytische Philosophie des Geistes« hat sich diese Diskussion zu einem eigenen philosophischen Teilgebiet ausgeweitet, für das Universitäten bereits Lehrstühle ausschreiben. »Autonom philosophisch« heißt nicht, daß dabei nicht versucht würde, Resultaten der Naturwissenschaften Rechnung zu tragen. Aber letztlich sind sich doch die naturwissenschaftlichen Bemühungen auf der einen und die philosophischen auf der anderen Seite weitgehend fremd geblieben. Man wird kaum philosophische Texte nennen können, die auf die konkreten methodischen wie begrifflichen Schwierigkeiten der Naturwissenschaften, hier selbstverständlich der Neuro-Disziplinen, wirklich eingehen.

Hier setzt mein Vortrag ein, der sich so gut wie überhaupt nicht mit der autonomen, manchmal auch hermetischen Debatte der Philosophen befaßt, dafür aber um so mehr auf die wissenschaftstheoretischen Probleme tatsächlicher naturwissenschaftlicher Forschung abzielt. Da ich selbst freilich wieder als Philosoph argumentiere, ist mir wohl bewußt, wie sehr ich damit Gefahr laufe, mich zwischen die Stühle von Philosophie und empirischer Fachwissenschaft zu setzen. Allerdings, um im Bild zu bleiben, wo Platz ist, sich zwischen zwei Stühle zu setzen, wird wohl auch Platz sein, aufrecht zu stehen. Ich will dies mit der These versuchen, daß das Leib-Seele-Problem für die Naturwissenschaften ein Scheinproblem ist, was sich durch eine Klärung von Ziel und Methoden der einschlägigen Laborforschung zeigen läßt.

Die Herkunft des Leib-Seele-Problems

Das Leib-Seele-Problem läßt sich in bestimmten Formen nicht nur bis in die antike Philosophie zurückverfolgen, es ist auch seit alters her ideologisch befrachtet. Denkt man etwa an die Leibfeindlichkeit der um die unsterbliche Seele besorgten Kirchenväter, so möchte man warnen, die emotionale und moralische Einfärbung unseres Problems für unsere heutige Situation gänzlich außer acht zu lassen.

Freilich kann das Leib-Seele-Problem erst mit dem Aufkommen einer neuzeitlichen Naturwissenschaft im 17. Jahrhundert, und nicht zufällig mit dessen philosophischer Vorbereitung durch Descartes, als ein »Körper-Geist-Problem« auftreten. Denn es ist ja die Betrachtungsweise der Natur durch die klassische Mechanik, die die Welt primär zu einer Welt von Körpern im physikalischen Sinne macht, die kausal aufeinander einwirken. Andererseits sind schon einfachste Alltagsbeispiele wie ein gezielter Steinwurf oder auch das Getroffenwerden von einem Stein Kausalwirkungen zwischen der naturwissenschaftlich beschriebenen Körperwelt und der philosophisch-psychologisch beschriebenen Welt des Geistigen.

Descartes hatte einen *Substanzdualismus* von Körper und Geist, von res extensa und res cogitans, behauptet. So belastend sich dieser Vorschlag bis heute für die Debatten um die Klärung von geistigen Leistungen auswirkt, so darf man diesen ontologisierenden Dualismus auch in seinen modernen Varianten wenigstens im Hinblick auf die Probleme der Naturwissenschaften für exotisch und irrelevant betrachten. Der Grund hierfür wird sofort deutlich werden, wenn im folgenden analysiert wird, wie die Naturwissenschaften auf den Körperaspekt der Naturbeschreibung ausgerichtet sind.

Statt eines Substanzdualismus spielt modern allenfalls ein *Aspektedualismus* eine Rolle, wonach sich im Rahmen monistischer, d. h. ein und denselben Gegenstandsbereich betreffender Erklärungsversuche das Problem ergibt, wie die beiden *Beschreibungsweisen* oder Aspekte des Körperlichen und des Geistigen explizit aufeinander zu beziehen sind. Dieser Aspektedualismus läßt sich, durchaus verträglich mit naturwissenschaftlichen Selbstverständnissen, am folgenden Beispiel erläutern:

Ein bestimmtes Ölgemälde etwa kann mit den Mitteln von Chemie und Physik vollständig dadurch beschrieben werden, daß für alle Farbpartikel chemische Zusammensetzung und Lage angegeben wird. Eine solche Beschreibung wäre in dem Sinne »vollständig«, als sie *die technische Herstellung einer perfekten Kopie* erlauben würde. Zugleich würde aber kein Naturwissenschaftler behaupten, diese Beschreibung enthielte auch eine Aussage darüber, was das Gemälde darstelle und warum es als Kunstwerk einer bestimmten Epoche anzusehen sei. Mit einem wissenschaftstheoretischen Terminus lassen sich die beiden Beschreibungen als inkommensurabel bezeichnen.

Eine Pointe dieses Beispiels für den Aspektedualismus ist, daß sich die beiden Beschreibungen unstrittig auf ein und denselben Gegenstand, dasselbe Referenzobjekt[1] beziehen. Analog erscheint auch das Körper-Geist-Problem für den Naturwissenschaftler aufzutreten: Vorgänge im menschlichen Körper, in seinen Sinnesorganen, seinem Nervensystem und auch den Bewegungen seiner Gliedmaßen bilden ein einheitliches Referenzobjekt, auf das sich einerseits naturwissenschaftliche und andererseits psychologisch-philosophische Beschreibungen beziehen. Wie, so läßt sich jetzt eine erste Formulierung des Problems geben, sind die beiden Aspekte oder Beschreibungen aufeinander bezogen?

Es erübrigt sich wohl, weitere Beispiele für unstrittige Wechselwirkungen zwischen Körperlichem und Geistigem zu geben. Das Körper-Geist-Problem kann nicht einfach dadurch ignoriert oder übergangen werden, daß sich der Naturwissenschaftler mit dem Anspruch auf Wissenschaftlichkeit zurückzieht auf die Fachsprache einschlägiger Disziplinen wie Anatomie, Physiologie, Physik und Chemie, um die Beschreibung des anderen Aspekts, etwa den der kognitiven Leistungen, der Unbestimmtheit der Alltagssprache und der Unexpliziertheit des Alltagswissens zu überlassen. Und schließlich ist das Körper-Geist-Problem auch nicht durch einen radikalen Szientismus in der Form zu vermeiden, daß der Naturwissenschaftler auf jegliches Sprechen über Geistiges einfach verzichtet. Dann nämlich könnte er nicht mehr sagen, daß er »geistige Leistungen« durch Aufweis organismischer Vorgänge erklären möchte. Daraus folgt, daß das *Körper-Geist-Problem* in einem ersten Zugriff als *Terminologieproblem* zu diskutieren ist: wie hängen die beiden Beschreibungssprachen, die den Bereich des Körperlichen und den des Geistigen betreffen, als ein Aspektedualismus miteinander zusammen?

Rekonstruktionsversuch des Körper-Geist-Problems

Die Tatsache, daß wir ohne Frage eine ausgedehnte und hitzig geführte Debatte über das Leib-Seele- oder das Körper-Geist-Problem historisch vorfinden, ist kein hinreichender Beleg dafür, daß hier tatsächlich ein ernstes Problem vorliegt. Es könnte ja auch sein, daß wir es nur mit einem Scheinproblem in dem Sinne zu tun haben, wie dies Philosophen wie Ludwig Wittgenstein und Rudolf Carnap in vielen Fällen geargwöhnt haben: die Sprache, unreflektierte Traditionen ihrer Grammatik, führen uns in die Irre. Es soll deshalb versucht werden, die sprachlichen Mittel soweit zu rekonstruieren, wie sie mindestens erforderlich sind, um ein für den Naturwissenschaftler in seinen Forschungen relevantes Körper-Geist-Problem zu formulieren. Dieser Rekonstruktionsversuch soll bei der Alltagssprache beginnen.

Das Körper-Geist-Problem im Alltagsverstand

Einerseits können wir in der *Alltagssprache* Bereiche des Redens über rein Körperliches wie z. B. Werkzeuge oder Gegenstände des täglichen Gebrauchs von Bereichen des Redens über Geistiges wie über Wahrnehmungen, Gedanken und Gefühle unterscheiden. Andererseits können wir ohne Verständnisschwierigkeiten beide Bereiche problemlos miteinander vermengen, wenn wir etwa davon sprechen, daß ein Stahlseil ermüdet, ein künstlicher Satellit verstummt, eine Erwartung einen Druck ausübt oder eine Beobachtung Gewicht hat. Es spricht vieles dafür, daß der Alltagsverstand primär kein Körper-Geist-Problem kennt. *Menschliche Handlungen* etwa wie Klavierspielen oder Spazierengehen sind immer beides, ein körperlicher und geistiger Vorgang. Es kann sinnvoll sein, für spezielle Zwecke nur den einen oder den anderen Aspekt sprachlich hervorzuheben, aber menschliche Handlungen sind primär als das, was sie jeweils sind, nur im Ganzen und als Einheiten zu identifizieren, also niemals aufgrund des körperlichen oder geistigen Aspektes allein.

Es ist deshalb nicht zu sehen, daß das Alltagsverständnis der Ursprungsort eines Körper-Geist-Problemes wäre, das für den Naturwissenschaftler Bedeutung gewinnt. Daß andererseits das Alltagsverständnis für naturwissenschaftliche Forschungen eine zentrale und nicht aufhebbare Rolle spielt, wird sich später zeigen.

Der Körper-Aspekt in den Naturwissenschaften

Wo kommt für die Naturwissenschaften eine Abgrenzung zwischen dem »Körperlichen« und dem »Geistigen« überhaupt in den Blick?

Sicher ist unkontrovers, daß die neuzeitliche Naturwissenschaft im 17. Jahrhundert primär als klassische Mechanik und damit als Theorie von Körpern, ihrer Lage, Geschwindigkeit, Beschleunigung, und ihrer dynamischen Wechselwirkungen entsteht. Aber bis heute sucht man im Bereich der Mechanik, ja letztlich der gesamten Physik und sogar der gesamten Naturwissenschaften vergeblich nach einer expliziten Definition für einen terminus technicus »Körper«, der in irgendeiner Theorie eine wichtige Rolle spielen könnte. Offenbar können die Naturwissenschaftler auf Definitionen ihres Gegenstandsbereiches verzichten. Die einfache Erklärung hierfür lautet, *daß es nicht Definitionen von Gegenstandsbereichen*, sondern *Fragestellungen und Methoden* ihrer Beantwortung sind, die festlegen, worüber Naturwissenschaften reden. Dies gilt insbesondere auch für den Aspekt des Körperlichen. Dinge in der Welt, ob natürlich vorgefunden oder vom Menschen verfertigt, können räumlich vermessen, auf Waagen gestellt, beschleunigt, allgemein, in irgendwelchen quantitativen Relationen zu anderen Körpern vermessen werden. *Dadurch werden diese Dinge zu »Körpern«.* Dies gilt auch für Lebewesen mit Stoffwechsel. Ein Mensch wird z. B. auf den Aspekt des Körperlichen beschränkt, wenn ein Flugzeugkonstrukteur die durchschnittliche Größe, das durchschnittliche Gewicht, den durchschnittlich erforderlichen Bedarf an Luftdruck und Sauerstoff konstruktiv in Rechnung stellt. Kurz, »*Körper*« sind für Naturwissenschaften nicht das einfach und naiv Gegebene, sondern *theoretische Konstruktionen*, die sich der Untersuchung von Dingen und Vorgängen in der Welt durch ganz bestimmte Methoden verdanken. Dies gilt a fortiori für hochtheoretische Resultate moderner Physik über die kleinsten Bausteine von Körpern, Moleküle, Atome oder Elementarteilchen, die in keinem nachvollziehbaren Sinne als »einfach gegeben« angenommen und zum Ausgangspunkt einer Suche nach »geistigen« Leistungen gemacht werden dürfen.

Stellt man nämlich in Rechnung, daß diese Methoden ihrerseits Mittel sind, naturwissenschaftlichen Erkenntniszielen zu dienen wie denen der technischen Reproduzierbarkeit von Bedingungen und Effekten, der Kausalerklärung bzw. Prognose von Ereignissen usw., und würdigt die Tatsache, daß Naturwissenschaften fast vollständig Experimentalwissenschaften sind oder doch fast vollständig auf einen Erfahrungstypus festgelegt, der nicht ohne Geräte für Beobachtung, Messung und Experiment auskommt, so wird deutlich, daß naturwissenschaftliche Betrachtungen eines Dinges oder Vorganges in der Welt per se zunächst immer und ausschließlich den Aspekt des Körperlichen betreffen.

Aus dem Selbstverständnis der einschlägigen Disziplinen heraus läge es nahe, den Aspekt des Geistigen für die Naturwissenschaften dadurch ins Spiel zu bringen, daß etwa auf ethologische Teile der Biologie oder auf eine naturwissenschaftliche Psychologie eingegangen wird. Aus Erläuterungsgründen möchte ich jedoch einen Umweg wählen und zunächst das Beispiel der Rechenmaschine betrachten, ein auch in der Analytischen Philosophie des Geistes gern herangezogener Vergleich, der hier freilich zu einer Pointe führen soll, die bisher noch nirgendwo anzutreffen ist, und in der ich das Wesentliche meines eigenen Vorschlags sehe.

Maschinen und kognitive Maschinen

Unter einer »Maschine« verstehe ich, getreu dem Wortsinn des griechischen Ursprungswortes mechanaomai (ich ersinne), ein von einem Menschen zu einem bestimmten Zweck ersonnenes Gerät. Es hieße, etwas völlig Triviales und Selbstverständliches zu behaupten, daß Maschinen immer Mittel zum Zweck sind und deshalb der Konstrukteur und Erbauer einer Maschine stets zuerst den Zweck kennen muß, um dafür die rechten Mittel zu ersinnen und einzusetzen. Aber das vorherrschende empiristische Verständnis der Naturwissenschaften hat dazu geführt, daß die Kategorie »Zweck« im Bereich der Naturwissenschaften etwas Anrüchiges bekommen hat und die Funktionen von Maschinen durch naturwissenschaftliche Lehrsätze nur noch im nachhinein kausal erklärt werden. Daß Maschinen Artefakte sind, die von Menschen nur dann verfertigt und kompetent betrieben werden können, wenn vorab Zwecke gesetzt und auf diese hin Mittel entwickelt und beurteilt werden, soll dem Zeitgeist zum Trotz nicht vergessen werden. Kurz, *der Zweck definiert die Maschine.*

Unter der *»vollständigen Beschreibung«* einer Maschine verstehe ich diejenige physikalisch-technische Beschreibung, die die *Herstellung funktionsfähiger Maschinen in einer beliebigen Anzahl von Kopien* erlaubt. Dies alles gilt für Maschinen jedweden Typs und damit auch für Rechenmaschinen, wobei es nicht darauf ankommt, ob man an ein mechanisches Modell wie das von Leibniz oder von Babbage oder einen modernen elektronischen Taschenrechner denkt. D. h., die Konstruktion und die Herstellung eines funktionsfähigen Rechners erfordert eine vollständige physikalisch-technische Beschreibung. Es dürfte klar sein, daß diese ausschließlich den Aspekt des Körperlichen betrifft.

Andererseits ist selbstverständlich *bekannt*, daß der Zweck des Rechners darin liegt, Rechenoperationen auszuführen. Es ist deshalb unverzichtbar, eine mathematische oder informationstheoretische zweite Beschreibung des Rechners vorzunehmen, in denen Verhältnisse von Input- zu Output-Stellungen des Rechners betrachtet werden. Dies wird in der Literatur gerne entweder direkt als der kognitive Aspekt des Rechners oder

44

doch wenigstens als Analogon zum kognitiven Aspekt in der Beschreibung der »Maschine Mensch« betrachtet. Auf den ersten Blick sieht es also so aus, als sei die konkrete, einzelne Rechenmaschine im selben Sinn das gemeinsame Referenzobjekt zweier, zueinander inkommensurabler Beschreibungen, wie dies das Ölgemälde in der Erläuterung des Aspektedualismus war. Die Konstruktionspläne des Elektronikingenieurs liefern den körperlichen Beschreibungsaspekt, die Aussagen von Mathematikern oder Informatikern über Input-Output-Relationen den kognitiven oder geistigen Aspekt.

Zieht man aber den Zweck-Mittel-Zusammenhang für jede Maschinenkonstruktion in Betracht, so ergibt sich, daß die beiden Beschreibungsweisen der Rechenmaschine keineswegs voneinander unabhängig sind. Vielmehr ist die Konstruktion des Rechners selbstverständlich ein Mittel, den Zweck des Rechnens zu erreichen. M. a. W., es muß einen *eindeutigen Zusammenhang* der beiden Beschreibungen geben. Jedes Konstruktionsdetail ist sinnvoll im Hinblick auf eine bestimmte, vom Rechner erwartete Leistung. D. h. aber, daß wir hier *keinen Aspektedualismus* vor uns haben, sondern eine *Aspektehierarchie*. Nur wer, bildlich gesprochen, die Rechenregeln kennt, an die sich die Rechenmaschine zu halten hat, kann überhaupt eine Rechenmaschine konstruieren. Zwar ist der Zusammenhang zwischen der physikalisch-technischen und der mathematisch-kognitiven Beschreibung des Rechners nicht eineindeutig, denn dieselben Rechenleistungen können mit verschiedenen Mitteln erreicht werden, wohl aber eindeutig, wonach jedes Bauteil eines Gerätes als Mittel für die erwünschte Rechenleistung festgelegt ist. (Eine gründlichere Diskussion würde einen solchen Zusammenhang übrigens auch beim Ölgemälde erweisen, wo ja die physikalisch-chemische Beschreibung ebenfalls kein Selbstzweck ist, sondern allenfalls für die Produktion technisch perfekter Kopien ganz bestimmter Kunstwerke unternommen würde.)

Als Ergebnis dieser sprachtheoretischen Argumentation ist festzuhalten, daß das Körper-Geist-Problem als Problem der Inkommensurabilität zweier Beschreibungssprachen desselben Referenzobjektes ein Scheinproblem ist. Es trifft nämlich nicht zu, daß die beiden Beschreibungen voneinander unabhängig sind. Allerdings lehrt auch schon das Beispiel des Rechners, daß die Beziehung zwischen den beiden Beschreibungen keine explizit definitorische ist, wonach etwa die Wörter der einen aus denen der jeweils anderen Sprache definitorisch gewonnen werden könnten; vielmehr ist der eindeutige Zusammenhang der beiden Beschreibungen erst im Rahmen einer Zweck-Mittel-Relation ersichtlich, die sich aus der Einbeziehung des menschlichen Konstrukteurs und Benutzers einer Maschine einstellt. (Daraus ist zugleich ersichtlich, daß das viel diskutierte Scheinproblem, jedenfalls in dieser Form, aus einer ungerechtfertigten Beschränkung der Betrachtung auf Theorien oder Beschreibungen und aus der Absehung von menschlicher Praxis entstanden ist.)

Nun dürfte sicher nicht strittig sein, daß es bei Ölgemälden und Rechenmaschinen um menschliche Produkte geht, die den Bezug auf Zwecke menschlicher Handlungen stets erlauben. Läßt sich aber diese Lösung auf das Körper-Geist-Problem in den Neurowissenschaften übertragen, wo ja der Organismus ersichtlich kein unter menschlichen Zwecken produziertes Objekt ist?

Über Zweck und Mittel in den Neurowissenschaften

Die Rede von »geistigen« Leistungen des Menschen ist beliebig unscharf. Üblicherweise werden darunter kognitive ebenso wie emotive Leistungen oder Phänomene verstanden. Die folgenden Überlegungen sollen ganz auf kognitive Leistungen eingeschränkt werden – zugestandermaßen aus der Ratlosigkeit heraus, mit dem Emotiven umzugehen. (Ursache dafür, daß im Bereich von Kognitionen eher als von Emotionen brauchbare Unterscheidungen vorzufinden sind, dürfte eher ein Ergebnis einer kulturhistorischen Schwerpunktsetzung durch Philosophie und Wissenschaft im Bereich der Erkenntnistheorie sein als eine Präferenz, die durch Struktur und Funktion von Nervensystemen und ihre Leistung für die unmittelbare Lebensbewältigung begründet ist.)

Hinsichtlich »kognitiver« Leistungen sei hier auf das Vorverständnis zurückgegriffen, wonach manche menschliche Handlungen kognitiv im Unterschied etwa zu poietischen Handlungen oder Bewegungen sind, wie z. B. alle Arten von Wahrnehmungen, aber auch sich erinnern, sich vorstellen, etwas erfinden, planen, lesen, verstehen, rechnen usw. – mit den Gegenbeispielen gehen, schwimmen, einen Kuchen backen. Unproblematisch dürfte auch sein, auf unkontroverse und gängige Vorverständnisse und ein Wissen über Stoffwechselvorgänge zurückzugreifen, wonach etwa der Herzschlag, die Atmung oder Verdauungsvorgänge als nichtkognitiv, Stoffwechselvorgänge in Sinnesorganen und im Nervensystem aber als kognitiv eingestuft werden. Die »Zuständigkeit« von Sinnesorganen für Kognitionen ist als Sitz der Störbarkeit von Wahrnehmung außerwissenschaftlich und unkontrovers ausgezeichnet. Damit wird die terminologische Fassung des Körper-Geist-Problems eine Suche nach geeigneten Abgrenzungen zwischen kognitiven und nichtkognitiven Bezeichnungen für Handlungen und Vorgänge, und dies nun sowohl in Menschen (oder anderen Lebewesen) als auch in Maschinen.

Zur Lösung dieser Aufgabe sei noch einmal das Beispiel der Rechenmaschine herangezogen: es ist so selbstverständlich, daß eine Rechenmaschine *richtig* rechnen soll, daß dieser Prämisse keinerlei Aufmerksamkeit geschenkt wird. Ersichtlich ist es aber leicht möglich, Rechenmaschinen zu bauen, die falsch rechnen. Deshalb erfordert eine alle relevaten Aspekte der Rechenfunktionen und ihrer technischen Realisierung umfassende Beschreibung über die oben gegebene hinaus noch eine *dritte Sprachebene* (neben der technisch-physikalischen und der mathematischen): die Sprachebene nämlich, auf der Rechenresultate in wahre und falsche unterschieden werden. Es ist unerheblich, ob man diese Sprachebene wissenschaftstheoretisch, philosopisch, erkenntnistheoretisch oder sonstwie nennt.

Läßt sich die Unterscheidung »kognitiv/nichtkognitiv« auf die Wahr-Falsch-Unterscheidung in dieser dritten Sprachebene beziehen? Eine Antwort findet sich, wenn man berücksichtigt, in wessen »Interesse« die Unterscheidung von kognitiv und nichtkognitiv, bzw. bei der Rechenmaschine von wahren und nichtwahren Rechenergebnissen liegt; genauer, wer diese Unterscheidung sprachlich explizit mit welchem Ziel in welchen Zusammenhängen benützt. Denn ersichtlich ist es nicht der Benützer der Rechenmaschine, etwa im Unterschied zum Benützer einer Pumpe (als Beispiel einer nichtkognitiven Maschine), der über Rechenresultate im Unterschied zu Pumpresultaten metasprachliche Wahr-Falsch-Urteile fällt. Entsprechend ist es nicht der Mensch, der gleichzeitig etwas wahrnimmt und atmet (als Beispiel für einen kognitiven und einen nichtkognitiven Vorgang), der dabei eine explizite Unterscheidung von kognitiv und nichtkognitiv sprachlich zum Ausdruck bringt. Vielmehr ist es erst ein *Beobachter*, der in seiner Beschreibung von Mensch und Maschine diese beiden Unterscheidungspaare benötigt.

Nun soll unter »Beobachter« nicht der passive, durch einen Automaten ersetzbare Datensammler gemeint sein, wie ihn eine analytisch-empiristische Tradition der Wissenschaftstheorie (und der Selbstverständnisse der Naturwissenschaftler) seit der speziellen Relativitätstheorie nahelegt, sondern der wissenschaftliche Beobachter, der selbst ein nach Zwecken handelnder Mensch ist. Er ist immer ein aktiver Beobachter, der begrifflich und nichtsprachlich die Gegenstände seiner Wissenschaft *selbst erzeugt* – und darin Grenzen und Möglichkeiten seiner Erzeugnisse *erfährt*.

Eine weitere terminologische Vorklärung zur Unterscheidung kognitiver von nichtkognitiven Leistungen ist deshalb erforderlich, weil das Wort »Leistung« (analog vielen anderen wie »Arbeit«, »Wuchs« u. a.) sowohl den Vorgang als auch das Ergebnis des Vorgangs bezeichnet. Im folgenden soll unter einer »Leistung« immer nur das *Resultat* und *nicht der Vorgang* verstanden sein, und zwar aus folgenden Gründen: schon im Vorverständnis wissen wir, daß viele Handlungen sowohl kognitive als auch nichtkognitive Aspekte oder Komponenten haben – man denke etwa an das Multiplizieren zweier größerer Zahlen mit Hilfe von Bleistift und Papier. Da wird sowohl gerechnet als auch durch Körperbewegung ein dingliches Produkt erzeugt. Am Produkt selbst nun, hier dem aufgeschriebenen Rechenergebnis, lassen sich auf der oben eingeführten dritten Sprachebene der kognitive und der nichtkognitive Aspekt unterscheiden. Das Rechenergebnis ist insofern eine kognitive Leistung im Sinne eines Resultats, als es wahrheitsfähig ist.

Es kommt hier entscheidend darauf an, zu sehen, daß *Wahrheitsfähigkeit* dabei *auf zwei* wohl zu unterscheidenden Ebenen vorkommt, auf einer trivialen und auf einer üblicherweise übersehenen Metaebene. Selbstverständlich sollen – auf der trivialen Ebene – sämtliche Aussagen der Wissenschaften und damit auch der Kognitions- und Neurowissenschaften wahr (in einem wissenschaftstheoretisch näher zu erläuternden Sinne) sein. Dies gilt also insbesondere auch für alle Aussagen des Technikers über eine Rechenmaschine oder des Physiologen über ein Nervensystem. Dieses aber, so ist jetzt die These, erlaubt keine Unterscheidung von kognitiven und nichtkognitiven Leistungen. *Erst die metasprachliche Unterscheidung von wahren und falschen Resultaten kognitiver Vorgänge zeichnet diese vor den anderen »Leistungen« von Organismen aus*, auf die die Wahr-Falsch-Unterscheidung nicht anwendbar ist.

Selbstverständlich wird in die These ein Ziel oder Motiv investiert, das üblicherweise dem Naturwissenschaftler weniger ein Anliegen ist: seit dem historischen Anfang der Philosophie in ihrer ersten Blüte bei Sokrates und Platon befassen sich Philosophen mit der Unterscheidung von Wissen, Meinen und Irren. Diese Unterscheidung betrifft die Beurteilung weniger von Vorgängen als vielmehr von Resultaten menschlicher Bemühungen um Wissen.

Auch dieses Problem läßt sich wieder sprachtheoretisch fassen als Aufgabe, die sprachlichen Mittel für eben diese Unterscheidung bereitzustellen. Um hierfür jedoch einen sinnvollen Anwendungsbereich zur Verfügung zu haben, muß *rekonstruierend vom Beobachter* dafür gesorgt werden, daß kognitive Leistungen qua Resultat *stets sprachlich explizit* vorliegen oder nachgereicht werden. Wenn es also z. B. um Wahrnehmungen und deren Zutreffen geht, muß für die Entscheidung der Frage, ob es sich dabei um kognitive Leistungen handelt, stets eine sprachlich explizite Beschreibung des Wahrnehmungsresultates zu Hilfe genommen werden. Dieser Vorschlag konfligiert keineswegs mit der Tatsache, daß es den Menschen vertraut ist, sich wahrnehmend in der Welt zu orientieren, ohne die Resultate ihrer Wahrnehmungsbemühungen sprachlich auszuformulieren. Aber *erfolgreiches Wahrnehmen* ist ja noch *keine Wissenschaft* von der Wahrnehmung. Um eine solche zu ermöglichen, müssen weitere Überlegungen über die logische Struktur von kognitiven Leistungen angestellt werden.

Zur logischen Struktur kognitiver Leistungen

Läßt man nicht außer Acht, daß es jetzt nicht um Kognitionen, sondern um eine mögliche Wissenschaft von Kognitionen geht, arbeitsteilig etwa betrieben von Neurowissenschaftlern, Psychologen und Philosophen, so hat man es unausweichlich immer mit einer sprachlichen Darstellung kognitiver Leistungen zu tun. Allein deshalb also, weil

48

jede Wissenschaft auf die sprachliche Darstellung ihrer Resultate angewiesen ist, ist es legitim, zu behaupten, daß (als Objekte wissenschaftlicher Untersuchung in Frage kommende) Kognitionen jeglicher Art stets Sachverhalte (die durch Aussagen darzustellen sind) betreffen und nicht etwa Dinge.

Hier führt die Grammatik der Alltagssprache leicht in die Irre: die Sätze »Käthe sieht einen Kuchen« und »Käthe bäckt einen Kuchen« sind von derselben grammatischen und logischen Struktur und machen keinerlei Unterschied zwischen einer kognitiven und einer poietischen Leistung. Aber selbst der Laie wird sofort bemerken und zugeben, daß der Beispielsatz für die poietische Handlung vollständig (im Sinne kontextfreier Verstehbarkeit) ist, während der Beispielsatz für die kognitive Leistung einen hypothetischen Kontext erfordert, wonach Käthe etwa einen Kuchen gesucht hat, überrascht ist, daß noch einer vorhanden ist oder beruhigt, daß er nicht auf den Boden gefallen ist – das soll heißen, die alltagssprachliche Darstellung ist immer eine Kurzform für: Käthe sieht, daß der Kuchen auf dem Teller liegt, oder ähnliches; d. h., daß sich die *kognitive Leistung auf einen durch eine Aussage darstellbaren Sachverhalt* und nicht auf das Ding Kuchen bezieht.

Handlungstheoretisch hat diese Klärung zur Folge, daß für kognitive Handlungen von *Erfolg und Mißerfolg*, von Gelingen und Mißlingen gesprochen werden kann, und zwar genau in dem Sinne, daß das Gelingen definiert wird durch die Wahrheit der Aussage, die den wahrgenommenen Sachverhalt beschreibt.

(Um einem naheliegenden Mißverständnis zuvorzukommen: auch poietische Handlungen können gelingen und mißlingen und werden daran unterschieden, daß der als Zweck vorgegebene Sachverhalt hergestellt bzw. erreicht wird oder nicht. Aber poietische Handlungen zielen darauf ab, *daß* der bezweckte Sachverhalt eintritt, während kognitive Handlungen darauf abzielen, festzustellen, *ob* ein bestimmter Sachverhalt besteht oder nicht. In dieser sprachlichen Version weist das »ob« daraufhin, daß für die Entscheidung, ob eine bestimmte Handlung kognitiv oder nichtkognitiv ist, *das Beurteilen* ihres Resultates in sprachlich explizierter Form auf der Metaebene *durch den Beobachter* erfolgen muß.)

Als Resultat bleibt festzuhalten, daß das Körper-Geist-Problem als Aufgabe, Wörter zweier vermeintlich inkommensurabler Beschreibungsebenen aufeinander zu beziehen, die *Aufgabe eines Beobachters* ist, der dafür das Kriterium anzuwenden hat, zu unterscheiden zwischen der Objekt- und Metaebene, auf denen beiden er die Wahr-Falsch-Unterscheidung anzuwenden hat. Und er kann nur die kognitiven (als Teil der geistigen) Leistungen von den körperlichen, d. h. naturwissenschaftlich beschriebenen unterscheiden, wenn er ihre *Beurteilung* nach wahr-falsch auf der Metaebene vollzieht.

Anwendungen und Ausblick

Die sprachtheoretische Auflösung des Körper-Geist-Problems – statt inkommensurabler Beschreibungen ein eindeutiger Mittel-Zweckzusammenhang zwischen technischer oder organismischer Realisierung von kognitiven Leistungen und diesen Leistungen selbst – ist selbstverständlich nicht zugleich die Lösung der Forschungsaufgabe, diesen explizit, vor allem für die Neurowissenschaften, anzugeben. Der Anspruch der hier vorgetragenen These liegt vielmehr darin, der Bearbeitung dieser Aufgabe den Rücken freizuhalten gegenüber radikalen Ansprüchen physikalistischer oder materialistischer Ansätze (idealistische oder mentalistische sind demgegenüber angesichts der Dominanz naturwissenschaftlicher Methoden und deren empiristischer Verständnisse ohnehin kaum zu befürchten).

Wissenschaftstheoretischer Klärung allerdings bedarf noch die Frage, in welchem methodischen Verhältnis die Rede von kognitiven Leistungen einerseits bei Maschinen, andererseits bei Lebewesen stehen. Mit »Lebewesen« ist nicht der kompetente menschliche Sprecher, kompetent zunächst für die Bewältigung des Alltagslebens, dann kompetent für das Treiben von Kognitionswissenschaften, gemeint. Denn dieser ist primär ein zweckorientiert handelnder, Kognitionen praktizierender Mensch. Vielmehr soll das Wort »Lebewesen« andeuten, daß hier das *Objekt naturwissenschaftlicher*, etwa biologischer, neurophysiologischer und psychologischer Forschung angesprochen ist. »Lebewesen« steht also als Reflexionsterminus auf einer methodischen Stufe mit »Körper« (und dient u. a. der Vermeidung des Wortes »Organismus«, der als weiterer Reflexionsterminus mit methodologischen Maximen verknüpft ist, die hier nicht einfach unterstellt werden sollen).

Die Frage nach der methodischen Reihenfolge von »Lebewesen« und »Maschine« in den Kognitionswissenschaften betrifft zunächst die Zurückweisung der biologistischen Vermutung, »kognitive Maschinen« seien methodisch »kognitiven Organismen« nachgeordnet, weil sie von jenen hervorgebracht werden. Maschinen werden nämlich von Menschen erzeugt, die sich erst unter bestimmten wissenschaftlichen Fragestellungen als »Lebewesen«, als »kognitive Lebewesen« (und noch enger als »kognitive Organismen«) definieren und betrachten lassen. Die Entwicklung von Maschinen oder Werkzeugen durch den Menschen ist unabhängig und auch älter als die naturwissenschaftliche Betrachtung des menschlichen Körpers und seiner Lebensfunktionen. Sie läßt sich auch in einer wissenschaftstheoretischen Rekonstruktion nach dem Kriterium der methodischen Ordnung unabhängig von Bio- und Neurowissenschaften behandeln. Dazu wurde oben bereits ausgeführt, daß unter einer »Maschine« ein von Menschen hervorgebrachtes, technisches Hilfsmittel oder Werkzeug verstanden ist, womit zugleich deren Definition durch ihren – von Menschen festgesetzten und auf Menschen abgestellten –

Zweck behauptet ist. Maschinen können per definitionem nur gebaut werden, wenn sie »vollständig beschrieben« im oben angegebenen Sinne sind. Dies gilt für alle Maschinen, also auch die nichtkognitiven, worunter nicht nur die energietransformierenden wie z. B. Verbrennungsmaschinen fallen, sondern auch solche, die in kognitiven Diensten stehen, wie z. B. Meßgeräte. Genauer ist es der *Verwendungszweck*, der die Konstruktion der Maschine leitet – mit einer gewissen Offenheit, weil sich die für diesen Zweck gebaute Maschine nachträglich häufig anders verwenden läßt. So kann etwa ein Autogetriebe als Multiplikator für konstante Faktoren und eine Rechenmaschine als Wurfgeschoß verwendet werden.

Eine Maschine heiße »kognitive Maschine«, wenn sie *leistungsgleich* mit kognitiven menschlichen Leistungen arbeitet. Diese Definition entspricht dem üblichen Verständnis und auch dem üblichen Sprachgebrauch. Wenn es selbstverständlich und berechtigterweise als kognitive Leistung zählt, daß ein Mensch etwa Rechnungen nach den vier Grundrechenarten ausführt, so mag es auch als kognitive Leistung gelten, wenn ihm diese Arbeit eine Rechenmaschine abnimmt. Dieses Beispiel macht deutlich, welche Vorzüge es mit sich bringt, »Leistungen« als Resultate, nicht als Vorgänge in die Definition von »kognitiv« einzurücken. Denn für den menschlichen Benutzer kommt es nicht darauf an, daß die Rechenmaschine den *Vorgang* des menschlichen Rechnens *simuliert* oder kopiert, sondern nur, daß sie das »richtige«, d. h. das gleiche Ergebnis erbringt wie der (irrtumsfreie) menschliche Rechner.

Auch der übliche Sprachgebrauch ist als legitim einzusehen, wonach eine Rechenmaschine »rechnet«, obwohl dies zunächst ein Prädikat für eine menschliche Handlung ist. Ersichtlich liegt hier zwar ein metaphorischer Sprachgebrauch vor, wie er oben auch schon am alltäglichen Sprachgebrauch des ermüdenden Stahlseils als unproblematisch zitiert wurde; aber es ist ebenfalls nicht zu bestreiten, daß es sich um einen *metaphorischen* Sprachgebrauch handelt, der seine Verstehbarkeit dem nichtmetaphorischen verdankt. Wer nicht weiß, worin die menschliche Handlung des Rechnens besteht, hat auch keinen sinnvollen metaphorischen Sprachgebrauch vom Rechnen der Maschine. Insofern ist auch die oben beiläufig gemachte Bemerkung begründet, daß Naturwissenschaften auf das Alltagsverständnis kognitiver Leistungen angewiesen bleiben, obgleich dort nicht der Sitz des Körper-Geist-Problems zu finden ist.

Auch die These, daß die Unterscheidung von kognitiv und nichtkognitiv erst auf der zweiten, metasprachlichen Ebene durch den Beobachter getroffen wird, bewahrheitet sich hier. Nicht der Benützer, sondern der Theoretiker, der über Maschinen und ihre Leistungen qua Resultat spricht, unterscheidet kognitive von nichtkognitiven Maschinen und erkennt damit die Adäquatheit der Metapher von der »rechnenden Maschine«. Übertragen auf andere Beispiele – etwa Phänomene des Bewußtseins oder gar der Willensfreiheit – hat dies weitreichende Konsequenzen.

Der Sprung in die Neurowissenschaften scheint zunächst insofern problematisch, als diese Disziplinen keine menschlichen Artefakte, sondern Naturgegenstände untersuchen. Hier ist ein Blick in die Wissenschaftstheorie der experimentellen Naturwissenschaften hilfreich. Sogenannte »Naturgesetze« oder »naturgesetzliche Zusammenhänge« erweisen sich nämlich als (menschliche) Aussagen, die ihren besonderen wissenschaftstheoretischen Status dadurch erhalten, daß sie als technisches Verfügungswissen durch Experimente ausgewiesen werden. M. a. W., bevor der »Natur«-Wissenschaftler sich den »natürlichen«, d. h. nicht vom Menschen hervorgebrachten Phänomenen zuwenden kann, betreibt er eine Labordisziplin, in der er die Gegenstände und Abläufe seiner Wissenschaft selbst hervorbringt und technisch wie begrifflich beherrschen lernt. Erst wo eine solche Labordisziplin in Gang gekommen ist, kann das *Laborwissen als Simulationswissen zur Modellbildung für natürliche Phänomenbereiche* eingesetzt werden. Das klassische Beispiel hierfür ist immer noch die technische Mechanik, die dann zur »Erklärung« der natürlichen Phänomene in der Astronomie verwendet wird. Genau dies ist auch die methodische Schrittfolge in den Neurodisziplinen.

Unabhängig von kognitionswissenschaftlichen Fragen haben die Neurodisziplinen zunächst eine physiologisch-anatomische Tradition, in der im besten Sinne Laborwissenschaft betrieben wird, ohne daß für die Beschreibung der Resultate irgendwelche kognitiven Wörter benötigt würden. Gleichwohl hat man es hier bereits mit technischen Modellbildungen zu tun, etwa bei der elektrophysiologischen Funktionsbeschreibung von Neuronen.

Diese, zunächst von allen kognitionswissenschaftlichen Fragestellungen unabhängige Entwicklung der Neurodisziplinen erweist sich jetzt als besondere Chance: einerseits werden natürliche Vorgänge in physiologisch beschriebenen Organismen oder Organen genau dann für erklärt gehalten, wenn sie im Labor technisch-experimentell als Effekte beherrscht werden und damit auch durch Maschinen simuliert werden können. Andererseits ist bereits definiert, was »kognitive Maschinen« sind. Die Forschungsaufgabe besteht dann darin, aus zwei Bereichen Rahmenbedingungen zu berücksichtigen und in einen (wiederum zweckrationalen) Erklärungszusammenhang zusammenzuführen. Einerseits ist dies der Bereich der kognitiven Leistungen von Menschen, die zum Forschungszweck einer geeigneten, die Alltagssprache überschreitenden Beschreibung zuzuführen sind; andererseits ist es der Bereich technischen Modellbildungen für die Physiologie als Laborwissenschaft (die nicht naturnotwendig bei den bisherigen Traditionen der Neurodisziplinen verharren müssen – oder gäbe es einen expliziten Grund, die durch die verfügbare Labortechnik bevorzugte Elektrophysiologie des Neuronalen schon als die entscheidende Instanz für das organismische Zustandebringen kognitiver Leistungen anzusehen?).

Die große und wohl auch in Umrissen noch kaum erfaßte Aufgabe ist es, für dieses Zusammenführen des physiologischen und des kognitiven Rahmens zu berücksichtigen, daß die hier zu erklärenden menschlichen Leistungen selbst keine sind, die sich ohne den Bezug auf die menschliche Gemeinschaft, nämlich die soziale Lerngeschichte des Individuums und die kulturelle Lerngeschichte großer menschlicher Gemeinschaften erkennen lassen.

Anmerkungen

1 Vgl. Glossar: Bezug.

Holm Tetens

Die Neurobiologie des Menschen: Zwischen harter Naturwissenschaft und Alltagspsychologie

Wissenschaftstheoretische Überlegungen zur Neurobiologie aus der selbstkritischen Sicht der Philosophie

Die Neurowissenschaften haben Konjunktur. Die Erforschung des menschlichen Gehirns macht große Fortschritte. Philosophen des Geistes erhoffen sich von dieser Entwicklung in den empirischen Wissenschaften wichtige Hinweise und Impulse, wie das noch immer ungelöste Leib-Seele-Problem befriedigend zu lösen wäre. Ich möchte in den nachfolgenden Überlegungen dafür argumentieren, daß die Neurowissenschaften in einer Weise zur Lösung oder besser zur Auflösung des Leib-Seele-Problems beitragen könnten, mit der gerade die Philosophen im allgemeinen nicht rechnen.

These I

In der Alltagspsychologie beschreiben wir uns und unser Verhalten so, wie wir es unmittelbar »introspektiv« zu erleben scheinen. In Konkurrenz zur Alltagspsychologie beschreiben und erklären die Neurowissenschaften menschliches Verhalten im Rahmen des biokybernetischen Grundmodells aus der Perspektive eines »äußeren« Beobachters.

Jeder von uns erlebt sich als ein Wesen, das ständig etwas wahrnimmt, fühlt, empfindet, über etwas nachdenkt, etwas meint, will, sich etwas vorstellt, etwas beabsichtigt, etwas entscheidet und so weiter und so fort. Kurz: Wir erleben uns direkt als Lebewesen, die fortwährend die vielfältigsten *intentional-mentalen Zustände*[1] durchleben. Zugleich erleben und beschreiben wir uns als Wesen, die sich mehr oder weniger *zielgerichtet* gegenüber der natürlichen und sozialen Umwelt *verhalten*. Und wenn wir unser Verhalten *erklären*, *rechtfertigen* und *vorhersagen* wollen, berufen wir uns immer auf unsere Wahrnehmungen, Absichten, Wünsche, Vorstellungen, Meinungen, Gefühle etc.

In der Analytischen Philosophie des Geistes hat sich die Bezeichnung »Alltagspsychologie«[2] eingebürgert. Das Wort »*Alltagspsychologie*« soll uns daran erinnern, daß es vor allem die alltäglichen Situationen unseres Lebens sind, in denen wir uns wie selbstverständlich intentional-mentale Zustände zuschreiben und unser Verhalten und Handeln durch sie erklären, rechtfertigen und vorhersagen.

Im Alltagsleben scheint die Evidenz für unser alltagspsychologisches Selbstverständnis geradezu erdrückend. Insbesondere glauben wir ja, daß jeder seine eigenen mentalen Zustände in privilegierter Weise »unmittelbar« und täuschungsfrei erlebt oder wahrnimmt. In der Alltagspsychologie scheinen wir uns so zu beschreiben, wie wir uns »introspektiv« auch unmittelbar wahrnehmen und erleben. Steht angesichts dieser geballten Evidenz, auf die sie sich berufen kann, die Alltagspsychologie nicht konkurrenzlos da?

Heute zeichnet sich eine klare Alternative zur Alltagspsychologie ab. Die *Naturwissenschaften vom Menschen* versuchen, menschliches Verhalten und Handeln gerade nicht durch den Rekurs auf mentale Zustände zu beschreiben und zu erklären. Und dies ist bei näherem Hinsehen nicht weniger plausibel als die Erklärungen der Alltagspsychologie.

Die Naturwissenschaften vom Menschen nähern sich dem Menschen, seinem Verhalten und Handeln aus der methodologisch verordneten »Außenperspektive« des *distanzierten Beobachters*. Was wird ein solcher Beobachter feststellen, wenn er ein Individuum in dessen natürlicher und sozialer Umwelt beobachtet? Nun, er wird feststellen, daß Veränderungen in der Umwelt (im folgenden abgekürzt durch U_i) das Individuum immer wieder veranlassen, das eigene Verhalten (im folgenden abgekürzt durch V_i) zu verändern und irgendwie den Umweltbedingungen anzupassen. In der »Außenperspektive« des Beobachters präsentiert sich das individuelle menschliche Leben also als eine fortlaufende, *umweltbezogene Verhaltenssequenz*

$$U_1 \Rightarrow V_1 \,/\, U_2 \Rightarrow V_2 \,/\, U_3 \Rightarrow V_3 \,/...\,/\, U_n \Rightarrow V_n V_1$$

Die beobachteten Verhaltensweisen $V_1,...,V_n$ müssen nicht alle verschieden sein, sie können sich wiederholen. In diesem Sinne gehört zu jeder umweltbezogenen Verhaltenssequenz eine Menge V von Verhaltensweisen, die der Person prinzipiell als Verhaltensmöglichkeiten offenstehen. Man kann diese Menge das *Verhaltensrepertoire* der Person nennen. Auch die Umweltereignisse $U_1,...,U_n$ sind in der Regel nicht alle voneinander verschieden; bestimmte Ereignisse wiederholen sich, und jedesmal nimmt das Individuum dies zum Anlaß, darauf mit einem Verhalten aus dem Verhaltensrepertoire V zu antworten. Zu einer umweltbezogenen Verhaltenssequenz gehört also die Menge all derjenigen typischen Ereignisse, die ein Individuum in seinem Verhalten offensichtlich diskriminiert. Mit Jakob von Uexküll könnte man diese Menge die »*Merkwelt*«[3] des Individuums nennen.

Die Naturwissenschaften vom Menschen begnügen sich nicht damit, menschliches Verhalten lediglich als umweltbezogene Verhaltenssequenzen zu beschreiben. Sie teilen das methodologische Grundanliegen aller Naturwissenschaften, nämlich das Verhalten und Handeln eines Menschen *unter Gesetze zu subsumieren* und dadurch zu *erklären* und zu *prognostizieren*. Selbstverständlich wäre es am einfachsten, die Verhaltensweisen direkt mit den Umweltveränderungen nomologisch zu verknüpfen. Solche Gesetze hätten also die Form

Immer wenn ein Umweltereignis vom Typ U, dann ein Verhalten vom Typ V
In Zeichen: $U \rightarrow V$

Freilich treffen solche Gesetze bestenfalls auf »triviale Maschinen« zu, wie Heinz von Foerster[4] dazu sagt. Personen verhalten sich demgegenüber wesentlich raffinierter. Die gleiche Umweltbedingung U, die eine Person zuvor mit dem Verhalten V_1 beantwortet hat, beantwortet sie das nächste Mal mit dem Verhalten V_2, und wieder ein anderes Mal mit V_3 usw. Mithin wäre jedes der Verhaltensgesetze

$$U \rightarrow V_1$$
$$U \rightarrow V_2$$
$$U \rightarrow V_3$$
.
.
.

empirisch falsch. Und ein Gesetz der Form

$$(U \rightarrow V_1) \text{ oder } (U \rightarrow V_2) \text{ oder } (U \rightarrow V_3) \text{ oder } ...$$

wäre vor allen Dingen prognostisch völlig uninteressant. Was ist also zu tun?

Spätestens an dieser Stelle kommt eine Forschungsheuristik ins Spiel, der wir in fast allen nomologischen Erfahrungswissenschaften begegnen. Es werden *theoretisch beschriebene Zustände* für die Erklärung zur Hilfe genommen.[5] So wird das unterschiedliche Verhalten einer Person angesichts der gleichen Umweltbedingung jeweils damit erklärt, daß sich die Person jedesmal in einem anderen internen Zustand befindet. Man formuliert also Gesetze der Form: Wenn die Umweltbedingung U, dann das Verhalten V_i, falls der interne Zustand t_i

$$U \rightarrow (t_1 \rightarrow V_1)$$
$$U \rightarrow (t_2 \rightarrow V_2)$$
$$U \rightarrow (t_3 \rightarrow V_3)$$
.
.
.

Was ist damit gemeint, daß die *internen Zustände theoretisch beschriebene* oder kurz:

theoretische Zustände sind? Gemeint ist damit, daß diese internen Zustände keineswegs beobachtbar sein müssen, sondern zunächst allein durch ihre *kausale Rolle* »definiert« sind. So ist t_1 etwa einfach derjenige Zustand, der bewirkt, daß sich die Person auf die Weise V_1 verhält, falls die Umweltbedingung U eingetreten ist. Mit anderen Worten: Alles, was wir über die internen Zustände wissen, ist in den entsprechenden Verhaltensgesetzen formuliert.

Theoretische Zustände werfen ein Kardinalproblem auf, das allerdings in der modernen Wissenschaftstheorie auch sehr gut erforscht und, wie ich meine, inzwischen auch sehr gut verstanden ist[6]. Um aus der Kenntnis einer Umweltbedingung U das tatsächliche Verhalten mit Hilfe eines Verhaltensgesetzes

$$U \rightarrow (t_i \rightarrow V_i)$$

vorhersagen zu können, muß man noch wissen, in welchem der internen Zustände sich die Person gerade befindet. Da man aber über die internen Zustände nichts anderes weiß als das, was über sie in den Verhaltensgesetzen ausgesagt ist, kann der interne Zustand nur hypothetisch aus dem tatsächlichen Verhalten angesichts einschlägiger Umweltbedingungen erschlossen werden. Hier droht der folgende Zirkel: Um angesichts der Umweltbedingung U das Verhalten V aus den Gesetzen der Form

$$U \rightarrow (t_i \rightarrow V_i)$$

vorhersagen zu können, muß man wissen, ob sich die Person im Zustand t_i befindet. Da man über t_i nicht mehr weiß, als daß

$$U \rightarrow (t_i \rightarrow V_i),$$

kann man auf t_i lediglich dann schließen und das auch nur hypothetisch, falls man bereits festgestellt hat, daß sich die Person angesichts von U auf die Weise V_i verhält. Kurz: *Um eine Verhaltensprognose machen zu können, muß man über interne Zustände Bescheid wissen, um aber über interne Zustände Bescheid zu wissen, muß man das eigentlich erst zu prognostizierende Verhalten bereits kennen.* Dies ist die *Zirkularität*, die auf die eine oder andere Weise immer mit der Anwendung theoretischer Begriffe verbunden ist.

Die Einführung interner Zustände ermöglicht zwar, das beobachtete Verhalten unter empirisch nicht falsifizierte Gesetze zu subsumieren. Aber was wäre damit schon gewonnen, wenn sich bewahrheiten sollte, daß diese Gesetze empirisch gar nicht anwendbar und testbar sind?

An dieser Stelle hilft uns eine methodologische Forderung weiter, die zunächst allerdings die Schwierigkeiten theoretischer Zustände eher zu verschärften als abzumildern scheint. Die nomologischen Wissenschaften verfolgen ein Erklärungsideal, das ich aus historisch naheliegenden Gründen das *»Laplacesche Erklärungsideal«* nennen möchte. Formulieren läßt es sich folgendermaßen: *Die ideale wissenschaftliche Erklärung eines System S liegt genau dann vor, wenn aus der Kenntnis des Systemzustandes für einen bestimmten Zeitpunkt t_0 das Verhalten des Systems für jeden früheren Zeitpunkt retrospektiv erklärt und für jeden späteren Zeitpunkt bedingt prognostiziert werden kann*[7].

Eine Erklärung menschlichen Verhaltens mit Hilfe interner Zustände wird diesem Ideal nur gerecht, wenn zu den Gesetzen, die das Verhalten nomologisch mit Umweltbedingungen und internen Zuständen verknüpfen, noch ein anderer Typus von Gesetzen hinzukommt. Gesetze dieses neuen Typs beschreiben den Übergang in einen neuen internen Zustand in Abhängigkeit von Umweltveränderungen und dem jeweils aktuellen internen Zustand. Die Gesetze haben also die Form:

Wenn der Umstand U, dann der interne Zustand t_j, falls der interne Zustand t_i
$U \rightarrow (t_i \rightarrow t_j)$.

Mit diesen Gesetzen ist das Anwendungsproblem theoretischer Begriffe im wesentlichen gelöst. Man braucht nur einen ersten »Anfangszustand« hypothetisch zu erschließen, von da an lassen sich die internen Zustände selber vorhersagen aufgrund der im Prinzip beobachtbaren Umweltbedingungen.

Fassen wir zusammen: Will man das Verhalten einer Person mit der Merkwelt $U=\{U_1,...,U_n\}$, und dem Verhaltensrepertoire $V=\{V_1,...,V_m\}$ nomologisch beschreiben, so führt man interne Zustände $t=\{t_1,...,t_n\}$ ein und formuliert mit ihnen zwei Typen von Gesetzen

$U_l \rightarrow (t_i \rightarrow V_i)$
$U_l \rightarrow (t_i \rightarrow t_j)$

In einer solchen Liste von Gesetzen läßt sich unschwer die *Maschinentafel eines endlichen Automaten* mit der »Merkwelt« als »Inputmenge«, dem Verhaltensrepertoire als »Outputmenge« und den internen Zuständen als Zustandsmenge des Automaten erkennen[8].

Es läßt sich in der Tat leicht beweisen: *Zu jeder faktisch beobachteten umweltbezogenen Verhaltenssequenz* $U_1 \Rightarrow V_1 / U_2 \Rightarrow V_2 / U_3 \Rightarrow V_3 /.../ U_n \Rightarrow V_n$ *einer Person P läßt sich mindestens ein endlicher Automat konstruieren, der sich angesichts der Umweltbedingungen genauso verhält wie die Person P*[9]. Zwar folgt aus dem Satz keineswegs die These, der Mensch sei nichts anderes als ein komplizierter endlicher Automat. Aber die empirische Forschung läßt sich heuristisch bereits auf einen schwächeren Satz gründen, und der folgt aus der obigen These direkt: *Keine Verhaltensbeobachtung kann jemals den definitiven Schluß rechtfertigen, das Verhalten einer Person lasse sich prinzipiell nicht nomologisch als Verhalten eines Automaten beschreiben.* Die Strategie, das Verhalten einer Person als Verhalten eines Automaten zu beschreiben, zu erklären und vorherzusagen, ist methodologisch naheliegend und empirisch niemals definitiv enttäuschbar[10].

Die automatentheoretische Deutung der internen Zustände, mit denen menschliches Verhalten erklärt werden soll, beantwortet noch nicht die Frage nach ihrer physischen Natur. Die heute weitgehend akzeptierte Antwort kommt aus der Neurobiologie und Neuroinformatik: *Die internen Zustände, über die das Verhalten einer Person algorithmisch auf Umweltveränderungen bezogen wird, sind die elektro-chemischen Aktivitäten und Aktivitätsmuster, die sich im menschlichen Nervensystem abspielen.*

Mit dieser gerafften Skizze wollte ich nur folgendes andeuten: Die methodologische Strategie, menschliches Verhalten durch die Einführung interner Zustände nomologisch zu beschreiben, führt zusammen mit einigen weiteren empirischen Zusatzannahmen[11] fast zwangsläufig auf das *biokybernetische Grundmodell menschlichen Verhaltens.* Die Strategie, menschliches Verhalten im Rahmen des biokybernetischen Grundmodells zu erklären, umfaßt dabei die folgenden Teilschritte:

– Menschliche Verhaltensweisen werden als neuronal gesteuerte oder neuronal geregelte Bewegungen beschrieben;

– Das Nervensystem wird als ein mit den Sinnes- und Bewegungsorganen rückgekoppeltes dynamisches neuronales Netz beschrieben, das die sensorischen Informationen in energetische Impulse für die Bewegungsorgane umarbeitet, so daß sich der Organismus den sensorischen Informationen gemäß zieladäquat verhält;

– Die kausale Rolle des Nervensystems, sensorische Informationen in zieladäquates Verhalten zu transformieren, kann prinzipiell algorithmisch-automatentheoretisch beschrieben werden.

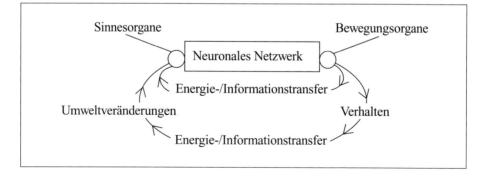

Man sollte wirklich nicht unterschätzen, wie plausibel sich dieses biokybernetische Grundmodell in der methodologischen Perspektive einer nomologischen Naturwissenschaft vom Menschen ausnimmt. Da können noch so viele Detailprobleme den Forschern das Leben sauer machen, trotzdem wird das die Wissenschaftler wohl kaum in ihrem Glauben erschüttern, mit dem biokybernetischem Grundmodell methodologisch und forschungsheuristisch trotz allem auf dem richtigen Wege zu sein.

These II

Die Erklärungskonkurrenz zwischen dem biokybernetischen Grundmodell und der Alltagspsychologie transformiert das Leib-Seele-Problem in die Frage, wie sich die Beschreibungen und Erklärungen der Neurowissenschaften zur Alltagspsychologie verhalten. Die philosophischen Antwortversuche auf diese Fragen sind bestimmt von dem Bestreben, ontologisch und begrifflich klare und übersichtliche Verhältnisse zwischen der Alltagspsychologie und den Neurowissenschaften zu schaffen.

Die Neurobiologie soll im Rahmen des biokybernetischen Grundmodells allein durch Bezugnahme auf neuronale Zustände menschliche Verhaltensweisen erklären, die in der Alltagspsychologie sonst unter Rekurs auf mentale Zustände erklärt werden. Nehmen wir an, die Neurobiologie könnte im Verein mit den anderen Naturwissenschaften vom Menschen die Aufgabe erfolgreich abschließen, menschliches Verhalten im Rahmen des biokybernetischen Grundmodells zu erklären. Dann hieße das, wir könnten menschliches Verhalten *ohne mentale Zustände und ihre konstitutiven Eigenschaften erklären*. Wie aber gehen wir damit um, daß wir unser Verhalten und Handeln bisher immer noch alltagspsychologisch mit mentalen Zuständen erklären und vorhersagen? Wie verhalten sich die beiden Erklärungen zueinander? Beweist die vollständige biokybernetische Erklärung, daß die alltagspsychologische falsch oder gar überflüssig ist? Oder sind die beiden Erklärungen miteinander verträglich? Antworten sie vielleicht auf unterschiedliche Fragen, so daß die alltagspsychologische Erklärung die biokybernetische ergänzt? Darf man aus der erfolgreichen biokybernetischen Erklärung auf die kausale Irrelevanz mentaler Zustände, mithin also auf den Epiphänomenalismus[12] schließen?

Solche und ähnliche Fragen stellt die Philosophie im Kontext des Leib-Seele-Problems. Letztlich kreisen alle diese Einzelfragen zum Leib-Seele-Problem um die eine Kardinalfrage, wie sich das *alltagspsychologische Vokabular* mit seinen Möglichkeiten, den Menschen, sein Verhalten und Handeln zu beschreiben und zu erklären, zum biokybernetischen Vokabular mit seinen Beschreibungs- und Erklärungsmöglichkeiten verhält. *Als Antwort erwarten wir einen begrifflichen, einen metatheoretischen Kommentar zum Verhältnis der beiden Vokabulare, also etwas, was typisch für eine philosophische Aufgabenstellung ist.*

Philosophen schweben verschiedene Lösungen des Problems vor[13]. Da ist einmal die Lösung der Identitätstheorie. Die Kernaussage der Identitätstheorie lautet: Die mentalen Zustände, auf die wir uns in der Alltagspsychologie berufen, sind in Wirklichkeit mit neuronalen Zuständen identisch, auf die sich das biokybernetische Grundmodell bezieht. Die Identitätstheorie bestimmt das Verhältnis von Neurobiologie und Alltagspsychologie *reduktionistisch*[14]: Mentale Zustände werden zurückgeführt auf neuronale Zustände.

Reduktionistisch ist letztlich auch der Lösungsvorschlag des Funktionalismus[15]. Nach dem Funktionalismus sind zwar mentale Zustände nicht identisch mit bestimmten neuronalen Zuständen, aber mentale Zustände sind funktionale Zustände und als solche sind sie immerhin durch verschiedene physische Zustände realisiert.

Eine radikalere Lösung schlägt der eliminative Materialismus[16] vor. Für ihn ist die Alltagspsychologie eine im wesentlichen deskriptiv falsche, explanatorisch unbrauchbare und prognostisch unzuverlässige Theorie. Und weil das so ist, hat die Philosophie die Neurowissenschaften gar nicht in ein geklärtes Verhältnis zur Alltagspsychologie zu setzen. Denn wenn die Alltagspsychologie falsch ist, so gibt es in Wirklichkeit gar keine mentalen Zustände mit den Eigenschaften, die wir ihnen alltagspsychologisch zusprechen, und also ist die Alltagspsychologie durch die neurowissenschaftlichen Theorien zu ersetzen.

Natürlich favorisieren nicht alle Philosophen eine materialistische Lösung in der einen oder anderen Version. Dualistische Theorien sind keineswegs gänzlich von der Bildfläche verschwunden, auch wenn materialistische Lösungen gegenwärtig unzweifelhaft in der Philosophie höher im Kurs stehen. Nach (realistischen) dualistischen Theorien gibt es mentale Zustände genauso wie es physische Zustände gibt, aber mentale Zustände können weder mit physischen Zuständen identifiziert, noch können sie als Zustände aufgefaßt werden, die als physische Zustände realisiert werden. Deshalb beschreibt die Alltagspsychologie einen ganz eigenständigen Wirklichkeitsbereich. Und deshalb kann auch das alltagspsychologische Vokabular durch das physikalisch-neurowissenschaftliche weder ersetzt noch definiert werden.

Ich konnte die verschiedenen Vorschläge der Philosophie des Geistes, das Verhältnis von Alltagspsychologie zu den Neurowissenschaften zu bestimmen, hier deshalb so kursorisch und oberflächlich Revue passieren lassen, weil ich nur an eine Gemeinsamkeit der genannten Vorschläge erinnern wollte, die für die Philosophie insgesamt typisch ist: In den verschiedenen Philosophien zur Lösung des Leib-Seele-Problems werden klare und übersichtliche begriffliche und ontologische Verhältnisse angestrebt. Es sollen für das alltagspsychologische wie für das physikalische Vokabular eindeutige Sinn- und Verwendungsgrenzen abgesteckt und aufeinander bezogen werden. Alle diese Philosophien unterstellen: *Wird die philosophische Begriffsklärung nur weit genug getrieben und werden die empirische Forschungsergebnisse im Lichte dieser Begriffsanalysen nur sorgfältig genug ausgewertet, so wird sich am Ende eine »klare und saubere« Lösung des Leib-Seele-Problems auf den Begriff bringen lassen, die die Form hat: Das Mentale ist so und so beschaffen und steht in der folgenden Beziehung zum Physischen.*

These III

Aber die Philosophie droht aus den Augen zu verlieren, daß sich die Sinngrenzen und Verwendungen des alltagspsychologischen Vokabulars nicht ein für alle Mal klären und festschreiben lassen. Das alltagspsychologische Vokabular kann sich naturwüchsig ändern und mit ihm kann der »Witz« und die Dramatik des Leib-Seele-Problems »verschwinden«, ohne daß dieses Problem je gelöst worden wäre.

Wie eingangs schon erwähnt, setzen die Philosophen bei einer Lösung des Leib-Seele-Problems auch auf die Fortschritte in den Neurowissenschaften. Es ist jedoch fraglich, ob die Philosophie auf die Neurowissenschaften als Bündnispartner für eine solche Lösung des Leib-Seele-Problems wird setzen können. Es könnte sein, daß gerade die Neurowissenschaften hier der Philosophie noch eine wichtige und möglicherweise schmerzliche Lektion erteilen werden. Die allerwenigsten Philosophen nämlich, die sich mit dem Leib-Seele-Problem herumschlagen und einer sorgfältigen Begriffsanalyse gepaart mit einer sorgfältigen Auswertung empirisch-wissenschaftlicher Forschungsergebnisse letztlich eine Antwort auf die Frage abtrotzen wollen, wie sich das Physische zum Mentalen verhält, scheinen jemals ernsthaft mit einer ganz anderen »Lösung« des Problems zu rechnen: Das Problem wird nicht gelöst, indem die zugrundeliegende Frage beantwortet wird, sondern das Problem löst sich auf, weil die Frage sich nicht mehr sinnvoll stellen läßt und jeden wirklichen Witz verloren hat, und zwar weil sich der Sinn und die Verwendung des alltagspsychologischen wie möglicherweise auch des physikalischen Vokabulars grundlegend verändert, sich Sinngrenzen und Sinnunterschiede der beiden Vokabulare aufgelöst und gegeneinander verschoben haben werden.

Philosophen haben nämlich, zu Recht wie mir scheint, darauf hingewiesen, daß verschiedene Vokabulare nicht ein für allemal durch unverrückbare semantisch-pragmatische Sinngrenzen gegeneinander abgeschlossen sind. Verschiedene Vokabulare können einander pragmatisch-semantisch gewissermaßen »infiltrieren« oder »infizieren«. Zu Anfang provozieren solche semantischen Grenzüberschreitungen möglicherweise den Verdacht, daß durch sie schlimmstenfalls Unsinn produziert, bestenfalls »bloß« metaphorisch, »nur« in Bildern, in »bloßen« Analogien geredet werde. Aber jeder wiederholte Sprachgebrauch ist auch ein Akt, Regeln des »richtigen« Sprechens zu etablieren. So kann es passieren, daß Sätze schließlich gar nicht mehr als Grenzüberschreitungen zwischen zwei sinnverschiedenen Vokabularen wahrgenommen werden. Sie sind dann zum regulären » wörtlichen« Sprachgebrauch geworden.

Genau das könnte auch mit dem alltagspsychologischen und dem physikalischen Vokabular passieren. Das alltagspsychologische wie das naturwissenschaftliche Vokabular, mit dem wir gegenwärtig noch das Leib-Seele-Problem als eine interessante und eine Antwort verlangende Frage plausibel machen können, könnten sich naturwüchsig verändern. Und diese Veränderung könnte wesentlich provoziert werden durch die Neurowissenschaften selber, die sich um angeblich unübersteigbare und in der philosophischen Begriffsanalyse festgestellte Sinngrenzen und Sinnunterschiede der beiden Vokabulare herzlich wenig kümmern und beide für ihre Forschungszwecke ad hoc einspannen, ohne sich dafür eine Lizens durch philosophische Begriffsanalysen vorher einzuholen. Empirische Forschung in der Neurobiolgie produzierte dann nicht nur empirische Resultate, sie zeitigt auch Verschiebungen des Sinns und des Unsinns des alltagspsychologischen Vokabulars. Was heute noch unsinnig und sinnwidrig erscheint, könnte morgen die selbstverständlichste und klarste Rede sein. Das jedenfalls ist meine nächste These.

These IV

Die Neurobiologie selber könnte einen tiefgreifenden Bedeutungswandel des alltagspsychologischen Vokabulars provozieren, und zwar aus wissenschaftstheoretisch durchaus einsehbaren Gründen. Sie vermischt das physikalische Vokabular mit dem Vokabular der Alltagspsychologie, wo immer es ihr passend erscheint und setzt sich über die von der Philosophie beschworenen Gefahren von Kategorienfehlern, Sinnwidrigkeiten und dergleichen unbekümmert hinweg.

Jeden, der sich überhaupt damit beschäftigt, beeindruckt die Fülle des Detailwissens über das Gehirn und die Geschwindigkeit, mit der dieses Wissen anwächst. Die Neurobiologie weiß immens viel über das Gehirn. Und trotzdem gilt auch: Gemessen an dem biokybernetischen Modell weiß die Neurobiologie längst nicht genug, und sie wird vermutlich niemals genug wissen. Nicht ein einziger Mensch wurde bisher auch nur annähernd im Sinne des biokybernetischen Modells vollständig nomologisch analysiert. Das biokybernetische Modell zeigt einen Endpunkt empirischer neurobiologischer Forschung an, es markiert, zumindest gegenwärtig, allenfalls einen möglichen und sinnvollen *Zielpunkt der Forschung.* In diesem Sinne ist es ein forschungsheuristisches, ein forschungsregulatives Ideal.

Daß dieses forschungsregulative Ideal je Wirklichkeit werden wird, ist zwar, wie ich meine, nicht mit prinzipiellen Gründen auszuschließen, entgegen einer immer wieder in der Philosophie vertretenen Behauptung[17]. Aber schon nach unserem gegenwärtigen Erkenntnisstand deutet alles auf eine Komplexität des Gehirns hin, der wir vermutlich nie so weit Herr werden können, daß wir einen Menschen nach Maßgabe des biokybernetischen Grundmodells auch nur annähernd werden vollständig beschreiben können. Ich will hier nur drei besonders gravierende Schwierigkeiten erwähnen:

- Selbst wenn die »Verdrahtung« zwischen den Nervenzellen konstant wäre, ist es praktisch unmöglich, für ungefähr 10^{12} Nervenzellen ungefähr 10^{15} bis 10^{16} exzitatorische und inhibitorische Verbindungen mit ihren unterschiedlichen Gewichten, kurz also so etwas wie einen vollständigen »Schaltplan« des Gehirns anzugeben.
- Die Forschungssituation verkompliziert sich noch einmal dadurch, daß das Nervensystem ein sich selbstorganisierendes dynamisches Netzwerk funktional unterscheidbarer neuronaler Teilnetze ist, in dem bestehende Verbindungen aufgelöst, neue Verbindungen zwischen Nervenzellen hergestellt werden und die »Gewichte« bestehender Verbindungen verändert werden. Alle diese Veränderungen gehorchen nicht ausschließlich einfach zu formulierenden algorithmisch-mathematischen Regeln. Vielmehr vollziehen sie sich unter schwer vorhersehbaren Umwelteinflüssen und über ebensowenig sicher prognostizierbare mikro-physikalisch-chemische Prozesse.
- Zudem reicht die Analyse des Gehirns ja nicht hin, erforderlich wäre darüber hinaus eine hinreichende detaillierte Beschreibung des übrigen Organismus. Auf diese zusätzliche Schwierigkeit hat erst kürzlich wieder Creutzfeldt aufmerksam gemacht[18].

Da einer physikalisch-biokybernetischen Beschreibung des Gehirns, die hinreichend detailgenau ist, immense empirische Schwierigkeiten entgegenstehen, ist es nicht weiter verwunderlich, daß die Neurobiologen nach alternativen Zugangsweisen zum Gehirn und nach alternativen Beschreibungen des Gehirns Ausschau halten.

Nun ist ja jeder Neurobiologe bisher immer noch ein kompetenter Sprecher mindestens zweier Vokabulare: Er beschreibt Menschen – ich bin fast geneigt zu sagen: »zum Glück« – nicht ausschließlich als komplizierte neuronale Maschinerie, sondern – und dabei vor allem auch sich selber – immer auch alltagspsychologisch als wahrnehmende, fühlende, denkende, wollende, wissende Person. Dabei sind im Gegensatz zu den unendlichen Mühen einer halbwegs detailgenauen neuronalen Beschreibung und Erklärung menschlichen Verhaltens und Handelns die alltagspsychologischen Beschreibungen und Erklärungen oft ein reines Kinderspiel. Außerdem hält sich hartnäckig die Vorstellung[19], unser psychologisches Wissen falle uns deshalb gewissermaßen in den Schoß, weil wir in der »Innenperspektive« die eigenen mentalen Zustände auf privilegierte Weise unmittelbar und täuschungsimmun »wahrnehmen«.

Ist es nicht ebenso verlockend wie fast unvermeidlich, das mentale Erleben als eine »direkte« Erkenntnisquelle für neuronale Zustände in Anspruch zu nehmen und so den langwierigen Forschungsprozeß über die biokybernetisch-neuronalen »Feinanalysen« zu umgehen oder abzukürzen? Kann man also das unzureichend bleibende biologische Wissen über das Gehirn mit dem psychologischen und alltagspsychologischen Wissen in geschickter Weise kombinieren und so doch noch halbwegs kausal geschlossene Erklärungen menschlichen Verhaltens erzeugen?

So etwas findet in den Neurowissenschaften in der Tat ständig statt. Man erhebt einerseits neurobiologische Befunde und kombiniert sie auf geschickte Weise mit introspektiven Berichten von Versuchspersonen und Patienten, um daraus zum Beispiel Erklärungen für die neuronale Steuerung des Verhaltens zusammenzusetzen. Die Erklärungen, die dafür in Frage kommen, haben dabei die folgende Form: *Wenn die und die neuronalen Zuständen Z, dann berichten Versuchspersonen über die und die mentalen Zustände M, die nach alltagspsychologischer Theorie das Verhalten V hervorrufen; also ist der neuronale Zustand Z an der Steuerung des Verhaltens V beteiligt.*

Wenn die Neurobiologie solche Erklärungen für statthaft hält, so muß sie insbesondere Brücken schlagen von der mit dem naturwissenschaftlichen Vokabular verbundenen Perspektive eines »äußeren« Beobachters zu der mit der Alltagspsychologie verbundenen »introspektiven« Perspektive. Dieser Brückenschlag vollzieht sich unter anderem über die nachfolgenden »Prinzipien«:

- Mentale Bewußtseinszustände sind direkte und besondere Wahrnehmungen von Gehirnaktivitäten: Wer alltagspsychologisch beschreibt, was er denkt, wahrnimmt, will, sich vorstellt etc., berichtet über sein Gehirn.
- Mentale Aktivitäten und Zustände einer Person sind Zustände und Aktivitäten des Gehirns selber.
- Wenn ein Wesen, gleichgültig wie ähnlich oder unähnlich es ansonsten einem Menschen sein mag, sich nur halbwegs so verhält, wie sich ein Mensch verhält, wenn er etwas will, fühlt, denkt, sich vorstellt etc., so befindet sich dieses Wesen selber in den entsprechenden mentalen Zuständen.

Die Neurobiologen praktizieren mit diesen und anderen Prinzipien etwas, was man mit einer begrifflichen Anleihe aus der Ökonomie die freie Konvertierbarkeit des psychologischen und biokybernetischen Vokabulars nennen könnte: *Es ist erlaubt, beliebig vom psychologischen Vokabular überzuwechseln zum physikalisch-biokybernetischen und umgekehrt, ja es dürfen sogar in ein und demselben Satz beide Vokabulare verwendet werden*. Man »homogenisiert« gewissermaßen das alltagspsychologische Vokabular mit dem physikalischen Vokabular.

Für Philosophen sind diese Sätze und die mit ihnen verbundenen Konsequenzen zumindest in höchstem Maße begründungsbedürftig. Mehr noch: Viele Philosophen beargwöhnen solche Vermengungen des alltagspsychologischer Beschreibungen mit neurowissenschaftlichen als grobe Sinnwidrigkeiten. Diese Philosophen fragen: Gibt es nicht semantisch-pragmatische Grenzen zwischen dem alltagspsychologischen und dem biokybernetischen Vokabular, die man nur um den Preis verwischen kann, Unsinn zu produzieren? Sind dies nicht begrifflich-sprachliche Grenzen, die feststehen und die auch und gerade die empirische Forschung zu respektieren hat?

Wie wir gleich noch an zwei Beispielen sehen werden, setzen sich Neurobiologen ohne viele Skrupel über diese philosophische Bedenken hinweg. Und von einigen Wissenschaftstheoretikern bekommen sie dafür sogar noch Schützenhilfe. Gerade einige Wissenschaftstheoretiker halten nämlich semantischen Regelverletzungen für unvermeidliche Momente des wissenschaftlichen Fortschritts[20]. Soll in den Wissenschaften Erkenntnisfortschritt stattfinden, so müssen immer wieder solche Durststrecken mangelnder semantischer Kohärenz unserer Darstellungsmittel durchgestanden werden. Wie wir gesehen haben, scheint diese These gerade auch auf die Neurobiologie zuzutreffen. Welche Sprache sollen die Neurobiologen sprechen, solange die Beschreibung des Gehirns im neuronalen Vokabular so immens mühsam ist und vermutlich auch bleiben wird? Müssen sie nicht aus der gegenwärtigen und wohl auch zukünftigen Not des neuronalen Vokabulars die Tugend einer semantischen Okkupation des alltagspsychologischen Vokabulars für die Zwecke der Neurobiologie machen? Das wird zu Anfang nicht ohne harte semantische Brüche abgehen, sicher ganz zum Leidwesen der Philosophen.

In der Neurobiologie wird also gleichsam die »Logik« von Sätzen mit vermischt neurobiologischem-psychologischem Vokabular erst »erprobt«. Es steht nicht gleich beim ersten Gebrauch fest, ob solche Sätze Beispiele einer unsinnigen wissenschaftlichen Rede sind, die mehr Probleme schafft als sie lösen kann, oder ob trotz aller anfänglichen semantischen Unbehaglichkeit und Metaphorik nicht doch letztlich Darstellungsmöglichkeiten eröffnet werden, die sich langfristig als wissenschaftsfördernd auswirken.

Nun will ich zunächst an zwei unterschiedlichen Beispielen zeigen, wie sich die Neurobiologie bewußt über den bisherigen Sprachgebrauch und damit über scheinbar festgeschriebene Sinngrenzen hinwegsetzt. Das erste Beispiel ist das Buch »Künstliche Wesen – Verhalten kybernetischer Vehikel« von Valentin Braitenberg[21]. Braitenbergs Buch hat zwei Teile. Im ersten Teil entwirft er sehr einfach gebaute Maschinen. Im zweiten Teil diskutiert er Aspekte biologischer Gehirne und ihrer evolutionären Entwicklung, indem er Beziehungen zwischen dem Verhalten und der Gehirnstruktur von Tieren und Menschen mit dem Verhalten und dem automatentheoretischen Aufbau seiner »kybernetischen Vehikel« vergleicht.

Braitenbergs kybernetische Vehikel sind technisch sehr primitiv. Es handelt sich um Fahrzeuge, deren Räder auf zwei gegenüberliegenden Seiten von zwei unterschiedlichen Motoren angetrieben werden. Die Vehikel sind außerdem mit Sensoren ausgestattet, die auf unterschiedliche Umweltreize (z.B. Licht, Wärme) ansprechen. Die Motoren sind auf jeweils ganz verschiedene Weisen mit den Sensoren verschaltet, die, kybernetisch gesprochen, als Regler für die Motoren funktionieren. Im folgenden betrachtet Braitenberg zwei Fahrzeuge: Bei dem einen Vehikel («Wesen 2a«) ist der Motor für die Räder auf der rechten (linken) Seite mit dem Sensor auf der rechten (linken) Seite verschaltet, bei dem anderen Wesen («Wesen 2b«) ist der Motor auf der rechten (linken) Seite mit dem Sensor auf der linken (rechten) Seite verschaltet. Braitenberg beschreibt Wesen 2a zunächst technisch unter anderem so[22]: »Es ist [...]) ein Vehikel, das mehr Zeit dort zubringt, wo der Stoff, der seine Sensoren erregt, weniger konzentriert ist, wohingegen es bei höherer Konzentration schnell weiterfährt. [...] Liegt die Reizquelle [...] seitlich, so wird der näher an der Quelle befindliche Sensor stärker erregt als der andere Sensor, der dazugehörige Motor arbeitet kräftiger, und in der Folge dreht das Vehikel von der Quelle ab.« Das Vehikel 2b beschreibt er folgendermaßen: »Nichts ändert sich, wenn die Reizquelle genau in der Fahrtrichtung liegt. Befindet sie sich mehr auf einer Seite, so fällt uns ein Unterschied zu Wesen 2a auf. Wesen 2b wendet sich zur Quelle hin und fährt auf sie zu.«[23]

Dann aber kommentiert Braitenberg seine beiden Wesen folgendermaßen: »Lassen wir die Wesen 2a und 2b eine Weile in ihrer Welt umherfahren und beobachten wir sie. Ihre Eigenschaften sind entgegengesetzt. Beide verabscheuen Quellen.« Wesen (2a) charakterisiert Braitenberg als »Feigling«. Über Wesen (2b) stellt er fest: »Es ist ganz offensichtlich aggressiv«[24].

Braitenberg wird sich von semantischen Vorhaltungen kaum beeindrucken lassen, daß es doch lächerlich sei, solchen Wesen Gefühle und Empfindungen zuzusprechen, daß damit der ursprüngliche Sinn solcher Wörter verfehlt werde. Braitenberg hält es gerade für einen heilsamen, weil Einsichten fördernden Schock, das psychologische Vokabular auch auf seine kybernetischen Vehikel anzuwenden. In der Einleitung schreibt er: »Es wird von Maschinen sehr einfacher Bauart die Rede sein [...]. Das Interessante an den Spielautos oder »Vehikeln« entsteht erst, [...] wenn wir sie sozusagen als Wesen begreifen. Wir werden dann in Versuchung geraten, ihr Verhalten mit psychologischen Ausdrücken zu beschreiben. Und doch wissen wir von vornherein, daß nichts in diesen künstlichen Wesen steckt, was wir nicht selbst in sie eingebaut haben. Dies wird ein lehrreiches Spiel sein.«[25]

Viele werden dabei ein ungutes Gefühl haben. Sie werden es allenfalls als leicht durchschaubare Metaphorik dulden, daß psychologische Wörter nicht mehr nur für Menschen und höhere Lebewesen reserviert sind, sondern jetzt auch solche primitiven technischen Vehikel mit ihnen beschrieben werden. Aber Braitenberg hat, so glaube ich, Recht, es ist ein lehrreiches Spiel, die primitiven Vehikel in unseren alltagspsychologischen Begriffen zu beschreiben. Denn die einfache Gegenfrage könnte lauten: Warum eigentlich nicht? Was ist denn der wirklich relevante Unterschied zwischen uns und diesen Wesen, der es rechtfertigt, daß wir uns psychologisch beschreiben, diese Wesen aber nicht, wenn es nicht mehr der Unterschied im äußeren Verhalten ist? Ist uns das alltagspsychologische Vokabular wirklich so klar und durchsichtig, wie uns Philosophen immer wieder Glauben machen wollen? Gibt es überhaupt klare Regeln für die Verwendung des alltagspsychologischen Vokabulars? Ist es nicht einfach ein Vorurteil, das sozusagen in der »Grammatik« (Wittgenstein) unserer Alltagssprache festgeschrieben ist, solchen primitiven Wesen psychologische Prädikate vorzuenthalten. Ist es ein gedankenloses Vorurteil, so kann man es auch nur überwinden, indem man sich einfach über die stillschweigende »Konvention« hinwegsetzt, das psychologische Vokabular für den Menschen zu reservieren. Wer sagt, daß dieses Vorurteil abzulegen nicht einem Befreiungsschlag gleichkommt, der es erlaubt, uns viel adäquater zu begreifen als vorher?

Ich komme nun zum zweiten Beispiel. Der Bremer Neurobiologe Gerhard Roth[26] schreibt in einem Aufsatz über die »Konstruktivität des Gehirns«: »Die spezifische Modalität der Sinnesorgane, auf der unsere Sinneswelt zu beruhen scheint, ist »hinter« den Sinnesorganen verschwunden. Die Sinnesorgane übersetzen die ungeheure Vielfalt der Welt in die »Einheitssprache« der bioelektrischen Ereignisse [...].« »Man kann also die Funktion der Sinnesorgane darin sehen, daß sie das Gehirn, das selbst nur die Sprache der Nervenimpulse versteht, für die unterschiedlichsten Umweltereignisse, ihre Modalitäten, Qualitäten und Intensitäten empfänglich macht, [...]. Für das Gehirn existieren aber nur die neuronalen Botschaften, die von den Sinnesorganen kommen, nicht aber die Sinnesorgane selbst, genausowenig wie für den Betrachter eines Fernsehbildes die Fernsehkamera existiert. Das Gehirn bewertet dabei strikt die eintreffenden Signale nach dem Ort ihrer Verarbeitung: alles, was an neuronalen Impulsen in den Hinterhauptscortex gelangt, ist ein Seheindruck, und was in bestimmten Regionen des Hinterhauptscortex verarbeitet wird, ist eine bestimmte Farbe, völlig unabhängig von der tatsächlichen Abkunft des Signals.«[27]

Unter anderem aus diesen topologischen Prinzip schließt Roth, daß »die Sinnesempfindungen [...] hinsichtlich ihrer Modalität und Qualität im Gehirn aufgrund einer Bedeutungszuweisung nach topologischen Kriterien« enststeht. Da das »ausgereifte Gehirn diesen eigenen topologischen Kriterien ausgeliefert ist«, kommt Roth zu seiner Generalthese, »daß das Gehirn, statt weltoffen zu sein, ein kognitiv in sich abgeschlossenes System ist, das nach eigenentwickelten Kriterien neuronale Signale deutet und bewertet, von deren wahrer Herkunft und Bedeutung es nichts absolut Verläßliches weiß.«[28]

Ich will hier nicht das Für und Wider von Roths Thesen erörtern[29]. Ich habe die Sätze nur deshalb so ausführlich zitiert, weil ich illustrieren wollte, welch exzessiven Gebrauch Roth von solchen »vermischten« Sätzen macht, in denen ohne viel nachzudenken das »Gehirn« zum logischen Subjekt mentaler Zustände und Aktivitäten gemacht wird. Roth argumentiert mit einer Analogie: Man kann sich einen Neurophysiologen vorstellen, der mit Meßprotokollen von Neuronenspikes des Gehirns eines Organismus konfrontiert ist und nun aus diesen Daten erschließen muß, was für ein Objekt in seiner Umwelt der Organismus gerade wahrnimmt oder empfindet. Roth beschreibt das Gehirn also genauso, wie wir den Neurophysiologen: das Gehirn »registriert« Neuronenspikes, »weiß« erst einmal nicht, auf welche Objekte in der Umwelt diese Spikes kausal zurückgehen, und muß diese Spikes nach »selbst gesetzten Kriterien« »bewerten« und »interpretieren«.

Natürlich liegt wieder der Einwand nahe: Dies alles sind sinnwidrige Beschreibungen. Eine Person nimmt etwas wahr, will etwas etc, nicht aber das Gehirn. Das Gehirn beobachtet nichts, sondern das Gehirn ist gar nichts anderes als die Gesamtheit der in und zwischen seinen Neuronen sich abspielenden elektro-chemischen Aktivitäten. Wenn Roth so redet, läuft er Gefahr, einen geheimnisvollen Beobachter in das Gehirn einzuführen, einen Homunkulus, der direkt Neuronenaktivitäten »wahrnimmt«, wie wir Objekte und unseren Körper wahrnehmen. Einen solchen Beobachter oder Gehirnhomunkulus aber gibt es nicht. Allein, welche Beweiskraft hat dieser Hinweis auf eine Kategorienverwechselung wirklich? Gibt es wirklich durchsichtige Gründe und Kriterien dafür, warum psychologische Wörter für mentale Aktivitäten immer nur eine Person als logisches Subjekt dulden?

Nehmen wir einmal an, solche Sätze der Neurobiologen, wie wir sie jetzt betrachtet haben, würden sich fest etablieren, würden selbstverständlich werden. Dann würde sich das Leib-Seele-Problem, das gegenwärtig immer noch ein fast unlösbares philosophisches Rätsel zu sein scheint, gewissermaßen ohne philosophische Gedankenanstrengung entdramatisieren, ja vielleicht einfach verschwinden. Denn wenn selbstverständlich geworden ist, daß mentale Ausdrücke direkt vom Gehirn ausgesagt werden können und dürfen, wenn niemand mehr daran Anstoß nimmt, daß mentale Ausdrücke von Wesen prädiziert werden, bei denen von Anfang an klar ist, daß sie neben ihrem sichtbaren physikalischen Inneren nicht noch so etwas wie ein geheimnisvolles »mentales Innere« aufweisen, dann wird sich zunehmen der Eindruck verwischen, mentale Zustände seien gar nicht oder nur auf eine schwer einsehbare Weise in der physischen Welt unterzubringen. Die Ausdrücke für mentale Zustände wären so fest in ein semantisches Netz mit Ausdrücken für physische Zustände verwoben, daß einfach eine hinreichende sprachlich verankerte Plausibilität fehlte, um in der Frage, ob Mentales Teil der physischen Welt sein könne, noch irgendeinen besonderen »Witz« zu sehen, so wie jeder ja auch die Frage »witzlos« fände, wie Bäume Teil der physischen Welt sein können. Diese »Lösung« des Leib-Seele-Problems wäre wenig spektakulär, sie wäre nicht das Resultat einer in mühsamer philosophischen Gedankenarbeit errungenen Einsicht. Das Problem hätte sich einfach »erledigt«, weil wir unseren Sprachgebrauch trotz aller philosophischen Skrupel und möglicherweise gegen die ernsthaften Vorhaltungen von Philosophen weiter entwickelt und uns dadurch von einigen massiven Vorurteilen befreit hätten.

Wir würden weiterhin einen exzessiven Gebrauch von der Alltagspsychologie machen, wären aber wie selbstverständlich zugleich Naturalisten: Das Mentale ist Teil der physischen Welt, weil das Vokabular, mit dem wir »Mentales« beschreiben, homogener Bestandteil des physikalischen Vokabulars geworden wäre, mit dem wir die natürliche physische Welt beschreiben.

Anmerkungen

1 Ich übernehme hier die Terminologie der Analytischen Philosophie des Geistes; vgl. Peter Bieri (Hrsg.): Analytische Philosophie des Geistes. Königstein/Ts 1981: Anton Hain Verlag.

2 In der angelsächsischen Literatur der Analytischen Philosophie des Geistes spricht man von der »folk psychology«.

3 Vgl. Jakob von Uexküll: Theoretische Biologie. Frankfurt am Main 1973: Suhrkamp-Verlag.

4 Heinz von Foerster: Sicht und Einsicht – Versuch zu einer operativen Erkenntnistheorie. Braunschweig/Wiesbaden 1985: Vieweg, S. 21.

5 Eine gute Gesamtdarstellung der umfangreichen Diskussion um die theoretischen Begriffe findet sich bei W. Stegmüller: Probleme und Resultate der Wissenschaftstheorie und Analytischen Philosophie. Berlin/Heidelberg/New York: Springer Verlag. Band II: Theorie und Erfahrung (1. Halbband, 1970)/Theorienstrukturen und Theoriendynamik (2. Halbband, 1973).

6 Vgl. dazu Stegmüller, a.a.O.

7 Dies ist ein Ideal. Daß wir uns sehr häufig in den Wissenschaften mit weniger zufrieden geben müssen, ändert nichts daran, daß das Laplacesche Erklärungsideal genau das formuliert, was vollständig zu erreichen sich jeder Wissenschaftler glücklich schätzen würde. Die Quantenmechanik setzt also nicht das Laplacesche Erklärungsideal als Norm für gute wissenschaftliche Erklärungen außer Kraft.

8 Zur Erinnerung: A ist ein endlicher Automat (vom Typ Mealy) genau dann, wenn gilt:
(1) $A = \langle I,O,Z,\alpha,\beta \rangle$
(2) I ist eine endliche, nicht-leere Menge (»Input«)
(3) O ist eine endliche, nicht-leere Menge (»Output«)
(4) Z ist eine endliche, nicht-leere Menge (»interne Zustände«)
(5) α und ß sind Abbildungen
$\alpha : I \times Z \to O$
$b : I \times Z \to Z$
Genau genommen gibt es unendlich viele Automaten.

10 Dieser Satz ist es, der sofort verständlich macht, warum sich psychologische Theorien als Computerprogramme formulieren lassen, wenigstens dann, wenn die Psychologie die Strategie verfolgt,

71

menschliches Verhalten mit Hilfe interner theoretischer Zustände zu erklären; und zumindest die kognitive Psychologie verfolgt ja eine solche Strategie.

11 Zu diesen Annahmen gehört zum Beispiel die grundlegende Einsicht, daß ein Ereignis in der Umwelt nur dann zielgerichtet durch ein Verhalten beantwortet werden kann, wenn es eine über Rezeptor- und Nervenzellen hergestellte Verschaltung zwischen dem relevanten Ereignis und den Bewegungsorganen gibt. Dazu gehört weiter die Einsicht, daß kausale Wirkungen in der Natur immer als Energieübertragungen ablaufen; zu den Einzelheiten vgl. Holm Tetens: Geist, Gehirn, Maschine – Philosophische Versuche über ihren Zusammenhang. Stuttgart 1993: Reclam Verlag.

12 Vgl. Glossar: Epiphänomenalismus.

13 Zu den verschiedenen Positionen in der gegenwärtigen Debatte um das Leib-Seele-Problem vgl. Paul Churchland: Matter and Consciousness. A Contemporary Introduction to the Philosophy of Mind. Cambridge (Mass.)/London 1984: The MIT Press.

14 Vgl. Glossar: Reduktion.

15 Vgl. Glossar: Funktionalismus.

16 Vgl. Glossar: eliminativer Materialismus.

17 Vgl. dazu auch Holm Tetens: Transzendentale Argumente in der Debatte um das Leib-Seele-Problem, in: Conceptus, Jahrgang XX, Heft Nr. 50 (1986).

18 Vgl. O.D. Creutzfeldt: Modelle des Gehirns – Modelle des Geistes?, in: Veröffentlichungen der Joachim Jungius-Ges. Wiss. Hamburg, 61, S. 249-85; 1989.

19 Diese Vorstellung hält sich ungeachtet aller gewichtigen Einwände, die in der Philosophie gegen sie geltend gemacht worden sind.

20 Vgl. z. B. Paul Churchland: Scientific Realism and the Plasticity of Mind. Cambridge u.a. 1979: Cambridge University Press.

21 Vgl. Valentin Braitenberg: Künstliche Wesen – Verhalten kybernetischer Vehikel. Braunschweig/Wiesbaden 1986: Friedrich Vieweg & Sohn.

22 Vgl. dazu auch die illustrativen Abbildungen in Braitenbergs Buch.

23 Braitenberg, a.a.O., S. 11f.

24 Braitenberg, a.a.O., S. 12.

25 Braitenberg, a.a.O., S. 2.

26 Vgl. Gerhard Roth: Erkenntnis und Realität: Das reale Gehirn und seine Wirklichkeit, in: Siegfried J. Schmidt (Hrsg.): Der Diskurs des Radikalen Konstruktivismus. Frankfurt/M. 1987: Suhrkamp Verlag, S. 229-255.

27 Roth, a.a.O., S. 232-234.

28 Roth, a.a.O., S. 235.

29 Die zitierten Sätze gehören zu Überlegungen zum Radikalen Konstruktivismus; zur Kritik der Rothschen Position vgl. Holm Tetens: Votum zu Gerhard Roth und Helmut Schwegler: »Kognitive Referenz und Selbstreferentialität des Gehirns. Ein Beitrag zur Klärung des Verhältnisses zwischen Erkenntnistheorie und Hirnforschung«, in: Hans Jörg Sandkühler (Hrsg.): Wirklichkeit und Wissen – Realismus, Antirealismus und Wirklichkeits-Konzeptionen in Philosophie und Wissenschaften, Frankfurt am Main u.a. 1992: Verlag Peter Lang, S. 119-123.

Literatur

P. Bieri (ed.) (1981): *Analytische Philosophie des Geistes*, Königstein (Anton Hain).

V. Braitenberg (1986): *Künstliche Wesen. Verhalten kybernetischer Vehikel*, Braunschweig/Wiesbaden (Vieweg).

P. Churchland (1984): *Matter and Consciousness. A Contemporary Introduction to the Philosophy of Mind*, Cambridge Mass./London (MIT Press).

P. Churchland (1989): *Scientific Realism and the Plasticity of Mind*, Cambridge (Cambridge University Press).

O. Creutzfeldt (1989), »*Modelle des Gehirns - Modelle des Geistes?*«, in: *Veröffentlichungen der Joachim Jungius Gesellschaft der Wissenschaften Bd. 61*, Hamburg, 249-285.

H. von Foerster (1985): *Sicht und Einsicht. Versuche zu einer operativen Erkenntnistheorie*, Braunschweig/Wiesbaden (Vieweg).

G. Roth (1987): »*Das reale Gehirn und seine Wirklichkeit*«, in: S. J. Schmidt (ed.), *Der Diskurs des radikalen Konstruktivismus,* Frankfurt (Suhrkamp), 229-255.

W. Stegmüller (1970/1973): *Probleme und Resultate der Wissenschaftstheorie und Analytischen Philosophie*, I-II, Berlin/Heidelberg/New York (Springer).

H. Tetens (1986): »Transzendentale Argumente in der Debatte um das Leib-Seele-Problem«, *Conceptus* Jg. XX, Heft 50, 59-68.

H. Tetens (1992): »Votum zu Gerhard Roth und Helmut Schwegler«, in: H. J. Sandkühler (ed.), *Wirklichkeit und Wissen. Realismus, Antirealismus und Wirklichkeits-Konzeptionen in Philosophie und Wissenschaften*, Frankfurt (P. Lang), 119-123.

H. Tetens (1993): *Geist, Gehirn, Maschine - Philosophische Versuche über ihren Zusammenhang*, Stuttgart (Reclam).

J. von Uexküll (1973): *Theoretische Biologie*, Frankfurt (Suhrkamp).

Stephen Stich

Was ist eine Theorie der mentalen Repräsentation?[1]

I. Einleitung

Theorien des mentalen Gehalts oder der mentalen Repräsentation[2] sind derzeit sehr in Mode. Dabei geht es wie mit vielen anderen Modeartikeln: der Markt hält eine verwirrende Fülle von Angeboten bereit. Es gibt kausale Kovarianztheorien, teleologische Theorien, Theorien funktionaler Rolle, und Theorien, die durch die kausale Theorie der Bedeutung angeregt wurden. Dann gibt es Ein-Faktor-Theorien, Mehr-Faktoren-Theorien, enge Theorien, weite Theorien und dazu jede Menge von Variationen zu all diesen Themen.[3] Es scheint tatsächlich so zu sein, daß man kaum ein neues Heft der wichtigsten Zeitschriften unseres Fachgebiets in die Hand nehmen kann, ohne auf wenigstens einen Artikel zu stoßen, der für – oder typischer: gegen – die Theorie der mentalen Repräsentation von irgendjemand argumentiert. Darüber hinaus besitzt ein Teil dieser Literatur einen unverkennbaren Ton von Dringlichkeit. Die Suche nach einer angemessenen Theorie der mentalen Repräsentation ist nicht bloß ein populäres Unternehmen, sondern – viele insistieren darauf – eines von lebenswichtiger Bedeutung. Jerry Fodor, dem man kaum je vorgeworfen hat, das Thema zu niedrig zu hängen, sagt uns: eine naturalistische Theorie[4] des mentalen Gehalts bedeutet einen wesentlichen Schritt auf dem Weg zur Rechtfertigung unserer intentionalen Alltagspsychologie.[5] Und »wenn unsere intentionale Alltagspsychologie tatsächlich zusammenbräche, führte dies zur größten vorstellbaren, geistigen Katastrophe in der Geschichte unserer Art«.[6] Fred Dretske drückt sich mit ähnlich apokalytischen Worten aus. Ohne eine brauchbare naturalistische Theorie des mentalen Gehalts, so deutet er dunkel an, müßten wir schließlich »Abschied nehmen von der Vorstellung unserer selbst als handelnde, menschliche Wesen«.[7]

Während es also an Ausführungen über Wert und Unwert verschiedener Auffassungen des mentalen Gehalts nicht mangelt, hat es erstaunlich wenig Diskussionen über die Frage gegeben, was eine Theorie der mentalen Repräsentation leisten soll: Welche Fragen (oder welche Fragen) soll eine Theorie der mentalen Repräsentation eigentlich beantworten? Und, was wäre als eine richtige Antwort zu betrachten? Diese beiden Fragen werden den Kern der vorliegenden Arbeit bilden. Beim Versuch ihrer Beantwortung wird es sich als nützlich erweisen, mit einer weiteren Frage zu beginnen: Warum *wollen* so viele unbedingt eine Theorie der mentalen Repräsentation; welche Umstände machen das Projekt einer solchen Theorie so dringend?

Es ist zwar eine unglückliche Angelegenheit, daß die Frage nach dem Zweck einer Theorie der mentalen Repräsentation so oft nicht beachtet wurde, verwundern kann das aber kaum. Die Art von methodologischem Selbstbewußtsein, das diese Fragen veranlaßt, ist in der Philosophie nie sehr in Mode gewesen. Die Folge: nur allzu oft liefern Philosophen dort detaillierte Lösungen, wo eine klare Problemstellung nicht vorhanden ist; oder – wie Fodor es ausgedrückt hat – sie bieten Therapien an, für die die passende Krankheit fehlt. Deswegen möchte ich darauf drängen, daß wir – als ein Grundprinzip der philosophischen Methode – genügend Zeit auf die Klärung der Frage verwenden, bevor wir anfangen, uns über die Antwort den Kopf zu zerbrechen. Wenn wir diese Strategie bei der Theoriebildung im Bereich der mentalen Repräsentation verfolgen, dann tauchen einige überraschende Schlußfolgerungen auf. Hier eine Vorschau auf die Punkte, die ich im folgenden verteidigen werde:

(1) Sobald wir darüber nachzudenken beginnen, was eine Theorie der mentalen Repräsentation leisten soll, wird sofort klar, daß eine Reihe sehr unterschiedlicher Antworten angeboten werden könnten. Hier gibt es eben nicht bloß ein Projekt, sondern eine ganze Reihe. Diese Projekte lassen sich in zwei Familien gliedern, wobei dann in jeder einzelnen Familie noch wichtige Unterschiede beachtet werden müssen.

(2) Bis auf eine einzige (und umstrittene) Ausnahme, können die hier skizzierten Projekte nicht ohne weiteres mit den vertrauten Techniken philosophischer Analyse angegangen werden, so wie sie in der Literatur vorherrschend sind. Es handelt sich vielmehr um ihrem Wesen nach interdisziplinäre Projekte, in denen Konstruktion und Tests empirischer Theorien eine zentrale Rolle spielen. Jedoch glänzt in der Literatur – von wenigen Ausnahmen abgesehen – diejenige Art interdisziplinärer Arbeit durch merkliche Abwesenheit, die erforderlich wäre, um in diesen Projekten ernsthafte Fortschritte zu erreichen.

(3) Letztere Tatsache könnte man als Hinweis darauf ansehen, daß die wirklich durchgeführten Projekte andere sind als diejenigen, die ich beschreiben werde; als einen Hinweis auch darauf, daß ich dabei gescheitert bin herauszufinden, was diejenigen eigentlich wollen, die auf der Suche nach einer Theorie der mentalen Repräsentation sind. Aber auch ohne in die Details zu gehen, neige ich zu einer für jene Alternativprojekte düstereren Schlußfolgerung: ich behaupte, daß die meisten der Spieler auf diesem stark besetzten Feld über kein klar gegliedertes Projekt verfügen, das mit den angewandten Methoden möglicherweise erfolgreich in Angriff genommen werden könnte.

(4) Selbst wenn wir diese Bedenken beiseite setzen, ist es unwahrscheinlich, daß irgendeines der Projekte, die ich skizzieren werde, sehr hilfreich ist bei der Antwort auf jene Sorgen, die bei vielen das Gefühl erweckt haben, eine Theo-

rie der mentalen Repräsentation sei eine einigermaßen dringliche Angelegenheit.

(5) Ich will aber auch dafür argumentieren, daß jene Besorgnisse selbst zutiefst fehlgeleitet sind.

So weit die Drohungen und Versprechungen. Jetzt wird es Zeit, an die Arbeit zu gehen.

II. Warum sollen wir eine Theorie der mentalen Repräsentation haben wollen?

Ohne Zweifel gibt es eine Menge von Gründen, warum eine Theorie der mentalen Repräsentation wünschenswert ist. Aber unter den vielen Motiven ragt eines heraus. Besorgnis über den *eliminitativen Materialismus*[8] war während des vergangenen Jahrzehnts ein beherrschendes Thema in der Philosophie des Geistes, und die Erarbeitung einer Theorie der mentalen Repräsentation wird als ein wichtiger Schritt in dieser Debatte angesehen. Obwohl eliminative Materialisten sich selten klar oder sorgfältig bei der Formulierung ihrer These ausgedrückt haben, denke ich, daß man ihre Lehre am besten als ein Paar ontologischer Thesen auffaßt, von denen die eine stärker – und verwirrender – als die andere ist. Die schwächere These ist, daß die repräsentierenden Zustände der Alltagspsychologie – wie Glaubenszustände (beliefs) oder Wünsche – keine Rolle in einer reifen Theorie der Ursachen menschlichen Verhaltens spielen werden. Wenn wir das Etikett ›Kognitionswissenschaft‹[9] als eine Rumpelkammer für die unterschiedlichen, wissenschaftlichen Disziplinen benutzen, die eine Rolle bei der Erklärung menschlichen Verhaltens spielen, dann behaupten die Eliminativisten, daß die intentionalen Zustände, von denen die Alltagspsychologie ausgeht, nicht zur Ontologie der Kognitionswissenschaft gehören. Die stärkere These ist, daß diese mentalen Zustände unserer Alltagserfahrung nicht einmal existieren. *So etwas wie mentale Zustände gibt es einfach nicht*, ebensowenig wie es so etwas wie Phlogiston, Wärmestoff[10] oder Hexen gibt. Diejenigen, die beide Thesen vertreten, nehmen normalerweise an, daß man die erste These zur Unterstützung der zweiten in Stellung bringen kann, obwohl es alles andere als klar ist, wie die Argumentation eigentlich ablaufen soll.[11] Es kann wenig Zweifel daran geben, daß viele glauben, eine Theorie der mentalen Repräsentation müsse eine größere Rolle in der Debatte über den eliminativen Materialismus spielen. Was aber genau diese Rolle sein soll, ist schon deutlich weniger klar. In Abschnitt III und IV werden wir uns zwei Thesen darüber anschauen, was eine Theorie der mentalen Repräsentation ist. Sobald wir hier einige Fortschritte gemacht haben, geht es (in Abschnitt V) zu der Frage zurück, wie sich eine Theorie der mentalen Repräsentation ausbeuten läßt für Argumente für oder gegen den eliminativen Materialismus.

Es gibt eine ganze Reihe von Argumenten für die schwächere der beiden eliminativistischen Thesen, d.h. die These, daß Glaubenszustände und Wünsche keine Rolle in einer reifen Kognitionswissenschaft spielen werden. Eine Familie von Argumenten konzentriert sich auf die *Struktur* kognitiver Prozesse und Mechanismen, so wie sie von der Alltagspsychologie porträtiert werden. Diese Strukturen, so wird behauptet, sind unvereinbar mit jenen, die in dem einen oder anderen, mutmaßlich vielversprechenden, wissenschaftlichen Paradigma vertreten werden.[12] Eine zweite Familie von Argumenten konzentriert sich auf die *semantischen* und *intentionalen*[13] Eigenschaften mentaler Zustände, so wie sie in der Alltagspsychologie konstruiert werden. Einige der Argumente dieser zweiten Familie sind einigermaßen kompliziert und technisch. Sie beuten so verzwickte Begriffe aus wie Supervenienz, Individualismus und Bedeutungsholismus. Aber für viele ist – wie Fodor angemerkt hat – die intuitive Sonderbarkeit semantischer Eigenschaften das Ärgerlichste.

> »Die tiefste Motivation für die Leugnung der Realität intentionaler Zustände rührt nicht [...] aus dem relativ technischem Verdruß über Individualismus und Holismus her, [...] sondern entspringt vielmehr einer ontologischen Einsicht: in einem physikalistischen Weltbild ist kein Platz für intentionale Kategorien; das Intentionale kann nicht *naturalisiert* werden.«[14]

Von dieser Besorgnis ist es ein weiter Weg bis zur Erklärung eines weithin akzeptierten *Vorbehalts*, dem jede akzeptable Theorie der mentalen Repräsentation unterliegt. Jede solche Theorie muß *naturalistisch* sein. Sie muß zeigen, wie repräsentationale Eigenschaften mentaler Zustände in einer Begrifflichkeit erklärt werden können, die mit dem umfassenderen, physikalistischen[15] Bild der Natur vereinbar ist, das die Naturwissenschaften liefern. Ich neige zu der Annahme, daß trotz seiner weiten Verbreitung der Naturalismus-Vorbehalt zutiefst irreführend ist. Versteht man ›naturalistisch‹ in einem schwachen Sinn, dann schließt der Naturalismus-Vorbehalt praktisch nichts aus; versteht man ›naturalistisch‹ dagegen stark, dann eliminiert er deutlich zu viel. Ich werde mich in Abschnitt VI ausführlicher zu dieser ungünstigen Situation äußern.

Selbst wenn jemand den Naturalismus-Vorbehalt akzeptiert, ist klar, daß man damit allenfalls einen Teil einer Theorie der mentalen Repräsentation richtig hinbekommen hat. Denn jedesmal, wenn man den Naturalismus-Vorbehalt in plausibler Weise auspackt, kann man eine Menge naturalistischer Geschichten über mentale Repräsentation erzählen; und diese Geschichten unterscheiden sich voneinander auf viele Arten. Sicher wollen wir nicht sagen, daß alle diese Darstellungen richtig sind. Deshalb müssen wir uns jetzt fragen, was die guten von den schlechten unterscheidet. Was macht eine Theorie *richtig*?

78

III. Beschreibung eines Alltagsbegriffs: eine erste Projektfamilie

Ein herausragender Zug des alltäglichen Diskurses über uns selbst und andere Menschen ist unsere Praxis, mentale Zustände durch Hinweis auf ihren Gehalt zu identifizieren. Beispiele gibt es überall:

> Bush glaubt, daß Gorbatschow in Moskau ist.
> Ich denke, daß es heute Nachmittag zum Regnen kommt.
> Meine Frau hofft, daß ich nicht zu spät zum Essen komme.

In diesen und in einem weiten Feld von anderen Fällen ist die Zuordnung von mentalem Gehalt eine mühelose, unproblematische und zweifellos nützliche Angelegenheit. Darüber hinaus besteht normalerweise weitverbreitete, intersubjektive Übereinstimmung hinsichtlich dieser Zuordnungen. Um es klar zu sagen: es muß einen einigermaßen komplexen, mentalen Mechanismus geben, der dieser überall verbreiteten Praxis zugrundeliegt. Und es scheint plausibel anzunehmen, daß der fragliche Mechanismus einen Vorrat an großenteils nicht ausdrücklichem Wissen einschließt über die Bedingungen, unter denen es passend (oder nicht) ist, einen mentalen Zustand als den Glauben oder Wunsch zu charakterisieren, *daß p*. Wenn wir nun den relativ lockeren Gebrauch des Terminus ›Begriff‹ übernehmen, der in der Psychologie vorherrscht, dann läuft das auf die Annahme hinaus, daß der unserer Praxis zugrundeliegende Mechanismus einen Begriff der mentalen Repräsentation enthält. Und es wäre ein vollkommen einsichtiges Ziel für eine Theorie des mentalen Gehalts, diesen Begriff zu beschreiben. Die Theorie richtig hinzubekommen, bedeutet dann, eine genaue Beschreibung des Begriffes oder des nicht-ausdrücklichen Wissens zu geben, das unserer Alltagspraxis zugrundeliegt.[16]

Das Projekt einer Beschreibung der begrifflichen Struktur, die Urteilen über mentalen Gehalt zugrundeliegt, ist zumindest in einem groben Sinne analog zu einer ganzen Reihe von anderen Projekten, die in Philosophie und Kognitionswissenschaft verfolgt werden. In der generativen Linguistik[17] nimmt man üblicherweise an, daß die sprachlichen Urteile und die Praxis eines Sprechers von einer substantiellen Menge nicht-expliziten, grammatikalischen Wissens getragen werden, und daß die Aufgabe der Linguistik darin besteht, eine explizite Darstellung dessen zu geben, was der Sprecher implizit weiß. In der kognitiven Psychologie[18] wurde viel daran gearbeitet, die Begriffe und Wissensstrukturen explizit zu machen, die unterschiedlichen sozialen und praktischen Fähigkeiten zugrundeliegen. Eines der faszinierendsten Projekte in diesem Bereich sind Bemühungen, die Begriffe und Prinzipien der ›Alltagsphysik‹ (folk physics) zu enthüllen, d.h. das System von Informationen über die physikalische Welt, das wir auswerten, wenn wir uns in dieser Welt herumbewegen. Was diese Forschungen besonders spannend macht, ist das Ergebnis, daß sich viele Menschen auf eine Alltagsphysik verlassen, die bezüglich der physikalischen Welt falsch ist, und das nicht bloß in Detailfragen. Die implizite Theorie, die offensichtlich die physikalischen Urteile dieser Menschen anleitet, liegt näher bei der mittelalterlichen Impetustheorie[19], als bei der Newtonschen Physik.[20] Solche Forschungsresultate können die eliminativistische These schon ein bißchen plausibler machen. Denn, wenn die Leute sich ernsthaft über die physikalische Theorie täuschen können, auf die sie sich bei ihren Bewegungen in der Welt verlassen, dann ist es doch zumindest möglich, daß sie sich genauso in der psychologischen Theorie irren, die sie bei Beschreibung, Erklärung und Vorhersage menschlichen Verhaltens anwenden.

Ein drittes Unternehmen, das eine beträchtliche Ähnlichkeit zum Projekt der Beschreibung unseres Alltagsbegriffs der mentalen Repräsentation aufweist, ist jene Art Begriffsanalyse, die seit Sokrates' Zeiten immer wieder einmal bei Philosophen für Beschäftigung gesorgt hat. Die Spielregeln haben sich im Verlauf der letzten 2500 Jahre sehr wenig geändert. Es geht ungefähr so:

S: (also vielleicht Sokrates): Sag' mir bitte: was ist X? (wobei ›X‹ ersetzt werden kann durch ›Gerechtigkeit‹, ›Frömmigkeit‹, ›Wissen‹, ›Verursachung‹, ›Freiheit‹, ...)
C: (also vielleicht Cephalus, oder Chisholm): Das will ich dir gerne sagen. Um ein Anwendungsfall von X zu sein, muß etwas y und z sein.
S: Aber das kann doch nicht stimmen! Denn du wirst doch sicher zugeben, daß a tatsächlich X ist, aber es ist weder y noch z.
C: Du hast ganz recht. Ich will es nochmal versuchen. Um ein Anwendungsfall von X zu sein, muß etwas entweder y und z sein oder es muß w sein.
S: Tut mir leid, das funktioniert auch nicht, da b zwar w ist, aber ganz gewiß nicht X.

Das Spiel ist zuende, wenn S die Gegenbeispiele oder C die Definitionen ausgehen. Obwohl niemand in diesem Sport genaue Statistiken geführt hat, setzt schlaues Geld gewöhnlich auf S.

Dieses Philosophenspiel von Definition und Gegenbeispiel hat wenig Sinn, wenn wir nicht zwei Annahmen über die Begriffe machen, die in ihm analysiert werden sollen. Die erste ist, daß der Zielbegriff durch Angabe von notwendigen und hinreichenden Bedingungen charakterisiert (oder definiert) werden kann. Um eine Runde im Spiel zu gewinnen, kann S entweder ein Gegenbeispiel anführen, das zwar ein Anwendungsfall des Begriffs ist, aber von der Definition nicht abgedeckt wird; oder er legt ein Beispiel vor, das zwar die Definition erfüllt, aber kein Anwendungsfall des Begriffs ist. Darüber hinaus nimmt man im allgemeinen an, daß die Definition eine Boolesche Aneinanderreihung von Eigenschaften[21] ist oder eine relativ einfache Variation dieses Themas. Die zweite Annahme besteht darin, daß die Spieler mit genügend Informationen über den Zielbegriff versehen sind, so daß sie in einem weiten Bereich von Fällen zu beurteilen verstehen, ob der Begriff gilt oder nicht. Um sich diesen Punkt genauer klar zu machen, vergleiche man zwei wohlbekannte Beispiele:

(i) Wenn Dir jemand seine Waffen zur Aufbewahrung übergibt und sie zurückverlangt, nachdem er plötzlich verrückt geworden ist, verlangt in diesem Fall die Gerechtigkeit, daß du die Waffen zurückgibst?

(ii) Angenommen, Smith hat gerade die Verkaufspapiere für einen Ford im Ausstellungsraum eines Autohändlers unterschrieben. Obwohl Smith das nicht weiß, hat der Autohändler kein klares Besitzrecht an dem Auto. Wenige Augenblicke vorher ist aber weit entfernt vom Schauplatz des Geschehens Oma Smith gestorben und das Besitzrecht an ihrem alten Ford geht auf Smith über. Smith glaubt also, daß er einen Ford besitzt und dieser Glaube ist sowohl berechtigt als auch wahr. *Weiß* Smith aber auch, daß er einen Ford besitzt?

Es ist schwer zu erkennen, wie wir Anworten auf solche Fragen erwarten können oder wie wir gegebenenfalls Antworten sollen ernstnehmen können, wenn wir nicht davon ausgehen, daß die Menschen implizit bereits recht genau so etwas wie die Menge der notwendigen und hinreichenden Bedingungen kennen, die wir explizit zu machen trachten.

Ich habe zwei Gründe, warum ich mich ziemlich lange mit dem traditionellen philosophischen Ansatz der Begriffsanalyse aufgehalten habe. Erstens scheint ein großer Teil der philosophischen Literatur über mentale Repräsentation genau in das Definition-Gegenbeispiel-Paradigma hineinzupassen. Philosophische Theorien über das Wesen der mentalen Repräsentation bieten in der Regel ihrem Anspruch nach hinreichende und notwendige Bedingungen für Behauptungen der Form:

Der mentale Zustand M hat den Gehalt p.

Einwände gegen diese Theorien stützen sich in der Regel auf intuitive Gegenbeispiele, d.h. auf Fälle, in denen die Definition sagt, daß M den Gehalt p besitzt, die Intuition aber dagegen steht und umgekehrt.[22] Der zweite Grund für die ausführliche Darstellung der philosophischen Begriffsanalyse liegt darin, daß es heute eine ganze Menge Gründe für die Auffassung gibt, daß die dem traditionellen, philosophischen Projekt zugrundeliegenden Annahmen einfach irrig sein könnten. Wenn sie es tatsächlich sind, dann wird das Projekt, das die philosophische Literatur zur mentalen Repräsentation beherrscht, ernsthaft geschwächt werden.

Die vermutlich bekannteste Herausforderung für Annahmen, die der traditionellen, philosophischen Analyse zugrundeliegen, stammt aus den Arbeiten von Eleanor Rosch und ihren Mitarbeitern. Nach der Ansicht Roschs stützen sich die mentalen Strukturen, die den Urteilen der Menschen bei der Klassifikation von Gegenständen in Kategorien zugrundeliegen, nicht auf implizit gewußte, notwendige und hinreichende Bedingungen für die Mitgliedschaft in einer Kategorie oder etwas einigermaßen Äquivalentes. Worauf sich die mentalen Strukturen nun genau stützen, das ist ein Thema, das in den letzten fünfzehn Jahren viel empirische Forschung angeregt hat und weiterhin sehr aktiv bearbeitet wird. Zu Anfang hat Rosch vorgeschlagen, daß Kategorienbildung auf *Prototypen* beruht, die man sich als idealisierte Beschreibungen der typischsten oder charakteristischsten Mitglieder der Kategorie vorstellen kann. Der Prototyp für *Vogel* beispielsweise möge solche Merkmale wie Fliegen, Besitz von Federn, Singen und eine ganze Reihe anderer einschließen. Bei ihrer Entscheidung darüber, ob ein bestimmter Beispielsfall unter die Kategorie fällt, schätzen Subjekte die *Ähnlichkeit* zwischen dem Prototyp und dem zu kategorisierenden Beispielsfall ab. Jedoch sind die Merkmale, die für den Prototyp angegeben werden, weit entfernt davon, notwendige oder hinreichende Bedingungen für die Mitgliedschaft in der Kategorie anzugeben. So können z.B. einem Tier eines oder mehrere der Merkmale des prototypischen Vogels abgehen und es kann dennoch als ein Vogel klassifiziert werden. Emus beispielsweise werden als Vögel klassifiziert, obwohl sie weder fliegen noch singen. Eine Alternative zur Prototyptheorie besteht in der Hypothese, daß Kategorisierung durch *exemplarische Fälle* getragen wird, die man sich als detaillierte, mentale Beschreibungen von ganz bestimmten Mitgliedern der Kategorie vorstellen kann, mit denen die kategorisierende Person vertraut ist. Auch in dieser Version entscheiden die Menschen mittels eines impliziten Ähnlichkeitsurteils, ob ein Gegenstand ein Mitglied der Kategorie ist.[23]

Neuere Forschungen haben klargemacht, daß für viele Begriffe weder der Prototyp- noch der Exemplarische-Fälle-Ansatz alle Daten zufriedenstellend erklärt. Bezüglich einiger Begriffe hat man vorgeschlagen, daß die Urteile des Subjekts sich ziemlich genau auf so etwas wie eine implizit gewußte, wissenschaftliche Theorie verlassen. In anderen Fällen kam man zu dem Schluß, daß es keinen dauerhaften Begriff gibt, der den Kategorisierungsurteilen zugrundeliegt. Es ist vielmehr so, daß Subjekte Begriffe unterschiedlicher Art gewissermaßen ›während des Fluges‹ konstruieren, jeweils in Reaktion auf die Situation, in der ein Bedürfnis nach Kategorisierung entsteht.[24]

Obwohl in den vergangenen Jahren eine gewaltige Menge Arbeit in das Thema Begriffe und Kategorisierung investiert wurde, hat es keine systematische, empirische Studie über *intentionale* Kategorien gegeben, d.h. Kategorien wie *glauben, daß p* oder *wünschen, daß q*. So können wir im Augenblick nur Mutmaßungen darüber anstellen, was eine solche Untersuchung erbringen würde. Man kann ziemlich sicher darauf setzen, daß diese Untersuchung keine ›klassischen‹ Begriffe verwenden wird, was auch immer die mentalen Mechanismen sein mögen, die der Kategorisierung zugrundeliegen. Dabei sind als ›klassisch‹ solche Begriffe zu verstehen, die durch Angabe einer Menge notwendiger und hinreichender Bedingungen definiert werden. Das Argument hierbei ist schlicht und einfach induktiv: *Kein* Alltagsbegriff, der untersucht wurde, hat sich als in eine Menge notwendiger und hinreichender Bedingungen analysierbar herausgestellt. In der Tat, mit Blick auf die im Augenblick verfügbaren Kenntnisse sieht die Lage so aus, daß es keine klassischen Begriffe gibt. Eine zweite, plausible Mutmaßung besteht darin, daß die ›Wissensstrukturen‹, die intentionaler Kategorisierung zugrundeliegen, viel komplexer sind als diejenigen, die traditionell in philosophischen Analysen geboten werden. Ich schätze, daß unser ›Begriff‹ des mentalen Gehalts mehr nach einer Theorie als nach einer platonischen Definition aussieht.

Angenommen, diese Mutmaßungen sind richtig, was folgt daraus? Die nächstliegende Folgerung ist, daß man beim Versuch des Aufbaus einer Theorie der mentalen Repräsentation die traditionelle philosophische Methode des Aufstellens von Definitionen bzw. die Jagd nach intuitiven Gegenbeispielen aufgeben muß. Diese Methode versucht eine Menge von Bedingungen anzugeben, die genau von jenen Fällen erfüllt werden, die intuitiv unter den Zielbegriff fallen. Aber wenn unsere Intuitionen darüber, ob ein Zustand den Gehalt *daß p* besitzt, durch Prototypen geleitet werden oder durch exemplarische Fälle oder implizit gewußte Theorien, oder wenn die mentalen Strukturen, die unsere intuitiven Urteile bestimmen, teilweise als Antwort auf die Umstände konstruiert werden, in denen ein solches Urteil verlangt wird – wenn dem so ist, dann gibt es keine solchen Bedingungen. Wenn also die Verwendung der Methode von Definition und Gegenbeispiel das Markenzeichen einer philosophischen Theorie auf diesem Gebiet ist, und wenn der Alltagsbegriff der mentalen Repräsentation so ist wie jeder andere Begriff, der empirisch untersucht wurde, dann kann man in bestimmter Hinsicht sagen: *es kann keine philosophische Theorie des mentalen Gehalts geben.*

Es ist jedoch wichtig, nicht allzu viel in diese Schlußfolgerung hineinzulesen. Denn obgleich man wohl die traditionelle Methode der philosophischen Analyse aufgeben muß, gibt es keinen Grund, warum man nicht andere Methoden bei der Konstruktion einer deskriptiven Theorie des gewöhnlichen Begriffs der mentalen Repräsentation verwenden kann. Linguisten, kognitive Psychologen und kognitive Anthropologen[25] haben eine ganze Menge von Methoden zur Erforschung der Struktur unserer Alltagsbegriffe entwickelt. Keine geht davon aus, daß diese Begriffe eine klassische Struktur hätten und mit einer Menge notwendiger und hinreichender Begriffe zu fassen wären. Mit ein wenig Einfallsreichtum könnten eine oder mehrere dieser Methoden ganz gut dazu benutzt werden, um die Mechanismen zu erforschen, die unseren intuitiven Urteilen über mentale Repräsentation zugrundeliegen.

Wir haben diesen Abschnitt mit der Frage begonnen, was eine Theorie der mentalen Repräsentation eigentlich leisten soll. Jetzt haben wir wenigstens die Grundzüge einer plausiblen Antwort. Eine Theorie der mentalen Repräsentation soll den Begriff oder die Wissensstruktur beschreiben, die den gewöhnlichen Urteilen der Menschen über den Gehalt von Glaubenszuständen, Wünschen und anderen intentionalen Zuständen zugrundeliegen. Wenn *das* jedoch die Art von Theorie ist, die Philosophen wünschen, wenn sie sich daran machen, eine Theorie der mentalen Repräsentation aufzubauen, dann werden sie wohl aufhören müssen, ›Philosophie zu treiben‹ (im traditionellen Sinne), um statt dessen mit Kognitionswissenschaft anzufangen.

IV. Mentale Repräsentation als ein natürliches Phänomen: eine zweite Projektfamilie

Die Beschreibung von Alltagsbegriffen ist eine völlig vernünftige Tätigkeit, solange sie nicht durch *apriorische*, philosophische Anforderungen an eine solche Beschreibung belastet wird. Aber das ist nicht das einzige Projekt, das diejenigen im Sinn haben könnten, die auf der Suche nach einer Theorie der mentalen Repräsentation sind. Um zu erkennen, was eine Alternative sein könnte, betrachte man den Krankheitsbegriff. Es gibt eine fesselnde, anthropologische Literatur, die sich dem Ziel der Beschreibung des Krankheitsbegriffs in unterschiedlichen Kulturen widmet.[26] Und wenn Sie daran interessiert sind, was Menschen unter Krankheit verstehen, dann muß man dort nachschauen. Aber wenn man daran interessiert ist, was Krankheit *ist*, dann muß man Biologie oder Medizin, nicht aber kognitive Anthropologie studieren. Ganz und gar Entsprechendes gilt von *Gold*, *Raum*, *Masse* oder *Vererbung*. Wenn man wissen will, wie die Leute diese Begriffe verstehen, dann ist die Beschreibung von Alltagsbegriffen oder Wissensstrukturen das Projekt der Wahl. Wenn man aber wissen will, was Gold, Raum, Masse oder Vererbung wirklich ist, dann sollte man Chemie, Physik oder Genetik studieren.

Manchmal geht die betreffende Wissenschaft recht ausführlich an den Gegenstand ihres Interesses heran. Das *Handbook of Physics and Chemistry* erzählt einem beispielsweise alles, was man über Gold wissen will und noch ein bißchen mehr. Aber in jeder Menge anderer Fälle verwendet eine Wissenschaft einen Begriff recht erfolgreich ohne eine völlig explizite oder philosophisch befriedigende Darstellung dieses Begriffs zu liefern. In solchen Fällen rücken oft Wissenschaftstheoretiker an und versuchen, den fraglichen Begriff expliziter zu machen. In den vergangenen Jahren hat es auf diese Weise erhellende Studien von *Fitness*, *Grammatikalität*, *Raumzeit* und einer großen Zahl anderer Begriffe gegeben.[27] Einen Teil dieser Arbeit kann man direkt als begriffliche Beschreibung betrachten. Es wird versucht, für wissenschaftliche Begriffe und Theorien das zu tun, was Linguisten, kognitive Psychologen und kognitive Anthropologen für Alltagsbegriffe und -theorien zu tun versucht haben. In der Tat haben in den vergangenen Jahren eine ganze Reihe von Wissenschaftstheoretikern begonnen, Techniken der Kognitionswissenschaft bei der Analyse von Wissenschaft einzusetzen – oft mit verblüffenden Resultaten.[28] Bisweilen sind jedoch die Begriffe, die Wissenschaftstheoretiker vorfinden und die Theorien, in denen sie eine Rolle spielen, auf unbequeme Weise vage und unterentwickelt. In solchen Fällen ist es ganz und gar nicht ungewöhnlich, daß sie Verbesserungen bei den Begriffen und Theorien vorschlagen, die sie beschreiben. Oft ist es nicht einfach anzugeben, wo Beschreibung aufhört und Konstruktion anfängt. In den meisten Fällen macht das freilich nichts aus.

Es sieht so aus, als ob wir jetzt den Anfang einer zweiten, recht verschiedenen Antwort auf die Frage haben, was eine Theorie der mentalen Repräsentation eigentlich leisten soll. Nach diesem zweiten Ansatz kümmert sich eine Theorie der mentalen Repräsentation nicht viel um den Alltagsbegriff der mentalen Repräsentation. Die Intuitionen und das implizite Wissen des Mannes oder der Frau auf der Straße sind hier gänzlich bedeutungslos. Die Theorie strebt an zu sagen, was mentale Repräsentation tatsächlich ist, nicht aber, was die Alltagspsychologie meint, daß sie wäre. Um das zu erreichen, muß sie den Begriff der mentalen Repräsentation beschreiben (oder vielleicht auch zusammenstückeln), so wie er in den besten Formen der Kognitionswissenschaft verwendet wird, die wir besitzen. Bei diesem Ansatz fängt eine Theorie der mentalen Repräsentation als Teil der kognitiven Psychologie und der Kognitionswissenschaft an, obwohl sie bei Beiträgen zu den begrifflichen Grundlagen der Wissenschaften enden mag, die zu beschreiben sie angetreten war.

In der umfangreichen Literatur zur mentalen Repräsentation kenne ich nur einen Autor, der ausdrücklich das Projekt verfolgt, das ich hier skizziert habe. Dieser Autor ist Robert Cummins. In seinem kürzlich erschienenen Buch *Meaning and Mental Representation*[29] bietet er eine detaillierte Darstellung des Begriffs der mentalen Repräsentation. Allerdings gibt er sich große Mühe zu betonen, daß der Begriff, mit dem er sich beschäftigt, *nicht* derjenige der Alltagspsychologie ist, der unserer gewöhnlichen Sprache der intentionalen Charakterisierung zugrundeliegt (S. 26). Vielmehr ist es sein Ziel, eine Darstellung des Begriffs der mentalen Repräsentation zu geben, so wie er in einer ehrwürdigen und immer noch kraftvollen Forschungstradition der Kognitionswissenschaft verwendet wird, der Tradition nämlich, die bestrebt ist, von Cummins ›orthodox‹ genannte Symbolverarbeitungstheorien[30] der Kognition (Computational Theories of Cognition, kurz: CTC) aufzubauen. Diese Tradition »nimmt an, daß kognitive Systeme automatische, interpretierte, formale Systeme sind« (S. 13). Ein großer Teil der Arbeit, die während der vergangenen beiden Jahrzehnte im Bereich von Problemlösungsverfahren (problem solving), Planung, Sprachverarbeitung und höherstufiger Bildverarbeitung (higher level visual processing) geleistet wurde, fällt exakt unter das orthodoxe Symbolverarbeitungsparadigma.

Ein wesentlicher Teil von Cummins' Projekt besteht in einer Erklärungsstrategie für Symbolverarbeitungstheorien der Kognition. Er liefert eine Darstellung dessen, was diese Theorien zu erklären versuchen und was erfolgreiche Erklärungen im Rahmen dieses Paradigmas leisten müssen. Diese Erklärungsstruktur legt einer Darstellung mentaler Repräsentation starke Beschränkungen auf, weil der in Symbolverarbeitungstheorien verwendete Begriff der Repräsentation mit den angebotenen Erkärungen zurechtkommen muß. Cummins charakterisiert seinen Ansatz so:

> »Man bestimme zunächst, welche erklärende Rolle Repräsentation in einer diesen Begriff verlangenden Theorie spielt oder einem entsprechenden theoretischem Gefüge; dann frage man danach, was Repräsentation sein muß – wie sie expliziert werden muß- , wenn sie diese Rolle spielen soll« (S. 145).

Obwohl Cummins auf den Begriff der Repräsentation zielt, der in Symbolverarbeitungstheorien der Kognition verwendet wird, bemerkt er, daß das nicht die einzige, vielversprechende Forschungstradition in der Kognitionswissenschaft ist. »Es sind heute eine ganze Anzahl von Systemen in der Kognitionswissenschaft im Rennen« (S. 26), einschließlich der »orthodoxen Symbolverarbeitungstheorie, des Konnektionismus[31], der Neurowissenschaft«[32] (S.12) und einer Vielzahl anderer. So ziemlich der gleiche Ansatz ließe sich auf die Begriffe der Repräsentation anwenden, die in diesen anderen Traditionen vertreten werden, obwohl sich die Resultate sehr wohl als verschieden herausstellen könnten. »Anzunehmen, daß [...] [diese anderen Forschungstraditionen] sich alle des gleichen Begriffs der Repräsentation bedienen, erscheint naiv« (S. 12). Wenn wir danach fragen, was mentale Repräsentation in jedem dieser Systeme heißen soll, »dann ist es ziemlich unwahrscheinlich, daß wir eine einheitliche Antwort erhalten« (S. 26).

Dieses pluralistische Bild möchte ich kräftig unterstützen. Es fügt der Darstellung von Theorien der mentalen Repräsentation, die ich in diesem Abschnitt skizziert habe, eine wichtige Dimension hinzu. Denn wenn unterschiedliche Paradigmen innerhalb der Kognitionswissenschaft unterschiedliche Begriffe der mentalen Repräsentation verwenden, dann gibt es keinen Weg zu *der* Theorie der mentalen Repräsentation von der Art, wie wir sie diskutiert haben. Es gibt *eine Menge* solcher Theorien. Darüber hinaus ist es sinnlos zu fragen, welche dieser Theorien die richtige ist, weil sie nicht untereinander im Wettbewerb stehen. Jede Theorie zielt darauf, einen Begriff der Repräsentation zu charakterisieren, der in einem Zweig der Kognitionswissenschaft Verwendung findet. Wenn unterschiedliche Zweige der Kognitionswissenschaft unterschiedliche Begriffe der Repräsentation benutzen, dann gibt es eine Vielzahl richtiger Darstellungen der mentalen Repräsentation. Natürlich kann man annehmen, daß die unterschiedlichen Zweige der Kognitionswissenschaft selbst untereinander im Wettbewerb stehen und daß die *richtige* Theorie der mentalen Repräsentation diejenige ist, die den Begriff der mentalen Repräsentation beschreibt, den die *richtige* Kognitionswissenschaft verwendet. Aber ich sehe keinen Grund für die Annahme, daß es ein einziges, richtiges System für Theorien in der Kognitionswissenschaft gibt. Es gibt eine Menge von Phänomenen zu erklären und es gibt eine Menge von Ebenen, auf denen man erhellende und wissenschaftlich respektable Erklärungen geben kann. Ich neige also auch auf diesem Gebiet zu einem pluralistischen Standpunkt.

Hier ist nicht der Ort für eine detaillierte Auseinandersetzung mit Cummins‹ Darstellung des Begriffs der mentalen Repräsentation, so wie er in Symbolverarbeitungstheorien der Kognition verwendet wird. Es gibt aber einige Themen im Werk von Cummins, die ich ein wenig weiter verfolgen möchte, weil sie uns zu der Frage zurückbringen, wie Theorien der mentalen Repräsentation in der Auseinandersetzung über den eliminativen Materialismus funktionieren sollen.

V. Theorien der mentalen Repräsentation und die Eliminativismus-Debatte

Für Cummins liegen die Dinge so, daß der Begriff der mentalen Repräsentation, den er zu beschreiben versucht, sowohl von der Geschichte des Systems abstrahiert als auch »von den tatsächlichen Gegenständen, die in der gegenwärtigen Umgebung des Systems vorhanden sind« (S. 81). »Nach der Symbolverarbeitungstheorie unterscheiden sich kognitive Systeme durch ihre Verarbeitungseigenschaften« (S. 82). Zwei Systeme können dabei die gleichen Verarbeitungseigenschaften haben, auch wenn sie sich in Geschichte, Umwelt, und sogar in physikalischer Struktur unterschieden. Der an der physikalischen Struktur orientierte Begriff der mentalen Repräsentation führt zu einer *individualistischen* Taxonomie: Wenn zwei Organismen oder Systeme die gleiche physikalische Struktur besitzen, dann stellen ihre repräsentationalen Zustände das gleiche Ding dar. Allerdings ist Cummins auch der Auffassung – hier folgt er Putnam, Burge und anderen -, daß die Taxonomie intentionaler Zustände, auf die sich die Alltagspsychologie stützt, *anti-individualistisch* ist – d.h. »Glaubenszustände und Wünsche können nicht auf eine Weise spezifiziert werden, die von der ihrer Umgebung« oder ihrer Geschichte unabhängig ist (S. 140). Cummins folgert aus all dem, daß Glaubenszustände, Wünsche und der ganze Rest intentionaler Zustände der Alltagspsychologie nicht zu jenen Gegenständen gehören, die von der Symbolverarbeitungstheorie der Kognition als solche anerkannt werden. »Was die anti-individualistischen Argumente von Putnam und Burge vom Standpunkt der Symbolverarbeitungstheorien der Kognition (CTC) aus beweisen, besteht darin, daß Glaubenszustände und Wünsche keine psychischen Zustände sind in dem Sinne, in dem ›psychischer Zustand‹ in der CTC von Interesse ist« (S. 140).

Es sieht so aus, als hätten wir hier die Anfänge eines Arguments für den eliminativen Materialismus, in dem beide Arten von Theorien der mentalen Repräsentation, die wir skizziert haben, eine Rolle spielen. In den Grundzügen geht das Argument so: Erstens beschreibe man die Begriffe der mentalen Repräsentation, auf die sich Alltagspsychologie und Symbolverarbeitungstheorien der Kognition stützen. Dann vergleiche man die beiden. Falls sie sich signifikant unterscheiden, dann bilden die repräsentationellen Zustände der Alltagspsychologie keinen Teil der Ontologie von Symbolverarbeitungstheorien. Natürlich würde der Eliminativismus mit dieser Art von Argument noch nicht gewinnen. Denn die heutige Kognitionswissenschaft ist, wie wir noch nicht allzulange wissen, eine vielfältige Disziplin, die eine ganze Menge anderer Forschungstraditionen besitzt. Um also eine plausible Verteidigung des eliminativen Materialismus zu liefern, müßte dieses Argument für jede gangbare Forschungstradition wiederholt werden, die auf dem kognitionswissenschaftlichen Markt ist. Als Alternative zu diesem Von-Fall-zu-Fall-Ansatz könnte der Eliminativismus versuchen, den Prozeß zu komprimieren, indem er zeigt, daß es Merkmale gibt, die *jeder* wissenschaftlich respektable Begriff der mentalen Repräsentation aufweisen muß, und indem er dann argumentiert, daß diese Merkmale in dem alltagspsychologischen Verständnis der mentalen Repräsentation keine Stützung finden.[33]

Auch wenn das alles für den Eliminativismus positiv ausgeht, ist nicht auch schon klar, daß er bereits gewonnen hat. Um zu sehen, warum das so ist, wollen wir zu Cummins' Gegenüberstellung von Glaubenszuständen zurückkehren, wie sie in der Alltagspsychologie konstruiert werden und zu den Repräsentations-Zuständen der Symbolverarbeitungstheorie der Kognition. Nach Cummins sind Glaubenszustände für die Alltagspsychologie anti-individualistisch, d.h. sie können nicht auf eine von ihrer Umwelt unabhängigen Weise spezifiziert werden. Die psychischen Zustände in der Symbolverarbeitungstheorie dagegen sind auf individualistische Weise zu identifizieren, d.h. sie *können* unabhängig von der Umwelt spezifiziert werden. Hieraus scheint Cummins zu folgern, daß die Ontologie der Alltagspsychologie von derjenigen der Symbolverarbeitungstheorie verschieden ist. Die beiden Theorien reden von verschiedenen Dingen. Cummins steht mit dieser Auffassung nicht allein. Ich selbst habe in einer ganzen Reihe früherer Publikationen ein ähnliches Argument vorgetragen, einige andere Autoren ebenfalls.[34] Aber obwohl das Argument solche hervorragenden Befürworter hat, ist es ganz und gar nicht klar, ob seine Prämissen die Schlußfolgerung stützen. Was die Prämissen nämlich tatsächlich enthalten, ist, daß die Alltagstheorie und die Symbolverarbeitungstheorien unterschiedliche und miteinander unvereinbare Theorien über die Zustände aufstellen, von denen sie reden. Das aber reicht sicher nicht auch schon aus, um zu zeigen, daß sie von verschiedenen Dingen reden. Wenn dem nämlich so wäre,

88

dann wäre es für Theoretiker fast unmöglich, unterschiedlicher Meinung zu sein. Könnte es nicht so sein, daß Alltagspsychologie und Symbolverarbeitungstheorien über haargenau die gleichen Dinge reden, daß die Alltagspsychologie aber ganz einfach *falsch* ist?

Worum es hier wirklich geht, ist die Frage danach, was die Bezugnahme (reference)[35] der Termini bestimmt, die in einer Theorie verwendet werden. Sympathisanten des Eliminativismus schreiben oft so, als würden sie eine Version der Beschreibungstheorie der Bedeutung (description theory of meaning) akzeptieren.[36] Aber für Eliminativisten ist es doppelt fragwürdig, dieses Lehrstück zu übernehmen. Eine Gefahr besteht darin, daß naive Versionen der Beschreibungstheorie dazu neigen, den eliminativen Materialismus zu *trivialisieren*. Wenn kleinere Meinungsunterschiede zwischen der Alltagsauffassung mentaler Zustände und der kognitionswissenschaftlichen Auffassung hinreichend klarmachen, daß beide von unterschiedlichen Entitäten reden, dann ist natürlich der Eliminativismus richtig. Aber wen kümmert das? Kein Mensch hat jemals geglaubt, daß die Alltagspsychologie in allen Belangen recht hat. Tatsächlich, wenn wir zugestehen, daß kleinere theoretische Unterschiede immer zu unterschiedlichen Ontologien führen, und wenn wir zudem annehmen, daß zeitlich spätere Theorien näher bei der Wahrheit sind als frühere, dann landen wir bei einer verrückten Position, bei einer Art *Pan-Eliminativismus*. Denn es ist ziemlich wahrscheinlich, daß *jede* Theorie, die wir gegenwärtig akzeptieren, im Laufe des nächsten Jahrhunderts *einige* Verbesserungen erfahren wird. Wenn das aber schon als Beweis dafür gilt, daß die Entitäten heutiger Theorien nicht existieren, dann existiert *überhaupt nichts* von dem, was unserer Meinung nach jetzt existiert!

Ein zweites Bedenken hinsichtlich der Beschreibungstheorie der Bedeutung besteht darin, daß leicht auch viel entwickeltere Versionen der Theorie weit am Ziel vorbei schießen können. Wenn sie das tun, dann lassen sich keine interessanten ontologischen Schlußfolgerungen daraus ziehen, daß sich Alltagspsychologie und Kognitionswissenschaften über mentale Zustände nicht einig sind. Ein Philosoph, der diesen Punkt klar gesehen hat, ist William Lycan. Er beschreibt die Sache so:

»Ich orientiere mich weg von Lewis'-Carnapscher und/oder Rylescher Bündel-Theorie der Bezugnahme theoretischer Begriffe hin zu Putnams kausal-historischer Theorie. Wie bei den Beispielen Putnams (›Wasser‹, ›Tiger‹ usw.) glaube ich, daß auch das gewöhnliche Wort ›Glaubenszustand‹ (als theoretischer Begriff der Alltagspsychologie) undeutlich auf eine natürliche Art[37] verweist, die wir noch nicht ganz begriffen haben und die uns nur eine (verglichen mit der heutigen) reife Psychologie enthüllen wird. Ich erwarte, daß ›Glaubenszustand‹ (belief) sich als Bedeutung einer Art informationstragenden, inneren Zustands eines fühlenden Wesens herausstellen wird. [...] Aber die Art von Zustand, auf die sich das Wort bezieht (refers to), könnte nur einige derjenigen Eigenschaften besitzen, die üblicherweise im Alltag den Glaubenszuständen zugesprochen werden. Ich glaube also, daß unsere gewöhnliche Weise, Glaubenszustände und Wünsche herauszugreifen, mit Erfolg wirkliche Entitäten in der Natur trifft. Aber es kann sein, daß dabei nicht diejenigen Entitäten herausgegriffen werden, die der Alltagsverstand meint.«[38]

Lycan betont, daß sich dieser Auffassung zufolge unsere Alltagstheorien über das Wesen von Glaubenszuständen und anderen repräsentationalen, mentalen Zuständen sehr getäuscht haben:

> »Ich bin vollkommen bereit, große Stücke unserer Alltags- oder Platitüdentheorie von Glaubenszuständen oder Wünschen (und fast allem anderen) aufzugeben und zu entscheiden, daß wir hinsichtlich einer ganzen Reihe von Dingen einfach falsch liegen, ohne dabei allerdings daraus die Folgerung zu ziehen, daß wir nicht mehr über Glaubenszustände und Wünsche reden.«[39]

Leider ist es so, daß Lycans Argumentationslinie, wenn es um den Eliminativismus geht, so ziemlich die gleichen Mängel aufweist wie naive Versionen der Beschreibungstheorie – nur in umgekehrter Richtung. Denn aus der Perspektive Lycans betrachtet, kann man nicht erkennen, wie *irgend etwas* in der Lage wäre zu zeigen, daß die Setzungen der Alltagspsychologie nicht Bestandteil eines gegebenen Teils der Kognitionswissenschaft sind. Es ist wirklich so, daß aus Lycans Perspektive überhaupt nicht klar ist, warum wir nicht sagen sollten, daß Phlogiston wirklich existiert. Es ist halt das Zeug, das wir heute ›Sauerstoff‹ nennen, und früher ›haben sich Theoretiker bei einer ganzen Menge von Dingen getäuscht‹. Es scheint also so zu sein, daß der eliminativistische Anspruch *trivialisiert* wird, wenn wir entweder die von Lycan favorisierte Theorie der Bezugnahme (theory of reference) oder die naive Beschreibungstheorie akzeptieren. Nach der Beschreibungstheorie ist der Eliminativismus trivial wahr; nach der kausal-historischen Theorie ist er dagegen trivial falsch.

Wo stehen wir jetzt nach all dem? Wenn wir den Eliminativismus als eine *interessante* Theorie konstruieren wollen und nicht als eine, die trivial wahr oder trivial falsch ist, dann muß unsere Auffassung von Bezugnahme weniger restriktiv sein als diejenige der naiven Beschreibungstheorie, aber restriktiver als diejenige der kausal-historischen Theorie. Und ganz offensichtlich *wollen* wir doch den Eliminativismus als eine interessante Theorie konstruieren – jedenfalls ich habe das immer gedacht. Als ich anfänglich das soeben skizzierte Argument vortrug, war es meine ursprüngliche Absicht, irgendwo eine aussichtsreichere Theorie der Bezugnahme zu erjagen. Aber das war, wie ich heute meine, ein großer Fehler.

Das Problem besteht nicht darin, daß man alternative Auffassungen der Bezugnahme nur schwer finden kann – ganz im Gegenteil. Es ist relativ einfach, Verständnisse von Bezugnahme zu konstruieren, die scheinbar genau das leisten, was wir wollen. Sie unterliegen stärkeren Einschränkungen als die kausal-historische Theorie und geringeren als die Beschreibungstheorie. Ein solches Vorgehen wirft aber Fragen auf, die jetzt bereits vertraut klingen dürften: Welche von diesen Theorien der Bezugnahme ist die richtige? Was macht eine solche Theorie richtig? Im Licht der engen Verbindung zwischen dem Begriff der Bezugnahme und dem Begriff der Repräsentation ist es darüber hinaus ziemlich klar, daß vieles, was in den Abschnitten III und IV über den Begriff der Repräsentation gesagt wurde, jetzt mit gleicher Plausibilität für den Begriff der Bezugnahme wiederholt werden könnte. Wenn dem so ist, dann gibt es keinerlei einheitliche, richtige Auffassung des Bezugs. Es ist vielmehr so, daß es ein Verständnis gibt, das unseren Alltagsbegriff der Bezugnahme beschreibt (bzw. verschiedene Verständnisse für den Fall, daß sich mehr als ein Alltagsbegriff im Umlauf befindet). Andere Verständnisse beschreiben bezugnahmeartige Begriffe, die in dem einen oder anderen Projekt in Psychologie, Sprachwissenschaft oder Erkenntnistheorie von Nutzen sein mögen oder vielleicht in irgendeiner anderen Disziplin.

Wenn das nun alles stimmt, dann ergeben sich einige überraschende Folgerungen. Die erste ist, daß man den Eliminativismus nicht als eine einzelne These betrachten darf, ja nicht einmal als ein Thesen-Paar wie in Abschnitt II vorgeschlagen. Um die Pointe zu verstehen, betrachte man die schwächere der oben unterschiedenen, eliminativistischen Thesen, d.h. die These, daß die Setzungen der Alltagspsychologie keinen Bestandteil der Ontologie der Kognitionswissenschaft bilden. Wenn unsere momentanen Überlegungen sich auf der richtigen Schiene befinden, dann hat diese These keinen Sinn, d.h. sie hat keine fest umrissenen Wahrheitsbedingungen, solange sie nicht mit irgendeinem bestimmten Verständnis der Bezugnahme verknüpft wird. Nun gibt es aber viele, völlig richtige Auffassungen der Bezugnahme und folglich viele verschiedene ›Lesarten‹ der ›weichen‹, eliminativistischen These. Mehr noch: es ist plausibel anzunehmen, daß einige Lesarten der eliminativistischen These sich als wahr herausstellen, während andere sich als falsch erweisen. Wenn das aber stimmt, dann ist es alles andere als klar, ob überhaupt irgendeine Lesart der eliminativistischen These auf eine interessante Behauptung hinausläuft. Bevor wir uns klargemacht haben, daß jede einsichtige Version dieser Theorie relativiert bzw. mit einer Theorie der Bezugnahme verbunden werden mußte, mochte es vielleicht noch plausibel gewesen sein, aus der Wahrheit des Eliminativismus eine schwere intellektuelle Katastrophe zu folgern. Und das ist gewiß mehr als genug, um dieses Lehrstück interessant zu machen. Aber sobald wir die Notwendigkeit erkannt haben, den Eliminativismus an irgendeine bestimmte Theorie der Bezugnahme zu binden, sehen die Dinge ganz anders aus. Denn gewiß ist kein Mensch bereit zu behaupten, daß der Eliminativismus unser intellektuelles Dach zerstört, ganz gleich, auf welche

Theorie der Bezugnahme er relativiert wird. Natürlich kann man immer noch daran festhalten, daß es eine spezielle Theorie der Bezugnahme gibt, die so beschaffen ist, daß ein an diese Theorie geknüpfter Eliminativismus wahr ist und daß sich daraus besorgniserregende Konsequenzen ergeben. Und nach allem, was ich weiß, könnte das zutreffen. Aber wenn es zutrifft, dann ist es sicher nicht *selbstverständlich*. Es handelt sich um eine Behauptung, die einer Begründung bedarf. Ich habe keine Idee, wie diese Begründung aussehen könnte. Also: bevor wir in dieser Angelegenheit keine weitere Aufklärung erhalten, halte ich den Verdacht für vernünftig, daß das Interesse am Eliminativismus stark übertrieben worden ist.

VI. Der Eliminativismus und der Naturalismus-Vorbehalt

Man erinnere sich an Fodors Ansicht, die »tiefste Motovation« für den Eliminativismus oder »intentionalen Irrealismus« bestehe in dem Verdacht, »das Intentionale könne nicht *naturalisiert* werden«.[40] Vermutlich hat das implizite Argument für den intentionalen Irrealismus, an das Fodor denkt, jene Struktur, die im vorigen Abschnitt skizziert wurde: Um in einer anständigen, wissenschaftlichen Theorie verwertbar zu sein, muß ein Begriff naturalisierbar sein. Wenn also intentionale Begriffe nicht naturalisierbar sind, dann können sie in keiner anständigen, wissenschaftlichen Theorie verwertet werden. Fodors eigene Theorie des Gehalts ist größtenteils durch die Hoffnung motiviert, daß jener Verdacht behoben werden könne. In diesem letzten Abschnitt möchte ich zwei Fragen hierzu untersuchen. Erstens: Was wäre nötig, um die Besorgnis zu verringern, »das Intentionale könne nicht naturalisiert werden« und wie könnte eine Theorie der mentalen Repräsentation von der Art, wie sie hier betrachtet wurde, eine Rolle bei diesem Vorgang spielen? Zweitens: Wie schlimm wäre es, wenn das Projekt scheiterte und wir entdeckten, daß wir intentionale Begriffe nicht naturalisieren können?

Die Antwort auf die erste Frage scheint wenigstens im Umriß ziemlich klar zu sein. Um die Befürchtung abzumildern, das Intentionale könne nicht naturalisiert werden, müssen wir eine naturalistische Darstellung eines Begriffs der mentalen Repräsentation angeben, der in der Kognitionswissenschaft verwendet wird oder werden könnte und mit dem man den Alltagsbegriff der mentalen Repräsentation plausibel identifizieren könnte. Diese Antwort führt jedoch auf zwei Probleme. Das erste ist einfach eine Version des Problems, mit dem wir in einem früheren Abschnitt gerungen haben: Was braucht es, um die theorieübergreifende Identifikation zweier Begriffe zu rechtfertigen? Nach meiner Ansicht gibt es keine fest umrissene Antwort auf diese Frage. Aber ich habe meinen Teil zu diesem Punkt schon gesagt und möchte das Thema nicht erneut erörtern. Das zweite Problem hat seit den ersten Seiten dieses Aufsatzes im Schatten auf der Lauer gelegen, als zum ersten Mal die Frage der ›Naturalisierung‹ der mentalen Repräsentation aufgeworfen wurde: Was braucht es, damit eine Darstellung der mentalen Repräsentation *naturalistisch* ist? Obwohl ich niemanden kenne, der eine ausführliche Antwort auf diese Frage angeboten hätte, legt die Literatur deutlich nahe, daß diejenigen, die eine naturalistische Darstellung der mentalen Repräsentation wollen, so etwas wie eine Definition wünschen, d.h. eine Menge hinreichender und notwendiger Bedingungen, die in Begriffe gefaßt sind, die in den physikalischen und biologischen Wissenschaften problemlos akzeptiert werden.

Ob eine geeignete naturalistische Darstellung der mentalen Repräsentation gegeben werden kann, ist natürlich eine offene Frage. Meine eigene Vermutung, so wenig sie auch wert sein mag, besteht darin, daß das Projekt ganz hoffnungslos ist. Jedoch bin ich im Unterschied zu Fodor und vielen anderen zu der Annahme geneigt, daß wenig daran hängt. Fodor meint, daß es in ernsthafter Wissenschaft keinen Platz für den Begriff der mentalen Repräsentation gebe, wenn wir keine naturalistische Darstellung davon besäßen. Wenn das der Fall ist, dann haben die Eliminativisten eine größere Schlacht gewonnen. Ja, sie werden vielleicht den ganzen Krieg gewonnen haben. Fodors Meinung kommt mir aber ganz verfehlt vor. Man braucht sich nur ein paar Beispiele anzuschauen, um zu sehen, warum. Wir wollen mit dem Begriff des Phonems beginnen. Was heißt es ein ›p‹ oder ein ›b‹ zu sein? Wer hier eine naturalistische Antwort möchte, d.h. eine Antwort, die hinreichende und notwendige Bedingungen in physikalischen oder biologischen Begriffen angibt, der wird – befürchte ich – enttäuscht werden. Denn trotz vieler Jahre subtiler Forschung gibt es gegenwärtig keine naturalistische Antwort.[41] Natürlich könnte sich diese Situation ändern. Phonetiker könnten mit einer naturalistischen Darstellung davon kommen, was es für eine Tonfolge bedeutet, ein ›p‹ zu sein. Andererseits könnte es aber auch so sein, daß sich die gegenwärtige Lage nicht ändert. In diesem Fall besteht sicherlich kein Grund, ein Phonem-Eliminativist zu werden und die Existenz von Phonemen zu bestreiten. Ziemlich genau das Gleiche könnte man über eine Menge anderer Begriffe von unbestrittenem wissenschaftlichem Nutzen sagen. Es gibt in der Ethologie der Primaten keine naturalistische Darstellung des *Fellpflege-Verhaltens*. Noch gibt es in der Stichlings-Ethologie eine naturalistische Darstellung des *Angriffs-Verhaltens*. Aber es wäre gewiß pervers, die Existenz von Fellpflege-Verhalten zu bestreiten, bloß weil wir es nicht in der Sprache der Physik oder Biologie beschreiben können. Geeignet geschulte Beobachter können Fellpflege-Verhalten (oder Phoneme) mit beeindruckend hoher intersubjektiver Verläßlichkeit feststellen. Und das, so würde ich dringend empfehlen, ist mehr als genug, um diese Begriffe empirisch respektabel zu machen. Mehr zu fordern, – insbesondere zu verlangen, daß die betreffenden Begriffe ›naturalisiert‹ werden können – das scheint mir unbegründet und dumm zu sein. Für die *mentale Repräsentation* sieht die Lage vollständig parallel aus. Vielleicht gibt es gute

Gründe dafür, Eliminativist zu sein. Aber die Tatsache, daß mentale Repräsentation nicht naturalisiert werden kann, gehört nicht dazu.

Anmerkungen

1 Frühere Fassungen dieser Arbeit wurden vorgetragen vor der Royal Irish Academy, an der Northwestern University (Chicago) und an den Universitäten Bielefeld, Colorade, Göteborg, Konstanz, Montreal, South Carolina und Syracuse (NY). Kommentar und Kritik der Zuhörer waren hilfreicher, als ich hier dokumentieren könnte. Ich bin Eric Margolis dankbar für seine Hilfe beim Auffinden von Literatur.

2 Vgl. Glossar: mentale Repräsentation.

3 Zu kausalen Kovarianztheorien vgl. Dretske (1988), Fodor (1987), Fodor (1990a); für teleologische Theorien Fodor (1990b), Millikan (1984) und Papineau (1987); Theorien der funktionalen Rolle in Block (1986), Field (1977) und Loar (1981). Für eine Theorie, die durch die kausale Bedeutungstheorie angeregt wurde, vgl. Devitt & Sterelny (1987); für eine Ein-Faktor-Theorie Harman (1986); für eine Viel-Faktoren-Theorie McGinn (1982). Für enge Theorien vgl. Fodor (1987) und Devitt (1990); für eine weite Theorie Burge (1979).

4 Vgl. Glossar: Naturalisierung.

5 Vgl. Glossar: Alltagspsychologie.

6 Fodor (1987), xii.

7 Dretske (1988), x.

8 Vgl. Glossar: eliminativer Materialismus.

9 Vgl. Glossar: Kognitionswissenschaft.

10 Phlogiston bzw. Wärmestoff sind ›subtile‹ Substanzen, mit deren Hilfe die Naturwissenschaft des ausgehenden 17. und 18. Jahrhunderts die Brennbarkeit von Stoffen bzw. Wärmephänomene zu erklären versuchte. Die Phlogistontheorie wurde durch die Oxydationstheroie, die Wärmestoffftheorie durch die kinetische Wärmetheorie ersetzt (Anm. des Übers.).

11 Für eine nicht ganz befriedigende Diskussion dieses Punktes vgl. Stich (1983), Kap. 11, Abschn. 1.

12 Man vergleiche z.B. Ramsey, Stich & Garon (1989).

13 Vgl. Glossar: Intentionalität, Syntax und Semantik.

14 Fodor (1987), 97.

15 Vgl. Glossar: Physikalismus.

16 Für eine von der hier vertretenen ziemlich verschiedene Auffassung des Mechanismus, der unserer Fähigkeit, mentale Zustände zuzusprechen zugrundeliegt, vgl. Gordon (1986) und Goldman (1989). Für eine ausführliche Kritik der Gordon/Goldman-Konzeption vgl. Stich & Nichols (in Vorb.).

17 Vgl. Glossar: generative Linguistik.

18 Vgl. Glossar: kognitive Psychologie.

19 Die Impetustheorie ist eine in kritischem Anschluß an Aristotelische Auffassungen entwickelte Bewegungslehre, in der die späteren klassisch-mechanischen Begriffe von Trägheit und Impuls allenfalls vorgebildet werden (Anm. des Übers.).

20 Vgl. McCloskey, Caramazza & Green (1980) und McCloskey (1983).

21 Damit ist gemeint, daß der mengentheoretische Durchschnitt (›Boolesches Produkt‹) der Klassen der Prädikate (›Eigenschaften‹) des Definiens einer Definition gleich der Klasse des Definiendum-Prädikats ist (Anm. des Übers.).

22 Vgl. z.B. Block (1986), 660; Field (1986), 444; Jones, Mulaire & Stich (im Erscheinen), Abschn. 4.2; Loewer (1987), 296. – Es ist beachtenswert, daß Fodor wenigstens bei einer Gelegenheit behauptet hat, daß er schon mit *hinreichenden* Bedingungen dafür zufrieden wäre, daß »ein Stückchen der Welt *von* einem anderen Stückchen *handelt* (es ausdrückt, es repräsentiert, von ihm wahr ist), selbst dann, wenn diese Bedingungen nicht notwendig sind« (Fodor (1987), 98). – Wenn man aber Fodor wörtlich liest, dann kann man schwerlich glauben, daß es genau das ist, was Fodor wirklich will. Denn nur hinreichende Bedingungen zu liefern, macht die Angelegenheit einfach zu leicht.

> Wenn x Fodors jüngste Äußerung von ›Maria Callas‹ ist (oder, wenn x der Begriff ist, der dieser Äußerung zugrundeliegt), dann repräsentiert x Maria Callas.
>
> Wenn y Fodors jüngste Äußerung von »Bedeutungsholismus ist eine *verrückte Lehre*« ist (oder des Gedankens, der dieser Äußerung zugrundeliegt), dann handelt y vom Bedeutungsholismus und y ist wahr genau dann, wenn der Bedeutungsholismus eine verrückte Lehre ist.

Das sind zwei hinreichende Bedingungen; und wenn man mir für jede weitere ein paar Pfennige gibt, dann bin ich gerne bereit, noch unbestimmt viele zusätzlich zu liefern.

23 Für einen ausgezeichneten Überblick über die Literatur zu den Prototyp- und Exemplarische-Fälle-Theorien vgl. Smith & Medin (1981).

24 Murphy & Medin (1985), Barsalou (1987), Rips (1989).

25 Vgl. Glossar: kognitive Anthropologie.

26 Vgl. z.B. Murdock (1980).

27 Für Fitness vgl. Sober (1984); für Grammatikalität vgl. Fodor (1981); für Raumzeit vgl. Sklar (1974).

28 Vgl. z.B. Giere (1988), Glymour, Kelly, Scheines & Sprites (1986), Langley, Simon, Bradshaw & Zytkow (1987), Nersessian (1991), Thagard (1988).

29 Cummins (1989). Verweise auf Seitenzahlen in Cummins Buch erfolgen in Klammer im Text.

30 Vgl. Glossar: Symbolverarbeitungstheorie.

31 Vgl. Glossar: Konnektionismus.

32 Vgl. Glossar: Neurowissenschaft.

33 Dies ist die Strategie, die ich in Stich (1978) versucht habe. Noch eine andere wäre, wenn der Eliminativismus argumentierte, daß die eine oder andere der konkurrierenden Forschungstraditionen in der Kognitionswissenschaft kein ernsthafter Wettbewerber sei und aus diesem Grunde nicht in Betracht gezogen zu werden brauchte.

34 Vgl. Stich (1978), Stich (1983), Teil II, Stack (unveröffentlicht).

35 Vgl. Glossar: Bezug.

36 Lycan (1988) chrakterisiert das Argument der ›Doxastaphoben‹ so:
> In der Regel haben ihre Argumente die Form:
> »Der Alltagsverstand chrakterisiert Glaubenszustände als [z.B.] die folgenden Eigenschaften besitzend:F, G, H, ... Aber nichts von dem, was in irgendeiner zukünftigen, respektablen Psychologie Erwähnung finden wird, wird alle oder auch nur sehr viele dieser Eigenschaften besitzen. Deshalb ist für Glaubenszustände in einer reifen Psychologie kein Platz« (S. 4).

37 Vgl. Glossar: natürliche Arten.

38 Lycan (1988), 32.

39 Lycan (1988), 31f.

40 Fodor (1987), 97.
41 Für nützliche Überblicke vgl. Fry (1979) und Pickett (1980).

Literatur:

Barsalou, L. (1987): »The Instability of Graded Structure: Implications for the Nature of Concepts«, in: U. Neisser, ed., *Concepts and Conceptual Development: Ecological and Intellectual Factors in Categorization*, Cambridge, Cambridge University Press.

Block, N. (1986): »Advertisement for a Semantics for Psychology«, in: P. French et. al., eds., *Midwest Studies in Philosophy: Studies in the Philosophy of Mind*, Minneapolis, University of Minnesota Press.

Burge, T. (1979): »Individualism and the Mental«, *Midwest Studies in Philosophy*, IV.

Cummins, R. (1989): *Meaning and Mental Representation*, Cambridge, Mass., Bradford Books/MIT Press.

Devitt, M. & Sterelny, K. (1987): *Language and Reality: An Introduction to the Philosophy of Language*, Cambridge, Mass., Bradford Books/MIT Press.

Devitt, M. (1990): »A Narrow Representational Theory of the Mind«, in: W. Lycan, ed., *Mind and Cognition*, Oxford, Basil Blackwell.

Dretske, F. (1988): *Explaining Behavior*, Cambridge, Mass., Bradford Books/MIT Press.

Field, H. (1977): »Logic, Meaning and Conceptual Role«, *Journal of Philosophy*, 74.

Field, H. (1986): »Critical Notice: Robert Stalnaker, *Inquiry*«, *Philosophy of Science*, 50.

Fodor, J. (1981): »Some Notes on What Linguistics Is About«, in: N. Block, ed., *Readings in Philosophy of Psychology*, Vol. 2, Cambridge, Mass., Harvard University Press.

Fodor, J. (1987): *Psychosemantics*, Cambridge, Mass., Bradford Books/MIT Press.

Fodor, J. (1990a): *A Theory of Content and Other Essays*, Cambridge, Mass., Bradford Books/MIT Press.

Fodor, J. (1990b): »Psychosemantics, or: Where Do Truth Conditions Come From?« in: W. Lycan, ed., *Mind and Cognition*, Oxford, Basil Blackwell.

Fry, D. (1979): *The Physics of Speech*, Cambridge, Cambridge University Press.

Giere, R. (1988): *Explaining Science: A Cognitive Approach*, Chicago, University of Chicago Press.

Glymour, C., Kelly, K., Scheines, R., & Sprites, P. (1986): *Discovering Causal Structure: Artifical Intelligence for Statistical Modelling*, New York, Academic Press.

Goldman, A. (1989): »Interpretation Psychologized«, *Mind and Language*, 4.

Gordon, R. (1986): »Folk Psychology as Simulation«, *Mind and Language*, 1.

Harman, G. (1986): »Wide Functionalism«, in: R. Harnish & M. Brand, eds., *The Representation of Knowledge and Belief*, Tucson, University of Arizona Press.

Jones, T., Mulaire, E. & Stich, S. (forthcoming). »Staving off Catastrophe: A Critical Notice of Jerry Fodor's *Psychosemantics*«, to appear in *Mind and Language*.

Langley, P., Simon, H., Bradshaw, G. & Zytkow, J. (1987): *Scientific Discovery: Computational Explorations of the Creative Process*, Cambridge, Mass., MIT Press.

Loar, B. (1981): *Mind and Meaning*, Cambridge, Cambridge University Press.

Loewer, B. (1987): »From Information to Intentionality«, *Synthese*, 70.

Lycan, W. (1988): *Judgement and Justification*, Cambridge, Cambridge University Press.

McCloskey, M. (1983): »Naive Theories of Motion«, in: *Mental Models*, ed. by D. Gentner & A. L. Stevens, Hillsdale, N.J., Erlbaum.

McCloskey, M., Caramazza, A., & Green, B. (1980): »Curvilinear Motion in the Absence of External Forces: Naive Beliefs About the Motion of Objects«, *Science*, 210.

McGinn, C. (1982): »The Structure of Content«, in: A. Woodfield, ed., *Thought and Object*, Oxford, Oxford University Press.

Millikan, R. (1984): *Language, Thought and Other Biological Categories*, Cambridge, Mass., Bradford Books/MIT Press.

Murdock, G. (1980): *Theories of Illness*, Pittsburgh, University of Pittsburgh Press.

Murphy, G. & Medin, D. (1985): »The Role of Theories in Conceptual Coherence«, *Psychological Review*, 92.

Nersessian, N. (1991): »How Do Scientists Think? Capturing the Dynamics of Conceptual Change in Science«, in: R. Giere, ed., *Cognitive Models of Science: Minnesota Studies in the Philosophy of Science*, Vol. 15, Minneapolis, University of Minnesota Press.

Papineau, D. (1987): *Reality and Representation*, Oxford, Basil Blackwell.

Pickett, J. (1980): *The Sounds of Speech Communication: A Primer of Acoustic Phonetics and Speech Perception*, Austin, Texas, Pro-Ed.

Ramsey, W., Stich, S., & Garon, J. (1989): »Connectionism, Eliminativism and the Future of Folk Psychology«, *Philosophical Perspectives*, 4.

Rips, L. (1989): »Similarity, Typicality, and Categorization«, in: S. Voisniadou & A. Ortony, eds., *Similarity, Analogy and Thought*, New York, Cambridge University Press.

Sklar, L. (1974): *Space, Time and Spacetime*, Berkeley, University of California Press.

Smith, E. & Medin, D. (1981): *Concepts and Categories*, Cambridge, Mass., Harvard University Press.

Sober, E. (1984): T*he Nature of Selection*, Cambridge, Mass., Bradford Books/MIT Press.

Stack, M. (unpublished): »Why I Don't Believe in Beliefs and You Shouldn't«, paper delivered at annual meeting of the Society for Philosophy & Psychology, 1980.

Stich, S. & Nichols, S. (in preparation): »Folk Psychology: Simulation or Tacit Theory«.

Stich, S. (1978): »Autonomous Psychology and the Belief-Desire Thesis,« *The Monist*, 61.

Stich, S. (1983): *From Folk Psychology to Cognitive Science*, Cambridge, Mass., Bradford Books/MIT Press.

Thagard, P. (1988): *Computational Philosophy of Science*, Cambridge, Mass., Bradford Books/MIT Press.

Martin Carrier[1]

Die Vielfalt der Wissenschaften oder warum die Psychologie kein Zweig der Physik ist

Es ist weitgehend einhellige Überzeugung, daß die Psychologie nicht angemessen als eine physikalische Wissenschaft betrachtet werden kann, aber dieser Konsens erstreckt sich nicht auf die Gründe, die zugunsten dieser Einschätzung angeführt werden. Vielmehr werden vor allem zwei Typen einschlägiger Argumente vorgetragen, von denen der erste mit der methodischen Vorgehensweise der Psychologie und der zweite mit der Natur ihres Gegenstandsbereichs befaßt ist. Ich werde die methodischen Aspekte nicht näher betrachten, sondern nur ohne weitere Begründung behaupten, daß es in dieser Hinsicht keine relevanten Unterschiede zwischen der Psychologie und den physikalischen Wissenschaften gibt. Abgesehen von technischen Details weisen psychologische Gesetze und Erklärungen die gleichen Merkmale auf wie physikalische, und gleiches gilt auch für die Maßstäbe zur Beurteilung von Theorien. Was die Verfahren und Vorgehensweisen anlangt, die die Psychologie für die Behandlung ihres Gegenstandsbereichs benutzt, befindet sie sich im Einklang mit den Naturwissenschaften.[2]

Was hingegen die Natur des Gegenstandsbereichs selbst betrifft, stellt sich die Sachlage anders dar. Die Besonderheit, die üblicherweise mit mentalen Zuständen verbunden wird, ist *Gehalt*. Das heißt, mentale Zustände werden von physikalischen dadurch unterschieden, daß sie einen Gedanken oder Inhalt auszudrücken oder sich auf andere Zustände zu beziehen vermögen. Wenn wir glauben, daß Konstanz landschaftlich vorteilhaft gelegen ist, dann drückt dieser Überzeugungszustand einen gewissen Vorstellungsinhalt aus; und wenn wir an eine grüne Banane denken, dann beziehen wir uns auf ein solches Objekt. Das traditionelle Modell der *Intentionalität* sieht nun vor, daß nur mentale Zustände, nicht aber physikalische Zustände die Fähigkeit besitzen, etwas zu »bedeuten«. Mein Anliegen in diesem Aufsatz ist die Verteidigung dieses Modells. Ich werde also argumentieren, daß es zumindest gegenwärtig keine angemessene physikalische Theorie des Gehalts mentaler Zustände gibt. Nach dem derzeitigen Stand der Dinge gibt es keinen ausschließlich physikalisch geleiteten Zugang zu den Vorstellungsinhalten. Während demnach meine Behauptung von eher traditionellem Zuschnitt ist, sind es die Argumente, die ich zu ihren Gunsten anführe (hoffentlich) nicht.

Es gibt mindestens zwei verschiedene Optionen für eine Untersuchung der Beziehungen zwischen Psychologie und Physik (oder in unserem Falle Neurophysiologie). Zum einen kann man die Verbindungen untersuchen, wie sie zwischen konkreten Theorien in beiden Disziplinen oder Forschungsbereichen bestehen oder eben nicht bestehen. Zum anderen kann man das Problem abstrakter angehen und die Beziehungen zwischen psychologischen und physikalischen Theorien im allgemeinen ins Auge fassen. Für eine systematische Klärung der Beziehungen zwischen zwei umfassenden Wissenschaftszweigen ist die zweite Vorgehensweise der ersten sicher vorzuziehen. Andererseits kann sie nur durchgeführt werden, wenn man über ein allgemeines Schema der Struktur psychologischer Theorien bzw. der spezifischen Merkmale psychischer Ereignisse verfügt. Das Schema, das ich dafür heranziehe, ist die sogenannte »*Rechnertheorie des Geistes*« (computational theory of the mind) wie sie im Rahmen der Kognitionswissenschaft entwickelt wurde. Das heißt, ich gehe von der Annahme aus, daß diese Theorie korrekt ist, und untersuche deren Auswirkungen auf die Frage, ob die Psychologie eine physikalische Wissenschaft ist.

Dabei gehe ich in den folgenden Schritten vor. Zunächst skizziere ich das Intentionalitätsmodell und stelle dann die Rechnertheorie des Geistes vor. Anschließend diskutiere ich einen weitverbreiteten Ansatz dafür, die Rechnertheorie um eine Theorie des Gehalts mentaler Zustände zu ergänzen. Endlich versuche ich, die grundlegende Schwierigkeit dieses Ansatzes offenzulegen.

1. Intentionalität, oder:
Die Besonderheiten des Mentalen

Mentale Zustände werden oftmals durch ihre Fähigkeit charakterisiert, auf Dinge oder Sachverhalte Bezug zu nehmen. Sie repräsentieren solche Sachverhalte und besitzen entsprechend einen bestimmten Inhalt. Wenn Erwin glaubt, daß es gerade regnet, dann repräsentiert diese Überzeugung gewisse äußere Umstände (nämlich den Regen). Und wenn Bertha die Entscheidung trifft, zum Friseur zu gehen, dann will sie einen bestimmten Sachverhalt hervorbringen (nämlich eine modische Frisurgestaltung). Dieser Bezug mentaler Zustände auf externe Umstände und Sachverhalte wird *Intentionalität* genannt. Franz Brentano, der 1874 diesen Begriff prägte, faßte Intentionalität als das definierende Merkmal mentaler Zustände auf. Alle mentalen Zustände und nur solche Zustände sollen die Eigenschaft besitzen, auf einen Sachverhalt »gerichtet« zu sein. Intentionalität drückt damit auf andere Weise die Tatsache aus, daß mentale Zustände *Gehalt* besitzen: Sie sind durch einen Vorstellungsinhalt charakterisiert und beziehen sich auf Objekte oder Sachverhalte. Brentano betonte besonders, daß das Bezugsobjekt eines mentalen Zustands nicht tatsächlich existieren muß. Jemand mag feste Überzeugungen von Einhörnern und rosa Elefanten haben, ohne daß dies die wirkliche Existenz von Einhörnern und rosa Elefanten zur Folge hat. Diese Besonderheit bezeichnete Brentano mit dem Ausdruck »intentionale Inexistenz«.[3]

Es ist von zentraler Bedeutung für das vorliegende Problem, daß psychologische Erklärungen tatsächlich wesentlich von intentional charakterisierten Zuständen Gebrauch machen. In der Psychologie wird Verhalten typischerweise durch Rückgriff auf mentale Zustände eines bestimmten Inhalts erklärt. Wenn Erwin beim Verlassen seines Hauses zu seinem Schirm greift, dann schreiben wir ihm die Überzeugung zu, daß es regnet (oder regnen wird). Es ist der Inhalt der Überzeugung, von dem hier angenommen wird, daß er das Verhalten erzeugt. Besäße Erwin eine Überzeugung anderen Inhalts, nähme er etwa an, daß die Sonne beständig vom Himmel lachte, so würde er die Sonnenbrille und nicht den Regenschirm mitnehmen. Überzeugungen sollen also bestimmte Verhaltensweisen kraft ihres Gehalts hervorbringen können.

Allerdings erklärt die bloße Annahme mentaler Gehalte noch gar nichts. Zusätzlich benötigt man noch Gesetze, in die diese Gehalte eingehen. Tatsächlich sind wir alle mit solchen Gesetzen vertraut. Ein Paradebeispiel ist der sogenannte praktische Syllogismus, der die folgende allgemeine Form hat: Für alle Wünsche und Überzeugungen: Wenn A wünscht, daß b der Fall sein soll, und darüber hinaus glaubt, daß a ein angemessenes Mittel darstellt, um b zu erreichen, dann beginnt A damit, a hervorzubringen. Gesetze dieser Art werden *alltagspsychologische* Gesetze genannt.[4] Es ist charakteristisch für alltagspsychologische Gesetze, daß sie wesentlich von intentionalen Zuständen Gebrauch machen. Sie verallgemeinern über solche Zustände. Schließlich besagt die Eingangsklausel des praktischen Syllogismus, daß sich dieser auf alle Wünsche und Überzeugungen erstrecken soll.

Es verdient Betonung, daß die Gesetze der wissenschaftlichen Psychologie ebenfalls dieses charakteristische Merkmal aufweisen. Das heißt, auch sie verallgemeinern über intentionale Zustände. Zwar sind die Gesetze der wissenschaftlichen Psychologie anspruchsvoller als diejenigen der Alltagspsychologie und übersteigen auch deren Erklärungskraft; jedoch sind beide vom gleichen begrifflichen Typus. Auch Erklärungen in der wissenschaftlichen Psychologie beruhen auf dem Gehalt mentaler Zustände. Sie greifen auf die Fähigkeit von Personen zurück, zwischen in relevanter Hinsicht verschiedenen Situationen unterscheiden zu können und diese unterschiedlich zu bewerten. Die wissenschaftliche Psychologie unterstellt damit, daß ein äußerer Zustand im Überzeugungssystem repräsentiert ist und daß die Handlungen einer Person von diesem System (zusammen mit dem System der Wünsche und Ziele) geleitet werden. Demnach hat der kognitive Mechanimus, den die wissenschaftliche Psychologie zum Zwecke der Verhaltenserklärung heranzieht, die gleiche allgemeine Struktur wie der entsprechende Mechanismus in der Alltagspsychologie.

Auf dieser Grundlage kann nun das folgende allgemeine Problem formuliert werden.

Die Tatsache, daß mentale Gehalte in wissenschaftliche Erklärungen eingehen, zeigt, daß diese für die Wissenschaft von Nutzen sind. Auf der anderen Seite sind diese mentalen Gehalte offenbar schwer faßbare Größen. Es bleibt demnach die Aufgabe zu klären, welche Art von Objekten mentale Gehalte eigentlich sind, und wie es ihnen gelingt, Verhalten zu erzeugen. Genauer gesagt, in welchem Sinn kann ein Vorstellungsinhalt die Wirkung von Sinneswahrnehmungen oder die Ursache von Verhaltensweisen sein?

Diese Aufgabe scheint schon recht schwer lösbar, aber sie wird noch durch den Umstand erschwert, daß sehr verwickelte Beziehungen zwischen mentalen Gehalten und physikalischen Sachverhalten bestehen. Der wesentliche Aspekt ist hier, daß sich beide Zustandstypen in eigentümlicher Weise überkreuzen. Betrachten wir das Problem, Überzeugungen vom gleichen Typus zu ermitteln. Die Fragestellung ist also, unter welchen physikalischen Umständen zwei einzelne mentale Zustände (also zwei konkrete Überzeugungen verschiedener Personen oder aber derselben Person zu verschiedenen Zeitpunkten) vom gleichen Typus sind (also Überzeugungen gleichen Gehalts darstellen).

Nehmen wir an, jemand glaubt, es regne. Dieser Überzeugungszustand ist mit einer Fülle von physikalischen Indikatoren (nämlich mit Sinnesreizen, Verhaltensweisen und neurophysiologischen Prozessen) auf komplizierte Weise verknüpft. Betrachten wir zunächst die möglichen Quellen dieser Überzeugung, also die physikalischen Sachverhalte, die ihr vorangehen können. Man kann zu der Überzeugung gelangen, daß es regnet oder regnen wird, indem man den Wetterbericht im Fernsehen sieht oder ihn im Radio hört. Man mag das Wetter der Zeitung entnehmen oder es aus charakteristischen Schmerzen in seinen Gliedern erschließen. Der physikalische Unterschied zwischen diesen möglichen Quellen beinhaltet dabei, daß die neurophysiologischen Prozesse, die an der Überzeugungsbildung beteiligt sind, ebenfalls von unterschiedlicher Natur sind. Es macht sicher einen neurophysiologischen Unterschied, ob die Überzeugung durch Reizung des Sehzentrums oder des Hörzentrums im Gehirn zustandekommt.

Das gleiche gilt sinngemäß für die physikalischen Folgen eines Überzeugungszustands. Das heißt, der gleiche Überzeugungszustand kann zu unterschiedlichen Verhaltensweisen führen. Wenn jemand glaubt, daß es draußen regnet, kann er darauf mit dem Griff zum Schirm reagieren. Er kann aber auch ein Taxi nehmen oder den Bus, oder er mag sich dafür entscheiden, lieber ganz zu Hause zu bleiben. Es leuchtet ein, daß alle diese Verhaltensweisen durch unterschiedliche Muskelerregungen und damit durch unterschiedliche neurophysiologische Prozesse umgesetzt werden.

Dies führt auf die folgende Interpretation: Die physikalischen Phänomene (also die Sinneswahrnehmungen, Verhaltensweisen, neurophysiologischen Prozesse), die mit Überzeugungen vom selben Typus verknüpft sind, sind von sehr verschiedener Natur. Ein und derselbe psychologische Zustand ist mit einer Fülle physikalischer Zustände verbunden, und die einzige Gemeinsamkeit zwischen diesen physikalischen Zuständen ist, daß sie mit eben diesem psychologischen Zustand verbunden sind. Sie weisen keine physikalische Gemeinsamkeit auf. Sie können nicht bestimmt und gegen andere physikalische Zustände abgegrenzt werden, indem man sich nur auf ihre physikalischen Eigenschaften stützt. Die Menge der psychologisch äquivalenten physikalischen Zustände wird vom physikalischen Standpunkt aus durch eine unzusammenhängende Kollektion von Phänomenen gebildet. Es gibt kein physikalisches Gesetz, das sie zu Phänomenen der gleichen Art zusammenschließt. Ihre einzige Verbindung ist, daß sie bei einem bestimmten Überzeugungszustand enden oder von diesem ausgehen. Und die entscheidende Frage ist dann, welches die physikalische Berechtigung dafür ist, diesen Zustand als den *gleichen* Überzeugungszustand aufzufassen.

Eine analoge Schwierigkeit, die Prinzipien der Zusammenfassung der Einzelzustände zu Typen oder Arten zu rekonstruieren, stellt sich in der umgekehrten Situation. Bislang wurde argumentiert, daß es eine »Eins-viele-Beziehung« zwischen psychologischen und physikalischen Zuständen gibt: Demselben psychologischen Zustand entsprechen viele, physikalisch unterschiedliche Ursachen und Wirkungen. Zugleich liegt aber auch eine »Viele-eins-Beziehung« vor. Das heißt, ein und dieselbe physikalische Situation kann Ursache oder Wirkung mehrerer verschiedener psychologischer Ereignisse sein. Nehmen wir an, daß sich Fridolin und Hildegard den Wetterbericht im Fernsehen anschauen und dabei erfahren, daß es am folgenden Tag regnen soll. Nehmen wir weiterhin an, daß Fridolin von der Verläßlichkeit der Vorhersage überzeugt ist, während Hildegard tiefgreifende Zweifel an deren Vertrauenswürdigkeit hegt. In diesem Fall bringt dieselbe physikalische Situation zwei ganz verschiedene Überzeugungen hervor. Sie führt nämlich bei Fridolin zu der Überzeugung, daß es regnen wird, bei Hildegard hingegen zu einem Zustand der Unentschiedenheit oder Urteilsenthaltung. Weiterhin kann dieselbe Verhaltensweise auch aus verschiedenen Überzeugungszuständen entspringen. Verschiedene Personen (oder dieselbe Person zu verschiedenen Zeitpunkten) mögen sich aus verschiedenen Gründen gleich verhalten. Erwin mag nach Konstanz fahren, um auf dem Bodensee zu surfen, während Mathilde die gleiche Fahrt unternehmen mag, um das mittelalterliche Stadtbild zu studieren. Folglich kann ein und dieselbe physikalische Situation zu psychologisch unterschiedlichen Überzeugungen führen, und psychologisch unterschiedliche Überzeugungen können physikalisch gleichartige Folgen haben.

Zwischen psychologischen und physikalischen Zuständen besteht damit sowohl eine »Eins-viele-Beziehung« als auch eine »Viele-eins-Beziehung«; und dies beinhaltet insgesamt das Bestehen einer »Viele-viele-Beziehung« zwischen beiden Zustandstypen. Verschiedene physikalische Reize können zum gleichen Überzeugungszustand führen, und die gleiche physikalische Situation kann unterschiedliche Überzeugungszustände zur Folge haben. Damit stellt sich die Frage, was diese physikalisch heterogenen Reize verbindet, und was die physikalisch homogenen Reize trennt. Wie können wir physikalisch die Tatsache beschreiben, daß zwei Personen die gehaltgleiche Überzeugung besitzen, daß es regnet, obwohl weder die vorangehenden Umstände noch die nachfolgenden Handlungen übereinstimmen?

Dieses Problem ist auf folgende Weise zu formulieren. Jedes Gesetzessystem führt eine Taxonomie oder Klassifikation in seinen Gegenstandsbereich ein. Indem dieses System bestimmte Eigenschaften mit bestimmten Objekten in gesetzmäßiger Weise verbindet, fügt es diese Objekte zusammen. Das Gesetzessystem stiftet eine Verbindung zwischen diesen Objekten, indem diese in seinem Lichte als Einzelfälle des gleichen Gesetzes erscheinen. Ein Gesetzessystem beinhaltet demnach Grundsätze der Zusammenfassung von Einzelfällen zu Typen, und diese gesetzesinduzierten Typen werden *natürliche Arten* genannt. Betrachten wir etwa das Gesetz: »Alle Raben sind schwarz«. Dieses Gesetz erzeugt die natürliche Art »Raben«, indem es über einzelne Raben verallgemeinert. Raben stellen eine natürliche Art dar, weil es ein Gesetz gibt, das auf sie kraft ihrer Eigenschaft, Raben zu sein, zutrifft. Fassen wir im Gegensatz dazu die Verallgemeinerung ins Auge: »Alle Dinge auf meinem Schreibtisch sind in fürchterlicher Unordnung«. Da es sich hierbei nicht um ein Gesetz handelt, sondern bloß um eine (wenn auch zutreffende) akzidentelle Verallgemeinerung, stellen die Größen, über die hier verallgemeinert wird (also die Dinge auf meinem Schreibtisch) gerade keine natürliche Art dar. Obwohl diese unzweifelhaft mehrere Eigenschaften gemeinsam haben (schließlich handelt es sich bei allen um physikalische Dinge), stammt diese Gemeinsamkeit nicht aus der Tatsache, daß sie Einzelfälle eines Gesetzes sind. Während es also Gesetze über Raben gibt (wie auch Gesetze über Elektronen, Planetensysteme und ähnliches), gibt es keine Gesetze über die Dinge auf meinem Schreibtisch oder über die Gegenstände in einem Umkreis von drei Kilometern um die Universität Konstanz. Entsprechend bilden die ersten Gegenstandsgruppen natürliche Arten und die zweiten nicht.[5]

Man erkennt nun, daß mit Bezug auf die Psychologie Überzeugungszustände (oder allgemeiner: mentale Zustände eines bestimmten Gehalts) eine natürliche Art bilden. Die Psychologie verallgemeinert über Überzeugungszustände und verwandelt sie dadurch in eine natürliche Art. Zudem zählen Überzeugungen dann als gleich, wenn sie den gleichen Inhalt besitzen. Überzeugungszustände werden anhand ihres Inhalts identifiziert. Dies wird in dem oben angeführten Gesetz des praktischen Syllogismus daraus erkennbar, daß jeweils die gleiche Variable zur Bezeichnung mentaler Zustände gleichen Gehalts benutzt wird. Dieses Gesetz verknüpft also mentale Zustände miteinander und mit Verhaltensweisen, indem es sich auf die Gehalte dieser Zustände (genauer: auf gehaltgleiche Zustände) bezieht.

Das Problem der Intentionalität stellt sich damit auf folgende Weise. Wie und kraft welcher Eigenschaften können wir physikalische natürliche Arten mit psychologischen natürlichen Arten in Beziehung setzen. Und dieses Problem wird dadurch zu einer wirklichen Schwierigkeit, daß beide Gruppen natürlicher Arten in der dargestellten »Viele-viele-Beziehung« miteinander stehen. Soll die Psychologie zu einem Zweig der Physik werden, ist es erforderlich, dieses Problem zu lösen. Das heißt, es ist erforderlich, die Grundsätze der Zusammenfassung von Einzelfällen zu psychologischen natürlichen Arten unter ausschließlichem Rückgriff auf physikalische natürliche Arten anzugeben. Ich werde den Ansatz für eine mögliche Lösung dieses Problems in zwei Schritten diskutieren. Im ersten Schritt werde ich die Grundlagen der Rechnertheorie des Geistes darstellen, und im zweiten werde ich mich dem eigentlichen Problem der Psychosemantik zuwenden.

2. Die Rechnertheorie, oder: Die Arbeitsweise des Geistes

Die Rechnertheorie des Geistes gibt eine teilweise Antwort auf die Frage, wie es Gehalten gelingt, beobachtbares Verhalten hervorzubringen. Der Kern dieser Antwort ist, daß Gehalte in Wirklichkeit gar nichts hervorbringen. Schließlich kann man sich schwer vorstellen, wie der Inhalt einer Überzeugung den Aktivierungszustand einer Synapse beeinflussen kann. Der Punkt ist jedoch, daß Gehalte auf solche Weise mit den physikalischen Gegenstücken mentaler Zustände verknüpft sind, daß die kausalen Verbindungen zwischen diesen den inhaltlichen Beziehungen folgen, die durch ihre Gehalte gestiftet werden.

Diese Theorie der Maschinerie des Geistes ist dem Vorbild der Arbeitsweise von Computern nachgebildet. Computer operieren schließlich erfolgreich mit inhaltlich interpretierten Größen. Sie berechnen die optimale Profilform für Flugzeugtragflächen oder stellen komplexe Schwingungen von Systemen aus vielen Bestandteilen dar. Computer verwandeln entsprechend interpretierte Inputdaten in interpretierte Outputdaten. Der Punkt ist jedoch, daß sie dies nicht dadurch zuwege bringen, daß sie auf die inhaltlichen Merkmale dieser Daten zurückgreifen. Vielmehr übersetzen sie diese Daten in eine formale interne Sprache. Computer erzeugen Folgen uninterpretierter Symbole aus den Inputdaten und operieren mit diesen Folgen nach den formalen Regeln ihres Programms.

Man erkennt dies am Beispiel der Addition $9 + 5 = 14$. Hier haben die Symbole einen Inhalt; sie sind als Zahlen interpretiert. Um eine Addition auszuführen, verwandelt der Computer die Zahlen zunächst in formale Symbolfolgen. Er ordnet etwa den Zahlen die folgenden Folgen zu: $9 \rightarrow$ xoox, $5 \rightarrow$ xox. Dabei handelt es sich tatsächlich um die binäre Codierung der Dezimalzahlen, aber in unserem Zusammenhang können wir diese Folgen einfach als uninterpretierte Zeichen behandeln. Daraufhin wendet der Computer etwa eine Regel folgender Form an: Wenn (sagen wir) Register 1 in einem Zustand ist, der durch die formale Folge xoox gekennzeichnet ist, und wenn (sagen wir) Register

2 einen durch xox charakterisierten Zustand aufweist, dann ändere den Zustand von Register 3 in das Gegenstück zur formalen Beschreibung xxxo. Und diese letzte Folge wird dann in die Dezimalzahl 14 zurückübersetzt.[6]

Ein Programm dieser Art erweckt erfolgreich den Eindruck, vernünftig mit inhaltlich interpretierten Größen umgehen zu können. Tatsächlich hat das Programm jedoch offensichtlich keinerlei Zugang zu dieser inhaltlichen Interpretation. Das Programm gibt gleichsam vor, mit Zahlen nach den Regeln der Addition zu operieren, während es in Wirklichkeit bloß imstande ist, x und o voneinander zu unterscheiden, also Symbole unterschiedlicher Gestalt als unterschiedlich zu erkennen, und mit ihnen nach Regeln zu hantieren, die auf die inhaltliche Deutung dieser Symbole keinerlei Bezug nehmen. Während also die Symbole ihre Bedeutung durch die Übersetzung in die interne, formale Sprache verloren haben, arbeitet das Programm so, *als ob* die Symbole immer noch ihre Bedeutung und *als ob* die Regeln Zugang zu dieser Bedeutung hätten. Damit dieses formale Mimikry möglich ist, muß der gesamte Prozeß der sogenannten *Formalitätsbedingung* genügen: Das Programm und die Übersetzungsregeln sind so konstruiert, daß alle relevanten inhaltlichen Unterschiede durch die formalen Unterschiede zwischen den zugeordneten Symbolfolgen wiedergegeben werden (denen dann wiederum unterschiedliche Maschinenzustände entsprechen).

Der zentrale Schritt der Rechnertheorie besteht in der Übertragung dieses Modells auf den menschlichen Geist. Denken ist buchstäblich als Durchlaufen eines Computerprogramms zu verstehen. Das bedeutet, eine neurophysiologische Zustandskette, deren Zeitentwicklung durch kausale physikalische Gesetze bestimmt ist, kann auch als Kette von Symbolfolgen aufgefaßt werden, die durch gewisse formale Transformationsregeln erzeugt wird. Diese Regeln sind wiederum von solcher Natur, daß sie die logischen und inhaltlichen Beziehungen zwischen den Gehalten respektieren, die diesen formalen Zuständen zugeordnet werden können. Wenn die Formalitätsbedingung im Gehirn gilt, dann kann menschliches Denken sowohl als Abfolge inhaltlich bestimmter Zustände beschrieben werden als auch als formale Symbolmanipulation sowie als kausal festgelegte Verkettung neurophysiologischer Zustände. Die Formalitätsbedingung stellt sicher, daß Prozesse, die für Inhalte blind sind, gleichwohl inhaltliche Einschränkungen respektieren können.[7]

Diese Drei-Ebenen-Struktur, also die Hierarchie der kausal-physikalischen, der formal-syntaktischen und der inhaltlich-semantischen Ebene, bildet die Grundlage der Rechnertheorie und auch der Kognitionswissenschaft insgesamt. Wenn dieses Modell aber die mentale Maschinerie tatsächlich angemessen erfassen soll, dann muß es die Beziehungen zwischen physikalischen und mentalen Zuständen korrekt wiedergeben. Das heißt, es muß sich als Konsequenz des Modells ergeben, daß zwischen physikalischen und mentalen Zustandstypen eine »Viele-viele-Beziehung« vorliegt. Dies ist wirklich der Fall. Die Rechnertheorie beinhaltet in der Tat, daß eine »Viele-viele-Beziehung« sowohl zwischen physikalischen und syntaktischen Zustandstypen als auch zwischen syntaktischen und inhaltlichen Zustandstypen existiert. Damit dies klar wird, muß ich zunächst an eine wichtige Besonderheit erinnern, nämlich an die *multiple Interpretierbarkeit* formaler Strukturen.

Ein und dieselbe formale Struktur kann auf mehrere, unterschiedliche Gegenstandsbereiche angewendet werden. Betrachten wir die folgende Gleichung als Beispiel:

$$a_1 \frac{\delta^2 u}{\delta t^2} + a_2 \frac{\delta u}{\delta t} + a_3 u = 0$$

Diese Gleichung beschreibt gedämpfte Schwingungen in abstrakter oder formaler Weise. Sie kann dadurch auf eine Zahl verschiedenartiger Systeme angewendet werden, daß man die abstrakten Variablen jeweils anders interpretiert. Nehmen wir zunächst die folgende Interpretation: $u \rightarrow$ Auslenkung einer Feder, $a_1 \rightarrow$ Masse eines an der Feder aufgehängten Körpers, $a_2 \rightarrow$ Viskosität des Mediums, in dem die Schwingung erfolgt, $a_3 \rightarrow$ elastische Konstante der Feder. In dieser Interpretation behandelt die Gleichung die mechanischen Schwingungen einer elastischen Feder in einem Medium mit Reibungswiderstand (wie etwa Luft). Dies stellt jedoch keineswegs die einzig mögliche Interpretation dar; die abstrakten Variablen können mit gleicher Berechtigung auch auf ganz andere Weise interpretiert werden. Eine andere Möglichkeit ist: $u \rightarrow$ Stromstärke, $a_1 \rightarrow$ Selbstinduktivität eines elektrischen Stromkreises, $a_2 \rightarrow$ elektrischer Widerstand, $a_3 \rightarrow$ inverse Kapazität. In dieser Interpretation bezieht sich die Gleichung auf Stromstärkeoszillationen in einem Stromkreis, der mit einem Kondensator, einer Spule und einem Widerstand bestückt ist. Dieselbe Gleichung bildet damit zwei Sachverhalte ab, die inhaltlich von verschiedener Art sind. Inhaltlich macht es schließlich einen Unterschied, ob man die Schwingungen eines an einer elastischen Feder aufgehängten Körpers oder die Schwingungen der Stromstärke in einem Stromkreis betrachtet. Folglich wird hier ein und dieselbe formal charakterisierte Gleichung auf zweierlei Weise inhaltlich interpretiert. Die unterschiedliche Interpretation wird dadurch erreicht, daß man den abstrakten Variablen jeweils verschiedene Objekte zuordnet.[8]

Die Verallgemeinerung dieser Betrachtung führt auf das Ergebnis, daß formale Strukturen nicht eindeutig eine einzige Interpretation auszeichnen; sie bestimmen lediglich eine ganze Klasse von Interpretationen, die sich inhaltlich unterscheiden, aber in ihren formalen Aspekten übereinstimmen. Formale Strukturen legen ihre inhaltliche Deutung nur bis auf einen Isomorphismus fest.[9] Dabei ist überdies zu betonen, daß diese multiple Interpretierbarkeit nicht durch die Forderung eingeschränkt wird, daß alle Anwendungsfälle der entsprechenden formalen Struktur tatsächlich empirisch vorfindbar sein sollen. Im Gegenteil, es ist gänzlich legitim, eine formale Struktur ohne Bezug auf real existierende Sachverhalte zu deuten, die Interpretation also an einem fiktiven Arrangement von Umständen zu orientieren. Es ist gerade die Möglichkeit des Bezugs auf fiktive, nicht-realisierte Situationen, die Brentanos intentionale Inexistenz ausmacht (s.o. S.100).

Auf der Grundlage dieser Vorüberlegung sieht man nun leicht, daß die Rechnertheorie des Geistes tatsächlich eine »Viele-viele-Beziehung« zwischen physikalischen und mentalen natürlichen Arten beinhaltet. Wir wollen der Einfachheit halber annehmen, daß eine direkte Entsprechung zwischen den äußeren Reizen und dem physikalischen Zustand des Rezeptorsystems vorliegt. In diesem Fall nimmt das Überkreuzen zwischen den natürlichen Arten äußerer physikalischer Zustände und den psychologischen Arten die Gestalt eines Überkreuzens zwischen internen physikalischen Arten (also den natürlichen Arten von Maschinen- oder Gehirnzuständen) und den psychologischen Arten an. Eine derartige »Viele-viele-Beziehung« besteht nun in der Tat. Sie besteht sogar für die Relationen zwischen beiden beteiligten Ebenen, nämlich zwischen der inhaltlichen und der syntaktischen Ebene ebenso wie zwischen der syntaktischen und der physikalischen Ebene.

Wie die vorangegangene Diskussion gezeigt hat, kann die gleiche formale Struktur mehrere unterschiedliche Anwendungen oder Interpretationen aufweisen. Dies beinhaltet, daß ein und dieselbe Abfolge formaler Zustände eine Vielzahl von Sachverhalten repräsentieren kann. Das Umgekehrte gilt ebenfalls: Ein und dasselbe inhaltlich charakterisierte System kann durch verschieden strukturierte Gleichungen dargestellt werden. Schließlich besitzt man immer die Freiheit, einige überflüssige Komplikationen in eine gegebene Gleichung einzufügen, und sie auf diese Weise in eine strukturell andersartige zu verwandeln. Überdies gibt es viele Beispiele aus der Geschichte der Naturwissenschaft, in denen unterschiedliche theoretische Mechanismen – und entsprechend unterschiedliche abstrakte Gleichungssysteme – auf die gleichen Beobachtungskonsequenzen führen.[10] Auf das Gehirn übertragen bedeutet dies: Die gleiche Abfolge inhaltlich interpretierter Zustände kann durch unterschiedliche formale Symbolsequenzen erfaßt werden. Dies führt zu dem Schluß, daß tatsächlich eine »Viele-viele-Beziehung« zwischen inhaltlichen Interpretationen und syntaktischen Strukturen vorliegt.

Das gleiche gilt mit bezug auf das Verhältnis von Syntax und Physik. Es ist klar, daß die gleiche formale Struktur – also die Transformation bestimmter Eingabesymbole in bestimmte Ausgabesymbole – durch mehrere verschiedene physikalische Systeme umgesetzt werden kann. Das heißt, das gleiche Computerprogramm (beschrieben auf der Ebene formaler Regeln) kann durch physikalisch unterschiedlich strukturierte Computer realisiert werden. Die gleiche Abfolge formal beschriebener Programmschritte kann sowohl auf einer IBM-kompatiblen Maschine als auch auf einem Macintosh-Gerät durchlaufen werden. Demnach gibt es eine »Eins-viele-Beziehung« zwischen der syntaktischen und der physikalischen Ebene.

Umgekehrt kann auch jeder physikalisch beschriebene Computer verschiedene formale Zustände repräsentieren, indem nämlich die Verknüpfung zwischen physikalischen und syntaktischen Arten geändert wird. Eine syntaktische Art ist üblicherweise mit einer Klasse physikalisch unterschiedlicher Zustände verknüpft. Z.B. kann man von bestimmten Spannungsschwankungen absehen und entsprechend dasselbe formale Symbol einer Klasse benachbarter Spannungszustände zuordnen. Indem man nun den Bereich von physikalischen Unterschieden ändert, den man zu vernachlässigen gewillt ist, kann man unterschiedliche syntaktische Beschreibungen der gleichen physikalischen Situation erzeugen. Durch Verkleinern oder Vergrößern syntaktischer Äquivalenzklassen erhält man jeweils verschiedene syntaktische Darstellungen des gleichen physikalischen Systems. Eine andere Möglichkeit besteht darin, ein syntaktisches Symbol der Änderung eines physikalischen Parameters zuzuordnen statt ihrem absoluten Wert. Genau dieses Verfahren liegt z.B. dem Digitalcode einer Compact Disc zugrunde. Folglich liegt auch eine »Viele-eins-Beziehung« zwischen der syntaktischen und der physikalischen Ebene vor. Damit wird man auf den Schluß geführt, daß insgesamt eine »Viele-viele-Beziehung« zwischen Syntax und Physik realisiert ist.

Was folgt nun daraus für das Problem der Intentionalität? Die Diskussion zeigt (1), daß und wie physikalische Systeme den Eindruck hervorrufen können, intentionale Zustände zu besitzen, während in ihnen tatsächlich nichts dergleichen realisiert ist. Sie zeigt (2), daß die Rechnertheorie zwar eine Erklärung mentaler Operationen liefert (und tatsächlich die einzige ausgearbeitete Erklärung dafür darstellt), daß sie aber keine Erklärung dafür anbietet, wie die Inhalte mentaler Zustände zustandekommen. Schließlich nehmen die meisten von uns an, daß die Intentionalität mentaler Zustände tatsächlich (und nicht nur scheinbar) besteht, und diese Einschätzung wird durch die Tatsache unterstrichen, daß an mentalen Gehalten ansetzende psychologische Gesetze die beste verfügbare Erklärung menschlichen Verhaltens darstellen. Im Gegensatz zu mentalen Zuständen wird Computerzuständen ihre Intentionalität jedoch ausschließlich durch menschliche Interpretation zugeschrieben; bei letzteren liegt die Intentionalität allein im Auge des Betrachters. Dabei sollte Beachtung finden, daß (3) die Unfähigkeit der Rechnertheorie, mentale Gehalte zu erklären, von prinzipieller Natur ist. Die Theorie kann nicht derart verbessert werden, daß sie schließlich doch Zugang zu mentalen Gehalten findet. Die Theorie stützt sich nämlich wesentlich auf die multiple Interpretierbarkeit formaler Strukturen. Es ist dieser Aspekt, der (unter anderem) den richtigen Typ von Beziehungen zwischen mentalen und physikalischen Arten liefert. Andererseits ist es gerade der gleiche Aspekt, der der Rechnertheorie den Zugang zu den mentalen Gehalten verschließt. Es ist also ein und dieselbe Eigenart, die die Theorie als Modell mentaler Operationen und der menschlichen Intelligenz funktionieren läßt, und die sie als Modell intentionaler Zustände ungeeignet erscheinen läßt. Das heißt zusammenfassend: Eine Theorie der Psychodynamik hat eine Theorie der Psychosemantik nicht zur Folge, sondern muß durch eine solche ergänzt werden.

3. Psychosemantik, oder:
Die Theorie mentaler Gehalte

Das Problem der Psychosemantik ergibt sich damit als die Aufgabe, eine formale Struktur in angemessener Weise mit Inhalt zu versehen. Man muß also erklären, wie ein solcher Inhalt (im vorliegenden Fall der Inhalt eines mentalen Zustands) einer formalen Struktur (im vorliegenden Fall den die mentalen Operationen beschreibenden Symbolfolgen) zugeordnet werden kann, indem man sich dabei ausschließlich physikalischer Mittel bedient. Vorstellungsinhalte sollen also charakterisiert werden, ohne dabei auf inhaltlich gedeutete Größen zurückzugreifen. Dies umreißt das Projekt einer naturalistischen Psychosemantik.

Eine vielversprechende Strategie zur Erfüllung dieses Projekts scheint dabei durch die folgende Vorgehensweise gegeben zu sein: Die inhaltliche Mehrdeutigkeit formaler Strukturen entspringt aus ihrer rein formalen Natur. Man kann sie also dadurch mit Inhalt ausstatten, daß man einigen der in ihnen auftretenden Symbole Bezugsobjekte zuordnet. Schließlich ist genau diese Strategie bereits erfolgreich für die Beseitigung eines Falls von inhaltlicher Mehrdeutigkeit eingesetzt worden, nämlich bei den gedämpften Schwingungen. Den abstrakten Variablen wurde eine feste Bedeutung durch ihre Verknüpfung mit Bezugsobjekten erteilt. Es wurde etwa festgesetzt, daß sich die Variable u auf die Auslenkung einer Feder oder in der alternativen Deutung auf die Stromstärke beziehen sollte. Dies reicht bereits aus, um formale Systeme mit Inhalt zu versehen. Und was bei einem formalen Gleichungssystem erfolgreich war, sollte auch bei formal beschriebenen mentalen Zuständen funktionieren. Untersuchen wir also, wie weit uns diese Vorgehensweise im Bereich des Mentalen trägt.

Alle Ansätze einer naturalistischen Psychosemantik beruhen auf die eine oder andere Weise auf diesem Verfahren. Sie streben die Transformation einer abstrakten Struktur in ein System von Überzeugungen und Vorstellungsinhalten dadurch an, daß einigen Teilen dieser Struktur Bezugsobjekte zugeordnet werden. Aus Gründen der Übersichtlichkeit werde ich mich auf die Diskussion nur eines Beispiels aus der Gruppe gleichgelagerter Ansätze beschränken, nämlich auf Fred Dretskes informationstheoretisches Modell des mentalen Gehalts. Da die Diskussion dieses Modells hier nur kurz und skizzenhaft sein kann, gehe ich unmittelbar zum zentralen Punkt über. Das heißt, ich konzentriere mich auf den Aspekt, den ich für den wesentlichen Defekt dieses Modells halte. Diese Konzentration auf seine Schwächen mag jedoch zu einer übertrieben negativen Einschätzung des Modells führen, und so sollte ich vorab betonen, daß es auch wichtige Vorzüge besitzt, auf die ich lediglich wegen der gebotenen Knappheit der Behandlung nicht näher eingehe.

Wenn man einem formalen System Bezugsobjekte zuordnet, dann ist das System kraft dieser Zuordnung imstande, Beziehungen zwischen diesen Objekten zu *repräsen-*

tieren. Das auf diesem Wege interpretierte Gleichungssystem für gedämpfte Schwingungen repräsentiert etwa die mechanischen Schwingungen einer elastischen Feder. Inhaltliche Deutung läuft also darauf hinaus, eine Repräsentationsbeziehung zwischen dem formalen System und bestimmten Sachverhalten zu erzeugen. Es kommt darauf an, diese Repräsentationsbeziehung mit ausschließlich physikalischen Mitteln zu charakterisieren.

Die zentrale Behauptung des informationstheoretischen Ansatzes ist nun, daß alle Repräsentation *Korrelation* ist. Zunächst zur Repräsentationsbeziehung zwischen physikalischen Systemen. Ein physikalisches System repräsentiert ein anderes physikalisches System, wenn ihre jeweiligen Zustände gesetzmäßig miteinander verknüpft sind. Nehmen wir an, ein Zustand eines Systems S_1 sei auf deterministische Weise mit einem Zustand eines Systems S_2 verknüpft. Eine derartige Situation liegt vor, wenn der S_1-Zustand den S_2-Zustand kausal hervorbringt, und wenn keine anderen möglichen Ursachen dieses S_2-Zustands realisiert sind. In diesem Fall zeigt der S_2-Zustand die Präsenz des entsprechenden S_1-Zustands an, und dies kann so ausgedrückt werden, daß ersterer *Informationen* über letzteren enthält. Mit der kausalen Verknüpfung ist also eine Relation des Bezugs verbunden, und der Bezug auf bestimmte Systemzustände (und damit Sachverhalte) stellt gerade eines der grundlegenden Merkmale der Intentionalität dar.

Es leuchtet ein, daß dieser Basismechanismus durch zusätzliche Verfahren ergänzt werden muß. Auf der gegenwärtigen Stufe der Diskussion hat nämlich die Intentionalität ihre Eigenschaft als auszeichnendes Merkmal des Mentalen verloren. Thermometer, Galvanometer und ähnliche Geräte mögen durchaus intentionale Zustände in diesem Sinne besitzen. Die internen Zustände von korrekt funktionierenden Meßinstrumenten sind schließlich auf eine gesetzmäßige Weise mit bestimmten äußeren Sachverhalten verknüpft und repräsentieren diese daher. Entsprechend scheint Intentionalität die Gesamtheit der Natur zu durchdringen. Um diese unerwünschte Konsequenz zu vermeiden, fügt Dretske zwei weitere Bedingungen hinzu, welche kognitive Systeme im eigentlichen Sinne charakterisieren sollen. Solche Systeme müssen nämlich die Fähigkeit zur *Aspekttrennung* (mein Ausdruck) und zur *Digitalisierung* besitzen.

Die erste Bedingung beruht auf der Beobachtung, daß nicht-kognitive repräsentationale Systeme nicht genau einen äußeren Sachverhalt repräsentieren, sondern eine Gruppe solcher Sachverhalte. Betrachten wir den Fall des Galvanometers, das Stromstärken mißt. Die Anzeigen dieses Instruments repräsentieren dann zwar Stromstärken, aber nicht allein diese. Wegen des Ohmschen Gesetzes repräsentieren sie darüber hinaus noch elektrische Spannungen. Ein und derselbe Zustand des Instruments repräsentiert also mehrere, inhaltlich verschiedene Sachverhalte. Und das zeigt, daß dieser Zustand keine bestimmte oder eindeutige Information besitzt.

Von psychischen Systemen wird im Gegensatz dazu gefordert, daß sie imstande sind, die verschiedenen Aspekte eines besonderen physikalischen Signals zu unterscheiden.

Das heißt, sie müssen die Fähigkeit besitzen, den gleichen äußeren Sachverhalt auf unterschiedliche Weise zu repräsentieren. Während in der Natur eine gegebene Stromstärke stets mit einem bestimmten Spannungszustand einhergeht (solange die relevanten Widerstandswerte übereinstimmen), muß ein kognitives System in der Lage sein, einen dieser Zustände zu repräsentieren, ohne zugleich auch den anderen zu repräsentieren.

Ein zweites Merkmal psychischer Systeme ist ihre Fähigkeit zur Digitalisierung. Digitalisierte Repräsentation meint, daß nicht alle Zustände, die im System S_1 verschieden sind, auch als verschiedene Zustände im System S_2 repräsentiert werden. Das repräsentierende System S_2 faßt unterschiedliche Zustände von S_1 zu Äquivalenzklassen zusammen; es repräsentiert sie als gleichartige Zustände. Betrachten wir das Beispiel der kognitiven Repräsentation eines Tischs. Tische mögen aus Holz oder aus anderen Materialien bestehen; sie mögen verschiedene Farben aufweisen und an unterschiedlichen Orten stehen. In der kognitiven Repräsentation eines Tischs als Tisch sehen wir von all diesen Besonderheiten ab und fassen die verschiedenen Einzelfälle zu einer Äquivalenzklasse zusammen. Wir betrachten sie als Einzelfälle der gleichen Kategorie »Tisch«.[11]

Nach Dretskes Ansicht sind es diese beiden Merkmale, nämlich die Fähigkeit zum Hervorheben und zum Vernachlässigen von Informationskomponenten, die für kognitive oder psychische Repräsentation charakteristisch ist. Die Einführung dieser Merkmale dient dem Zweck der theoretischen Wiedergabe der »Viele-viele-Beziehungen« zwischen physikalischen und mentalen Arten. Die Aspekttrennung soll sicherstellen, daß physikalisch gleichartige Situationen unterschiedlich repräsentiert werden können. Umgekehrt soll Digitalisierung ermöglichen, physikalisch unterschiedliche Situationen als gleichartig zu repräsentieren. Auf diese Weise soll das Modell dem Überkreuzen physikalischer und mentaler natürlicher Arten Rechnung tragen. Die Wirkung der kombinierten Anwendung beider Verfahren ist eine Klassifizierung physikalischer Signale nach ihrer kognitiven Bedeutsamkeit. Physikalisch gleichartige Signale mögen in verschiedene kognitive Äquivalenzklassen, physikalisch verschiedenartige Signale hingegen in die gleiche kognitive Äquivalenzklasse eingeordnet werden.

Die auf diese Weise beschriebene Repräsentationsbeziehung zwischen physikalischen Systemen kann unschwer auf die Repräsentation eines solchen Systems oder eines Sachverhalts durch eine formale Struktur angewendet werden. Dann werden die Beziehungen zwischen den Systemzuständen durch die Beziehungen zwischen Variablen statt durch die Zustände eines anderen physikalischen Systems dargestellt. Die Frage ist dann, ob die so charakterisierte Repräsentationsbeziehung zur Klärung der mentalen Repräsentation hinreicht, ob sie also die Beziehungen zwischen Vorstellungsinhalten und Sachverhalten aufklären kann.

Das zentrale Problem besteht hier in der Spezifizierung der Prinzipien, die den Prozeß der Einordnung physikalisch beschriebener Signale in kognitive Äquivalenzklassen leiten. Eine naturalistische Psychosemantik erfordert, daß die Prinzipien, die die Bildung kognitiver Äquivalenzklassen bestimmen, auf ausschließlich physikalischer Grundlage und entsprechend ohne Rückgriff auf intentionale Zustände spezifiziert werden. Die natürlichen Arten der Psychologie müssen aus den natürlichen Arten der Physik ohne Bezug auf Vorstellungsinhalte oder ähnliche psychologische Größen ableitbar sein. Dretskes Ansatz enthält jedoch keinerlei Hinweis darauf, wie dies geleistet werden kann. Wir benötigen ein Kriterium, das verdeutlicht, wie und kraft welcher physikalischer oder formaler Eigenschaften zwei physikalisch unterschiedliche Signale das gleiche »bedeuten« können bzw. ein und dasselbe Signal Unterschiedliches »bedeuten« kann. Ohne ein solches Kriterium bleibt die gesamte Einordnungsprozedur willkürlich.

Eine naturalistische Psychosemantik erfordert, daß die Funktionsweise der Mechanismen der Aspekttrennung und der Digitalisierung angegeben werden kann, ohne dabei auf die Inhalte der in ihren Aspekten getrennten und digitalisierten Signale zurückzugreifen. Zwar können wir auch ohnedies angeben, welches Signal welchem Vorstellungsinhalt faktisch zugeordnet wurde, aber diese Zuordnung bleibt solange blind und zufällig wie die Arbeitsweise der beiden psychosemantischen Mechanismen nicht auf physikalische Gesetze zurückgeführt oder durch formal beschreibbare Ablaufschemata charakterisiert wurde. Mit anderen Worten, Dretskes Mechanismen beschreiben die Fähigkeit kognitiver Systeme, zwischen relevanten und irrelevanten Informationskomponenten zu unterscheiden. Eine naturalistische Psychosemantik muß jedoch darüber hinaus noch erklären, durch welche physikalischen oder formalen Merkmale eine Informationskomponente relevant oder irrelevant wird. Für eine naturalistische Psychosemantik reicht es folglich nicht hin, den richtigen *Typus* von Relationen zwischen physikalischen und mentalen Arten zu liefern. Es reicht nicht hin, aus der Theorie zu folgern, daß diese Arten tatsächlich durch »Viele-viele-Beziehungen« miteinander verbunden sind. Vielmehr benötigt man ein Prinzip zur Ermittlung dieser Beziehungen im einzelnen. Ohne ein solches Prinzip ist die Bildung der kognitiven Äquivalenzklassen entweder willkürlich oder stützt sich auf inhaltliche Intuition. Und da die erste Möglichkeit offenbar keinen Sinn macht, gründet sich Dretskes Ansatz am Ende doch nur auf ein verstecktes Heranziehen von Inhalten und Bedeutungen.

Dieser wesentliche Mangel ist nicht auf Dretskes Modell beschränkt; alle anderen Fassungen einer korrelationalen Psychosemantik leiden unter derselben oder analogen Schwierigkeiten. Keiner dieser Fassungen gelingt es, Prinzipien der Zusammenfassung mentaler Einzelereignisse zu kognitiven Arten zu erarbeiten, die allein von formal oder physikalisch bestimmten Verfahren Gebrauch machen. Vielmehr werden die Einzelheiten dieser Zusammenfassung einfach aus der sprachlichen Erfahrung abgelesen. Die Schlußfolgerung ist, daß wir gegenwärtig außerstande sind zu erklären, kraft welcher formalen oder physikalischen Grundsätze Äquivalenzklassen gleichen mentalen Gehalts aus den natürlichen Arten der Physik gewonnen werden können. Inhalte und Bedeutungen können nicht durch ausschließlich physikalische Kriterien erfaßt werden; mit anderen Worten, psychische Repräsentation ist eine besondere und eigentümliche Beziehung. Aus diesem Grund ist die Psychologie kein Zweig der Physik.

Auf der anderen Seite ist zu betonen, daß dieses Ergebnis von der Richtigkeit der Rechnertheorie des Geistes abhängt. Wenn sich diese Theorie als verfehlt herausstellen sollte, muß der gesamte Problemkomplex von neuem überdacht werden. Zweitens stützt sich die Analyse wesentlich auf die Annahme, daß mentale Zustände ihrer Natur nach intentional sind. Auch diese Annahme ist nicht über jeden Zweifel erhaben.[12] Drittens ist zu berücksichtigen, daß wichtige Aspekte der Arbeitsweise des Geistes tatsächlich durch die Rechnertheorie erklärt werden können. Unter diesen Aspekten ragt die Natur mentaler Operationen heraus. Die Erklärung dessen, was der Geist tatsächlich (oder zumindest möglicherweise) tut, stellt sicher einen erstrangigen Fortschritt dar – ungeachtet der Tatsache, daß bestimmte Eigenschaften der Gegenstände dieser Operationen der physikalischen Analyse noch immer widersteht. Es ist also nicht die Natur der Intelligenz, die das zentrale Erklärungsproblem darstellt, sondern die Natur der Intentionalität.

Anmerkungen

[1] Zentrum Philosophie und Wissenschaftstheorie, Universität Konstanz, 7750 Konstanz. Überarbeitete und gekürzte Übersetzung von: »On the Disunity of Science or Why Psychology is not a Branch of Physics«, in: Akademie der Wissenschaften zu Berlin (ed.), Einheit der Wissenschaften, Berlin: de Gruyter, 1991, 39-59.

[2] Für eine genauere Ausarbeitung dieser methodologischen Einheit der Wissenschaft vgl. Carrier/Mittelstraß 1989a, 147-148, 151-156; Carrier/Mittelstraß 1989b, 108-114.

[3] Vgl. Brentano 1874, 124-125.

[4] Vgl. Glossar: Alltagspsychologie

[5] Das Konzept der natürlichen Arten im dargestellten Sinn geht auf Fodor zurück; vgl. Fodor 1974, 101-102. Das Überkreuzen physikalischer und psychologischer natürlicher Arten wird betont in Fodor 1974, 103-107; Pylyshyn 1974, 7-12. Vgl. auch Carrier/ Mittelstraß 1989, 70-75, 205-206.

[6] Es ist klar, daß die hier herangezogene Regel einen extrem kleinen Anwendungsbereich besitzt, so daß das Beispiel recht unrealistisch ist. Wirkliche Regeln werden so konstruiert, daß sie einen weiten Bereich von Einzelfällen umfassen. Aber die Grundzüge der Arbeitsweise bleiben auch in komplexen Beispielen unverändert.

[7] Für diese Skizze der Rechnertheorie vgl. Fodor 1975, 32, 66-67, 73-74; Fodor 1981, 226-227, 240-241; Pylyshyn 1984, 26-40, 59-61; Sayre 1987, 247-251. Vgl. auch Carrier/Mittelstraß 1989, 207-210. Die Übernahme der Arbeitsweise von Computern als Vorbild mentaler Aktivität beinhaltet im übrigen, daß für die Rechnertheorie künstliche Intelligenz wirklich künstliche Intelligenz ist.

8 Weitere Beispiele für die multiple Interpretierbarkeit finden sich in dem in Anm. 1 erwähnten englischsprachigen Original.

9 Diese Besonderheit liegt auch Searles »Argument des chinesischen Zimmers« zugrunde (vgl. Searle 1980), das in der Philosophie des Geistes weithin diskutiert wird.

10 Vgl. Carrier/Mittelstraß 1989b, 109-110.

11 Diese Rekonstruktion des informationstheoretischen Ansatzes beruht auf Dretske 1980; Dretske 1983.

12 Sie wird etwa in Stich 1983 entschieden bestritten.

Literatur

F. Brentano (1874): *Psychologie vom empirischen Standpunkt I*, O. Kraus (ed.), Hamburg: Meiner, 1955.

M. Carrier/J. Mittelstraß (1989a): *Geist, Gehirn, Verhalten. Das Leib-Seele-Problem und die Philosophie der Psychologie*, Berlin: de Gruyter, 1989.

M. Carrier/J. Mittelstraß (1989b): »Die Einheit der Wissenschaft«, Akademie der Wissenschaften zu Berlin (ed.), *Jahrbuch 1988*, Berlin: de Gruyter, 1989, 93-118.

F.I. Dretske (1980): »The Intentionality of Cognitive States«, *Midwest Studies in Philosophy 5* (1980), 281-294.

F.I. Dretske (1983): »Précis of Knowledge and the Flow of Information«, *The Behavioral and Brain Sciences 6* (1983), 55-90.

J.A. Fodor (1974): »Special Sciences (or: The Disunity of Science as a Working Hypothesis)«, *Synthese 28* (1974), 97-115.

J.A. Fodor (1975): *The Language of Thought*, New York: Crowell, 1975.

J.A. Fodor (1981): *Representations. Philosophical Essays on the Foundations of Cognitive Science*, Cambridge MA: MIT Press, 1981.

Z.W. Pylyshyn (1984): *Computation and Cognition. Toward a Foundation for Cognitive Science*, Cambridge MA: MIT Press, 1984, 1986.

K. Sayre (1987): »Cognitive Science and the Problem of Semantic Content«, *Synthese 70* (1987), 247-269.

J.R. Searle (1980): »Minds, Brains, and Programs«, *The Behavioral and Brain Sciences 3* (1980), 417-424.

S.P. Stich (1983): *From Folk Psychology to Cognitive Science. The Case Against Belief*, Cambridge MA: MIT Press, 1983.

WILLIAM BECHTEL

Das Ende der Verbindung zwischen dem mentalen Bereich und der Sprache

Eine konnektionistische Perspektive

1. Das philosophische Bindeglied zwischen Denken und Sprache

Das philosophische, aber auch das kognitionswissenschaftliche[1] Nachdenken über mentale Phänomene sind durch Konzentration auf die sprachliche Repräsentation von Information bestimmt. Das ist nicht weiter überraschend. Denn eine hauptsächliche Art, unsere Gedanken auszudrücken, besteht darin, sie in Worte zu kleiden. Wenn Sie jemand fragt, was Sie gerade denken, werden Sie sehr wahrscheinlich mit einem sprachlichen Bericht antworten. Darüber hinaus ist unsere Gesellschaft von sprachlich repräsentierten Informationen ganz durchdrungen. Oft erwerben wir neue Informationen mittels Sprache. Das trifft ganz besonders für die akademische Welt zu, wo wir Informationen durch Vorlesungen, Artikel und Bücher erhalten. Wir prüfen in Klausuren, ob ein solches Wissen erworben wurde. Wir übermitteln durch das sprachliche Medium neue Informationen, die wir erworben haben. Aber unser Sich-Verlassen auf Sprache überschreitet die Grenzen der akademischen Welt. Wir verwenden Sprache, um Menschen dazu anzuleiten, wie sie praktische Dinge in der Welt tun sollen. Wir schreiben Gesetze in Sprache auf. Und wir verwenden Sprache beim Versuch, das Verhalten anderer Menschen zu beeinflussen. Der Gebrauch von Sprache ist ganz klar entscheidend für unser mentales[2] Leben als menschliche Wesen.

In einem späteren Abschnitt werde ich darlegen, daß bei dieser Charakterisierung unseres mentalen Lebens zu viel des Guten getan wurde: mentale Tätigkeit manifestiert sich auch in nicht-sprachlichen Formen. Meine eigentliche Sorge betrifft die Tatsache, daß wir zu der Auffassung tendieren, kognitive Aktivitäten selbst verwendeten sprachlich repräsentierte Informationen. Die Begrifflichkeit propositionaler Einstellungen (propositional attitudes)[3] ist unsere hauptsächliche Art, die mentalen Zustände unserer selbst und anderer zu beschreiben. Wir beschreiben Menschen als Propositionen glaubend oder bezweifelnd (z.B. könnten wir Carla als jemand beschreiben, die daran zweifelt, ob sie sich dieses Jahr einen neuen Computer leisten kann.) Während einige Theoretiker Propositionen auf eine Art und Weise analysieren, die sie als grundlegender behandelt als Sätze der natürlichen Sprache, denke ich, daß sie so ziemlich die gleiche

Struktur wie Sätze haben. Sie scheinen eine Subjekt-Prädikat-Struktur zu besitzen, wobei jede dieser beiden Komponenten verschiedene Arten von Modifikation zuläßt. Geht man von einer Charakterisierung des Menschen als eines Wesens aus, das Einstellungen gegenüber Propositionen besitzt, dann kann es nicht überraschen, daß einige Theoretiker den Menschen als Wesen porträtiert haben, das in sich Propositionen speichert und in Beziehungen dazu steht, die den unterschiedlichen Einstellungen entsprechen, die man zu diesen gespeicherten Propositionen einnehmen kann. Dieses Verständnis des mentalen Lebens als etwas, das aus Propositionen-Speicherung und unterschiedlichen Beziehungen zu ihnen besteht, ist auch tief in unserem philosophischen Begriff des Wissens verankert. Seit Plato ist es allgemein verbreitet, Wissen als etwas zu verstehen, das wenigstens *begründete, wahre Meinung* einschließt. Alle drei Komponenten dieser Charakterisierung von Wissen begünstigen eine sprachliche Auffassung von dem, was man weiß. Wie eben bemerkt, hält man allgemein dafür, daß Überzeugungen (beliefs) Propositionen oder Sätze als ihre Objekte besitzen. Propositionen oder Sätze sind die einzigen Gebilde, die wahr oder falsch sein können. Und zu guter Letzt erfolgt die vorherrschende Analyse von Begründungen in Form von Argumenten, und Argumente sind Reihungen von Sätzen oder Propositionen. Nach all dem erscheint es recht vernünftig, Propositionen als die Objekte des Wissens zu konstruieren.[4]

Die hier beschriebene Konzentration auf sprachliche Repräsentationen kommt besonders klar in der Wissenschaftstheorie zum Ausdruck. Die herrschende Meinung über die (wissenschaftliche) Erklärung[5] ist sprachlich: Erklärungen sind logischen Argumenten nachgebildet: die Konklusion stellt eine sprachliche Beschreibung des zu erklärenden Phänomens dar, und das Explanans besteht aus den Prämissen der Deduktion. Nach dieser Auffassung ist der Einschluß eines (wissenschaftlichen) Gesetzes in eine Erklärung von besonderer Wichtigkeit. Gesetze haben die Form von Sätzen: sie sind all-quantifizierte Bedingungssätze.[6] Der Höhepunkt wissenschaftlicher Untersuchung besteht in der Entwicklung von Theorien, die Mengen von Sätzen darstellen, von denen man annimmt, daß sie sich in sauberen, deduktiven Hierarchien organisieren lassen, in denen Gesetze als Theoreme verstanden werden, die aus einer Axiomenmenge ableitbar sind. Auf der Basis dieser Analyse ist man versucht zu denken, daß ein Wissenschaftler ein Phänomen kennt und es erklären kann, sobald er diejenigen Sätze kennt und von ihnen überzeugt ist, die die Gesetze und Anfangsbedingungen charakterisieren, und sie in ein Argument pressen kann, dessen Konklusion aus einer Aussage besteht, die das Phänomen beschreibt. Die Durchschlagskraft dieser Auffassung ist so stark, daß, als Kuhn (1970) sie durch Einführung seines Paradigma-Begriffs[7] in Frage zu stellen versuchte, ein Paradigma weithin schlicht als eine allgemeine oder globale Theorie interpretiert wurde. Die vielen nicht-sprachlichen Komponenten des Kuhnschen Begriffs wurden im Großen und Ganzen ignoriert, und die philosophische Diskussion konzentrierte sich fast ausschließlich auf die

118

Frage, wie Theorien als Mengen von Propositionen zueinander inkommensurabel[8] sein können.

Nach meiner Ansicht sind diese linguistischen Festlegungen (commitments) in unseren unterschiedlichen philosophischen Analysen in sich selbst recht problematisch. Bevor ich betrachte, auf welche Weise sie problematisch sind, möchte ich mich auf eine Untersuchung konzentrieren, die zwar jenseits der Grenzen der Philosophie im üblichen Verständnis des Wortes liegt, aber durch philosophische Auffassungen stark beeinflußt wird. Es ist darüber hinaus eine Untersuchung, zu der einige Philosophen durch ihre unbeirrte Verteidigung einer sprachlichen Konzeption des Wissens beigetragen haben und die nun umgekehrt zur Unterstützung der philosophischen Festlegung auf die sprachliche Repräsentation des Wissens verwendet werden kann. Es handelt sich um jene Untersuchung, die im Rahmen der Psychologie und anderer kognitionswissenschaftlicher Disziplinen den Versuch unternimmt, mentale Aktivität zu *erklären*. Wie allgemein bekannt, sind die modernen, kognitiven Theorien des Geistes ein Produkt der 60er und 70er Jahre. In der amerikanischen Psychologie stellten sie einen Bruch mit dem Behaviorismus[9] dar, der allgemein den Versuch zurückgewiesen hatte, *psychologische* Theorien der Funktionsweisen des Geistes zu entwickeln. Die Rückkehr zum Geist war im Großen und Ganzen ein Resultat der Einführung nützlicher Modelle des Nachdenkens über mentale Phänomene aus zwei anderen Disziplinen, die sich heute mit der Psychologie in der Kognitionswissenschaft zusammengeschlossen haben: Sprachwissenschaft und Computerwissenschaft (computer science). Im Werk von Noam Chomsky (1957) lieferte die Sprachwissenschaft das Modell einer Sprachtheorie in Form eines Automaten, der rekursiv[10] alle syntaktisch[11] korrekten Sätze einer Sprache erzeugt. Zwar ist Chomskys Theorie nicht selbst ein Modell psychologischer Kompetenz (schließlich laufen die Menschen nicht herum und zählen alle Sätze der Sprache auf), aber sie legte nahe, daß man auch zur Produktion semantisch und pragmatisch akzeptabler Sätze einen Mechanismus verwenden, und daß unsere sprachliche Kompetenz selbst auf einem solchen, symbolische Strukturen manipulierenden Mechanismus beruhen könnte. Auf der anderen Seite entwickelte die Computerwissenschaft – im wesentlichen im Werk John von Neumanns – ebenfalls das Modell einer Maschine, die regelgeleitet Symbole manipulierte. Bald tauchte die Idee auf, daß die Maschine intelligentes Verhalten zeigen werde, wenn sie nur mit dem richtigen Regelsatz ausgestattet würde (Newell & Simon, 1972). Das legte den Gedanken nahe, intelligentes, menschliches Verhalten in der Begrifflichkeit regelgeleiteter Symbolmanipulation zu erklären.

Im Laufe der vergangenen zwanzig Jahre gelangten die verschiedenen Disziplinen der Kognitionswissenschaft zur Blüte, indem sie Darstellungen kognitiver Phänomene entwickelten, die auf der Idee aufbauten, daß Kognition[12] die Speicherung und Manipulation symbolisch repräsentierter Information einschließe. Wenn man die Festlegungen (commitments) wissenschaftlicher Theorien im Sinne des Realismus[13] betrachtet, dann wären Kognitionswissenschaftler buchstäblich auf die Ansicht festgelegt, daß wir in unseren Köpfen so etwas wie Sätze gespeichert haben.[14] Viele Psychologen scheinen jedoch viel weniger auf Realismus festgelegt als ihre philosophischen Interpreten und behaupten lediglich, daß ein solcher Ansatz eine nützliche Art der Modellierung kognitiver Aktivität darstellt. Mehr noch: viele Forscher sind nicht innerlich auf Sätze oder satzartige Strukturen als grundlegende Gegenstände, in denen Information repräsentiert ist, festgelegt. Zum Beispiel verfolgten in den 70er Jahren eine Reihe von Psychologen den Gedanken, daß mentale Repräsentationen oft die Form von Bildern annehmen könnten und daß auf diesen analogen[15] Repräsentationen Operationen durchgeführt werden könnten (Kosslyn, 1980). Neuere symbolische Modelle haben Faktoren wie Aktivierungsgrade (activation strengths) für symbolische Repräsentationen eingeführt sowie numerische Parameter, die das Funktionieren symbolisch kodierter (verschlüsselter) Regeln kontrollieren. Sie nehmen so Abschied von einem rein satzartigen Ansatz (vgl. Anderson, 1983, 1990, Holland, Holyoak, Nisbett, and Thagard, 1986). Unter Philosophen (Fodor, 1987) und einigen philosophisch ausgerichteten Theoretikern in der Kognitionswissenschaft (Pylyshyn, 1984) jedoch gibt es noch immer eine strenge Festlegung auf Sätze im Kopf. Ich wende mich also jetzt dieser Ansicht zu.

2. Das Vermächtnis von Sätzen im Kopf

Der Grund, warum Philosophen sich so sehr auf eine sprachliche Struktur festgelegt haben, die Sätze im Kopf behauptet, liegt vielleicht darin, daß sie die Aufgabe kognitionswissenschaftlicher Theoriebildung in einer Erweiterung dessen sehen, was Philosophen als *Alltagspsychologie* (folk psychology)[16] bezeichnen. Für Philosophen fängt die Alltagspsychologie bei der Verwendung propositionaler Einstellungen zur Charakterisierung menschlicher, mentaler Zustände an und setzt sich fort in einem dynamischen Verständnis der dem Verhalten zugrundeliegenden Prozesse. Dabei wird postuliert, daß die Menschen die Werkzeuge der Logik verwenden, um auf der Basis ihrer propositionalen Einstellungen zu Schlußfolgerungen zu gelangen. Wenn so in der Alltagspsychologie z.B. einer Person die Ansicht (belief) zugesprochen wird, daß *es regnet* und ferner die Ansicht *wenn es regnet, dann wird das Picknick abgesagt*, dann wird diese Person als jemand charakterisiert, der eine wegen des *modus ponens*[17] statthafte Schlußfolgerung zieht, nämlich die Konklusion, daß das Picknick abgesagt wird. Auf ähnliche Weise könnten Ansätze praktischen Schlußfolgerns (practical reasoning) sich eine Person ausmalen, die sich einen guten Tag machen will und glaubt, daß ein Kinobesuch der beste Weg dazu ist, und dann zu der Konklusion gelangt, daß sie ins Kino gehen sollte. Zwar kenne ich niemanden, der eine umfassende Darstellung der Alltagspsychologie vorgelegt hätte, aber sie ist gewiß reicher, als hier bisher dargestellt. So schließt sie z.B. Beschreibungsprinzipien dafür ein, wie die Menschen unter Verwendung ihrer eigenen Ansichten über die Ansichten und Wünschen anderer nachdenken. Die Alltagspsychologie bietet uns auf diese Weise eine reichhaltige Darstellung der mentalen Zustände von Individuen, die wir alle regelmäßig gebrauchen, um das Verhalten anderer vorauszusagen oder zu erklären.

Es scheint nur ein kleiner Schritt zu sein, diese dynamische Theorie zu einer Theorie zu erweitern, die die inneren, mentalen Vorgänge der Menschen beschreibt. Alles, was dafür verlangt zu sein scheint, ist folgendes: man behandle den Geist als etwas, das satzartige Strukturen in sich kodiert und Verfahren anwendet, die die von der Alltagspsychologie beschriebenen Schlußfolgerungen ausführen. Der Gedanke, daß der Geist mittels Operationen über sprachlichen Repräsentationen arbeitet, wurde am umfassendsten von Jerry Fodor in *The Language of Thought* (1975) entwickelt und verteidigt. Er vertrat die Meinung, daß die Psychologie eine Reihe wichtiger Phänomene in ihrem Bereich nur dann würde erklären können, wenn sie annähme, daß Menschen (und alle anderen Systeme, die Geist besitzen) über innere, darstellende Systeme verfügten, die von der darstellenden und schlußfolgernden Kraft der Sprache wären. Das erste dieser Phänomene ist rationales Verhalten. Rationales Verhalten eines Systems erfordert, daß das System imstande ist, die Konsequenzen bestimmter Handlungsverläufe vorzustellen und Schlußfolgerungen daraus zu ziehen. Das wiederum erfordert die Zuordnung passender Eigenschaften zu möglichen Handlungen sowie die Anwendung allgemeiner Prinzipien, die wir für Handlungen mit diesen Eigenschaften kennen. Das zweite Phänomen ist die Fähigkeit, neue Begriffe zu lernen. Fodor vertrat die Meinung, daß wir neue Begriffe nicht einfach durch Induktion lernen könnten, denn um die Begriffe auf neue Fälle anzuwenden, müßten wir nicht bloß einige der Elemente aus der Extension[18] des Begriffes kennen, sondern auch wissen, welche Eigenschaften etwas zu einem Beispielfall für den Begriff machen. Das heißt, daß Begriffe intensional definiert werden und daß wir imstande sein müssen, uns mögliche Definitionen vorzustellen und zu prüfen, wenn wir eine Definition lernen wollen. Dafür aber brauchen wir eine Sprache. Drittens schließlich behauptet Fodor, daß Psychologen Wahrnehmung nicht erklären könnten, wenn sie nicht eine Sprache des Denkens postulierten. Dabei versteht er Wahrnehmung als Überprüfen von Hypothesen anhand einer begrenzten Anzahl von Daten (die Anregungen, die durch unseren 'sensorischen Input' bereitgestellt werden) und behauptet, daß dies die Fähigkeit erfordere, die Hypothese vorzustellen.

Fodor (1987, Fodor & Pylyshyn, 1988) hat kürzlich einen neuen Satz von Argumenten entwickelt, um die Hypothese von der Sprache des Denkens zu stützen. Diese Argumente konzentrieren sich nicht so sehr auf die Darstellung der angeblichen Aktivitäten des Geistes, sondern auf jene Züge, die mentales Leben mit Sprachen zu teilen scheint.

Zwar diskutiert Fodor sowohl die Produktivität (die unbegrenzte Fähigkeit, neue Sätze oder Gedanken zu kreieren) als auch die Stabilität von Schlußfolgerungen (die Fähigkeit, die gleiche Schlußfolgerung mit jedem beliebigen Inhalt der erforderlichen Form auszuführen), der Kern seiner Position ist aber die Behauptung des systemischen Charakters (systematicity) von Sprache und Denken. Natürliche Sprachen sind systemisch, insofern ihre für grammatikalisch wohlgeformt gehaltenen Sätze nicht als beliebig erscheinen. Wenn ein bestimmter Satz grammatikalisch ist, dann gibt es andere, damit verwandte Sätze, die auch als grammatikalisch betrachtet werden. Menschliches Denken, so behauptet nun Fodor, weist einen ähnlichen Systemcharakter auf. Es ist nicht beliebig, was einen zusammenhängenden Gedanken ausmacht. Gedanken sind keine einzelnen Gegenstände, ohne Bezug zu anderen Gedanken. Vielmehr ist es so, daß jeder Gedanke mit anderen Gedanken verbunden ist in der Weise, daß jeder, der diesen Gedanken denken könne, notwendig auch die Fähigkeit besitze, die damit verbundenen Gedanken zu denken. Fodor behauptet z.B., daß jeder, der den Satz *Der Blumenhändler liebt Mary* verstünde, auch den Satz *Mary liebt den Blumenhändler* verstehen könne. Es ist wichtig zu betonen, daß es sich hierbei um ein empirisch beobachtetes Merkmal des Denkens handelt. Fodor will nun beweisen, daß der einzig gangbare Weg, dieses Merkmal des Denkens zu erklären, darin besteht, ein repräsentationelles System mitsamt einer kombinatorischen Semantik zu postulieren, so daß die Bedeutung größerer Strukturen auf regelgeleitete Weise von der Bedeutung ihrer Teilstrukturen abhängt. Fodor nennt das *Bausteinstruktur* (constituent structure) und behauptet, daß der Besitz eines repräsentationellen Systems mit Bausteinstruktur sowohl den Systemcharakter des Denkens als auch den Besitz einer Sprache des Denkens erklärt. Der Systemcharakter des Denkens leitet sich so nach Fodor aus dem Systemcharakter der Sprache des Denkens her.

Fodor ist nicht der einzige Theoretiker, der sich eine Hypothese vom Typ 'Sprache des Denkens' zu eigen gemacht hat (vgl. Field, 1978, Harman, 1973, Lycan, 1981a, Sellars, 1963). Bei allen wichtigen Unterschieden ist diesen Ansichten doch der Gedanke an die Konstruktion einer Theorie der mentalen Aktivität nach dem Muster unseres Verständnisses von Sprache gemeinsam. Wie eingangs bemerkt, sieht das wie eine ganz natürliche Vorgehensweise aus. Aber sie ist äußerst problematisch. So wie wir Sprache kennen, ist sie in erster Linie ein Werkzeug, das die Menschen zur interpersonalen Verständigung gebrauchen. Die Symbole der Sprache sind im typischen Fall Lautäußerungen oder zu Papier gebrachte Zeichen. Wenn diese Laute oder Zeichen in geeigneter Weise verbunden werden, entstehen Sätze. Wichtig ist dabei, daß sprachliche Strukturen in erster Linie im öffentlichen Bereich existieren. Theorien der Sprache sind Theorien, die diese öffentlichen Strukturen erklären sollen. Philosophische Theorien sind dazu bestimmt, Merkmale öffentlicher Sprachen zu erklären wie z.B. das Vermögen von Wörtern, auf Objekte Bezug zu nehmen (refer)[19]. Grammatikalische Theorien stellen Versuche dar, die Menge der syntaktisch akzeptierbaren Sätze einer Sprache systematisch zusammenzustellen. Soziolinguistische Theorien versuchen oftmals, den historischen Ursprung bestimmter Merkmale natürlicher Sprachen zu erklären. Psycholinguistische Theorien, so sei zu guter Letzt mit besonderer Betonung bemerkt, sollen erklären, auf welche Weise ein Sprachbenutzer imstande ist, Sätze einer Sprache zu verstehen oder zu produzieren. Man beachte, daß diese Theorien keine Übersetzung zwischen der natürlichen Sprache und einer inneren Sprache annehmen, sondern vielmehr Prozesse, durch die die Information, die in Sätzen der natürlichen Sprache übermittelt wird, extrahiert werden kann, oder Prozesse, durch die ein Sprecher einen Satz der natürlichen Sprache konstruieren kann.

Es bedeutet einen echten *theoretischen* Schritt, ein System, das für den *inter*personalen Diskurs geeignet ist, herzunehmen und als ein Modell für Theoriebildung im Bereich der *intra*personalen Kognition zu verwenden. Dieser Schritt wird durch die Tatsache sehr verführerisch gemacht, daß wir uns selbst oft bei der Konstruktion von Sätzen erfahren, die wir nicht aussprechen oder schreiben, sondern *bei uns* behalten. Aber nicht einmal dieses Phänomen macht es erforderlich, eine Sprache des Denkens zu postulieren, in der kognitive Prozesse ablaufen. Es kann vielmehr als eine Erweiterung der Fähigkeit betrachtet werden, selbst Sätze zu sprechen und von anderen gesprochene Sätze zu verstehen (Vygotsky, 1962). Das Postulat einer Sprache des Denkens schließt eine viel weitergehende Festlegung ein: es überführt eine Analyse von einer Ebene der Natur zu einer anderen. Die teilweise, sprachliche Wechselwirkung zwischen menschlichen Handelnden (human agents) konstituiert eine Ebene der Natur, auf der die Handelnden selbst die Einheiten darstellen und wo die Wechselwirkungen mittels Sprache erfolgen. Individuelle, menschliche Handelnde sind Teile des ganzen Systems auf dieser Ebene. In dem Augenblick aber, in dem wir versuchen, kognitive Prozesse im Innern eines dieser menschlichen Handelnden zu erklären, betrachten wir den menschlichen Handelnden als das System und gehen daran, die Bestandteile in ihm oder ihr zu analysieren.

An sich ist es nicht problematisch, sich von der Ebene, auf welcher der Handelnde *Teil* des Systems ist, zu jener Ebene zu bewegen, wo der Handelnde *selbst das System* darstellt, dessen Wirken in Form innerer Prozesse erklärt werden soll. Es gibt gute Gründe für die Überzeugung, daß die Natur (in einer guten, ersten Näherung) in einer Hierarchie solcher Ebenen organisiert ist und daß sich wissenschaftliche Untersuchungen auf die Wechselwirkungen zwischen gegebenen Ebenen richten. Das Programm des Homunkulus-Funktionalismus[20], das von Dennett (1978) und Lycan (1981b) vertreten wird, schlägt ein eben solches Forschungsunternehmen von der Ebene des menschlichen Handelns aus abwärts vor. In diesem Programm zerlegt man ein System in Untersysteme und bestimmt, welche Funktion jedes dieser Untersysteme erfüllt. Jedoch macht das Programm des Homunkulus-Funktionalismus einige zusätzliche Annahmen, die auf genau die gleiche Art problematisch sind, wie es die Hypothese der Sprache des Denkens ist. Es nimmt eine minimale Wechselwirkung zwischen den Teilen bei der Durchführung von Funktionen an, die dem ganzen System zugeordnet sind. Auf diese Weise werden schlicht Funktionen des ganzen Systems auf die Teile verteilt. Das ist sehr klar in Lycans Darstellung:

> Sich in einem Schmerzzustand des Typs T zu befinden, so könnten wir sagen, heißt für jemandes unter-,..., unterpersönlichen Φ-er, sich in einem charakteristischen Zustand $S_T(\Phi)$ zu befinden bzw. für eine charakteristische Aktivität $A_T(\Phi)$, in jemandes Φ-er vonstatten zu gehen (Lycan, 1987, p. 41).

Zwar unterscheidet sich in Lycans Darstellung die Beschreibung des Zustands oder der Aktivität in dem Bestandteil von derjenigen, die für das ganze System angegeben wird, aber es gibt da noch eine weitere Versuchung, diese Aktivität des Teils im gleichen Vokabular zu beschreiben, wie die Aktivität des Ganzen (der Φ-er wird nicht als etwas beschrieben, das in einem Schmerzzustand des Typs I ist). Das ist so, weil man die Aufgaben, die von den Teilen ausgeführt werden, aus der Perspektive dessen versteht, was das Ganze macht, und weil man die Aufgaben, die vom Ganzen ausgeführt werden, auf die Teile verteilt. Richardson und ich beziehen uns auf diese Art Analyse als *einfache Lokalisierung* (Bechtel & Richardson, 1992). Es ist ein charakteristischer Zug von Theoretikern, komplexe Systeme auseinanderzunehmen, um zu bestimmen, wie sie funktionieren. Aber es ist ein Zug, der sich oft als falsch herausgestellt hat. Wenn man sich daran macht, die Teile zu verstehen, entdeckt man, daß man sie nicht in einer Begrifflichkeit charakterisieren kann, die auf das paßt, was das Ganze tut (obwohl man verstehen muß, was das ganze System macht, um verstehen zu können, was die Teile tun). Es gibt im allgemeinen keine Teile, die jede einzelne der Aufgaben ausführen, die das ganze System unserer Meinung nach ausführen sollte, sondern das System bringt etwas zustande, weil eine Vielzahl unterschiedlicher Aufgaben von unterschiedlichen Teilen ausgeführt werden. Man muß ein getrenntes Vokabular entwickeln, um zu beschreiben, was die Teile tun. Beispielsweise spricht man von der Gärung als einem Vorgang, den Hefezellen ausführen. Jedoch spricht man nicht davon, daß Enzyme individuell Gärungsprozesse ausführen, sondern vielmehr davon, daß sie Oxydationen, Reduktionen, Phosphorylierungen usw. katalysieren.

Jetzt sollte das Problem mit der Hypothese der Sprache des Denkens klar in den Blick kommen. Sie schlägt vor, in*tra*personale kognitive Prozesse mit dem gleichen, begrifflichen Instrumentarium zu beschreiben wie in*ter*personale Kommunikation. Es könnte sein, daß in diesem Fall die beiden Ebenen der Organisation mit dem gleichen Vokabular beschrieben werden können, aber das wäre ungewöhnlich. Wir erwarten, daß das Vokabular für die Beschreibung von Prozessen auf der in*tra*personalen Ebene von jenem auf der *inter*personalen sehr verschieden ist, mit der wichtigen Besonderheit, daß die Prozesse auf der intrapersonalen Ebene erklären sollten, wie das kognitive System befähigt ist, seine Rolle in jenem größeren System zu spielen, in dem Sprache ein bedeutendes Element darstellt. Wenn das stimmt, dann ist das Computermodell des Denkens sehr irreführend. Der Computer ist ein System, das zu dem Zweck entwickelt wurde, jene Umformungen sprachlicher Strukturen durchzuführen, die Menschen im allgemeinen in Bezug auf externe, sprachliche Symbole ausführen. Beim Computer ist es ganz richtig, auf der Ebene der höherstufigen Computersprache interne Prozesse in Form von Operationen über sprachlichen Strukturen zu charakterisieren. Der Computer aber war unsere Erfindung, ersonnen zum Zwecke der Ausführung von Aufgaben, die wir ausgeführt haben wollten. Er dürfte uns wenig Aufklärung darüber geben, wie *wir* diese Aufgaben ausführen.

Es ist eine Sache, Einwände gegen ein theoretisches System aufzustellen, so wie ich es in den letzten beiden Abschnitten getan habe. Eine ganz andere aber ist es, eine Alternative anzubieten. Ohne eine solche Alternative hat Fodors Bemerkung theoretischen Biß, wonach die Hypothese von der Sprache des Denkens, so wenig überzeugend sie auch sein mag, einzige Spielerin auf dem Platz ist. Aber da gibt es jetzt einen trefflichen Konkurrenten, der keine Sätze im Kopf annimmt.

3. Konnektionsmus: Abschaffung der Sätze im Kopf

Meine obige Charakterisierung des Entstehens von kognitiver Psychologie und Kognitionswissenschaft aus Ideen, die durch Sprach- und Computerwissenschaft beigetragen wurden, ist in einer wichtigen Hinsicht irreführend. Die frühe, kognitive Theoriebildung war in gleichem Maße durch Forschungen in Kybernetik und Neurowissenschaft[21] (neuroscience) beeinflußt. Dieser Umstand führte auf einen völlig verschiedenen Weg, die Modellierung kognitiver Phänomene zu versuchen. Die grundlegende Idee war, daß das Gehirn selbst ein System relativ einfacher Verarbeitungseinheiten darstellt, die untereinander sehr einfache Beträge von Information austauschen. Indem sie ein wenig von dem abstrahierten, was schon in den vierziger und fünfziger Jahren über das Gehirn bekannt war, begannen Forscher wie McCulloch und Pitts (1943) sowie Rosenblatt (1958) zu untersuchen, was in Maschinen möglich wäre, deren Komponenten aus einfachen Einheiten bestehen, die entweder *Ein* oder *Aus* sein können und die, wenn sie in *Ein*-Stellung sind, ein Signal zu anderen Einheiten weiterleiteten, das teilweise bestimmte, ob diese Einheiten *Ein* oder *Aus* wären. McCulloch und Pitts begannen damit, daß sie zeigten, wie man Netzwerke entwirft, die mit den logischen Operationen UND, ODER und

NICHT arbeiten. Aber Pitts und McCulloch (1947) untersuchten auch noch eine andere Möglichkeit: daß nämlich Netzwerke neuronenartiger Einheiten bei der *Mustererkennung* (pattern recognition) nützlich sein könnten. Im Laufe der fünfziger und frühen sechziger Jahre untersuchte Frank Rosenblatt auch die Befähigung von Systemen, die er *Perzeptronen* (perceptrons) nannte, Muster zu erkennen. Eine der geheimnisvollen Fähigkeiten von tierischen und menschlichen Gehirnen besteht darin, daß sie denselben Gegenstand oder Gegenstände desselben Typs auch dann erkennen können, wenn die sensorischen Eingabemuster in den verschiedenen Fällen ganz unterschiedlich sind. So identifizieren wir leicht einen Tisch sowohl aus der Nähe und aus einer gewissen Entfernung; ebenso, wenn er teilweise verdeckt oder in einer Vielzahl von Weisen verformt ist und wenn er aus verschiedenen Blickwinkeln gesehen wird. Mehr noch, diese Fähigkeit, Objekte zu erkennen, ist grundlegend für tierisches und menschliches Überleben, denn viel von dem, was Tiere und Menschen tun müssen, besteht darin, unterschiedliche Objekte zu erkennen und darauf mit passenden Reaktionen zu antworten.

Dieser Ansatz zur Modellierung kognitiver Phänomene ist in letzter Zeit wiederbelebt worden und läuft unter verschiedenen Namen wie *Konnektionsmus, parallele, verteilte Datenverarbeitung* (parallel distributed processing), *künstliche, neuronale Netzwerke*[22]. Eines der einfachsten Beispiele für ein konnektionistisches Netzwerk ist ein zweischichtiges, vorwärts in eine Richtung arbeitendes (feedforward) Netzwerk[23], wie dasjenige in Fig. 1. Die Einheiten der ersten Schicht übermitteln Aktivierungen zu denen der zweiten Schicht über einen Satz von Verbindungen. Für jede Eingabeeinheit wird die Aktivierung der Eingabeeinheit (a_i) mit dem Gewicht (w_{ji}) der Verbindung mit der Ausgabeeinheit multipliziert. Die Werte aller Eingabeeinheiten werden dann addiert, um die Nettoeingabe für die jeweilige Ausgabeeinheit zu bestimmen. Die Aktivierung der Ausgabeeinheit (a_j) beruht dann auf der Nettoeingabe; im einfachsten Fall ist sie gleich der Nettoeingabe. Wir können uns die Aktivierungen über der Menge der Eingabeeinheiten als ein Muster vorstellen, das erkannt werden soll, und das daraus resultierende Aktivitätsmuster, das in den Ausgabeeinheiten produziert wird, als die Bezeichnung der Kategorie, in welche das Muster hineinklassifiziert wurde. Das Ziel des Systems besteht darin, auf Eingabemuster, die als zur gleichen Kategorie gehörig ausgewählt wurden, mit den gleichen Aktivierungen in den Ausgabeeinheiten zu antworten. Die Befähigung eines Netzwerks, dies auszuführen, ist durch die Gewichtung der Verbindungen zwischen den Einheiten bestimmt. Eines der wichtigen Merkmale konnektionistischer Systeme besteht darin, daß diese Gewichtungen nicht im Voraus bestimmt werden müssen, sondern vom Netzwerk gelernt werden können. Ein verbreiteter Ansatz besteht darin, mit zufällig ausgewählten Gewichtungen anzufangen und es dem Netzwerk zu gestatten, eine Ausgabe zu einer bestimmten Eingabe zu erzeugen. Diese Ausgabe wird dann mit der gewünschten Ausgabe verglichen, und die Differenz (t_j-a_j) wird als der Fehler betrachtet. Die sog. *Delta-Regel* kann dann zur Anpassung jeder Gewichtung verwendet werden. Sie führt zur Ausgabeeinheit durch einen Betrag, der dem Produkt von Fehler und Aktivierung der verbundenen Eingabeeinheit proportional ist (z.B. $\Delta w_{ji} = \Sigma (t_j - a_j)a_i$).

Ausgabe-Schicht (Einheiten u_1 bis u_8)

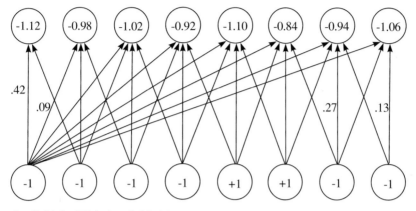

Eingabe-Schicht (Einheiten i_1 bis i_8)

Figur 1: Einfaches, vorwärts in eine Richtung arbeitendes (feedforward) Netzwerk. Jede Eingabe-Einheit ist mit jeder Ausgabe-Einheit verknüpft (Verknüpfungen nicht alle dargestellt).

Der Netzwerk-Ansatz verlor in den späten sechziger und in den siebziger Jahren an Ansehen, zum Teil deswegen, weil er keine Fortschritte machte. Die Grenzen der frühen Netzwerk-Modelle wurden durch Minsky und Papert (1969) dokumentiert, die die inneren Beschränkungen von Modellen wie dem Perzeptron aufzeigten. Solche Systeme konnten keine Funktionen wie das *ausschließende oder* berechnen:

p	q	entw. p oder q
0	0	1
0	1	0
1	0	0
1	1	1

Der Grund liegt darin, daß jede beliebige Menge von Gewichtungen, die es einem Netzwerk erlaubte, für drei Zeilen der Wahrheitstafel richtige Antworten zu geben, es erforderlich macht, für die vierte Zeile die falsche Antwort zu geben. Minsky und Papert

127

erkannten, daß Netzwerke mit parallel geschalteten Schichten von Einheiten diese Funktionen ausführen könnten (vorausgesetzt, daß man eine nichtlineare[24] Aktivierungsregel verwendet). Aber es gibt kein Lernverfahren, um solche Netzwerke zu trainieren. Einer der Faktoren hinter dem neuerlichen Interesse an Netzwerk-Modellen besteht in der Entwicklung von Lernregeln wie Rückwärtspropagierung (back propagation)[25] zum Training für solche Netzwerke (Rumelhart, McClelland, & Williams, 1986). Der Rückwärtspropagierungs-Algorithmus liefert eine Verallgemeinerung der oben vorgestellten Delta-Regel. Das Netzwerk, das in Fig. 2 vorgestellt wird, wurde mit Rückwärtspropagierung trainiert, um das Problem des ›ausschließenden oder‹ zu lösen. (Die Aktivierung von Einheiten ist durch die logistische Funktion $a_n = 1/(1 + e^{-netinput})$ bestimmt). Die Eingabe, die von den Einheiten, die mit *bevorzugt* (bias) markiert sind, zu den verborgenen (hidden)[26] und den Ausgabe-Einheiten übermittelt wird, dient dazu, die Wirkungen der Nettoeingabe zu regulieren). Obwohl in der Folge eine ganze Reihe komplexerer Netzwerkarchitekturen eingeführt wurden, ist das Rückwärtspropagierungs-Netzwerk der grundlegende Netzwerktyp im konnektionistischen Modellieren geworden. Ein Beispiel für eine Aufgabe, für die ein Rückwärtspropagierungs-Netzwerk verwendet wurde, ist die Produktion englischer Phoneme aus einem englischen Text (Sejnowski & Rosenberg, 1987).

Trotz solcher Fortschritte wie Rückwärtspropagierung hat das erneute Interesse an konnektionistischen Modellen wahrscheinlich mehr mit der Wahrnehmung der Begrenztheit von Symbolverarbeitungs-Modellen[27] zu tun. In Symbolverarbeitungs-Modellen muß alle Information, die das System benutzen soll, formal repräsentiert sein, und es wird langsam klarer, wie viel Information erforderlich ist, um verschiedene, kognitive Aufgaben zu erfüllen. Darüber hinaus sind Symbolverarbeitungs-Modelle recht zerbrechlich. Der Verlust auch nur eines Bits an Information kann das Funktionieren des Modells vollständig unterbrechen. Und es ist außerordentlich schwer, in Symbolverarbeitungs-Systemen solche Dinge wie schematisches Schlußfolgern und inhaltlich adressierbares Gedächtnis zu modellieren. Konnektionistische Modelle hingegen zeigen vielversprechende Ansätze, diese Beschränkungen zu überwinden (vgl. Bechtel & Abrahamsen, 1991).

Eines der interessantesten Merkmale konnektionistischer Modelle ist dasjenige, das auf Rosenblatt eine starke Anziehung ausgeübt hat: ihre Eignung zur Mustererkennung. Mehrschichtige Netzwerke mit einem passenden Lernverfahren und genügend verborgenen Einheiten können so trainiert werden, daß sie richtig auf jede beliebige Menge von Mustern antworten, die quer durch die Eingabeeinheiten definiert werden. Wenn es dann einmal trainiert ist, kann das Netzwerk sogar mit neuen oder deformierten Eingaben arbeiten. Es wird auf neue Fälle, die einem Beispielsfall ähnlich sind, auf den es trainiert wurde, durch Antworten reagieren, die dem ähnlich sind, was es im Trainingsbeispiel gelernt hat. Wenn der neue Fall vom Trainingsfall weit entfernt ist oder wenn er von zwei Trainingsfällen gleich weit entfernt ist, dann ist die Antwort des Netzwerks schwerer vorauszusagen. Jedenfalls wird es eine Ausgabe produzieren. Es wird nicht einfach abstürzen, wie es ein traditionelles Computerprogramm tun würde, das mit einer unerwarteten Eingabe konfrontiert wird. Sein Potential zur Verallgemeinerung ist eines jener Merkmale, die den konnektionistischen Ansatz der Kategorisierung attraktiver machen als traditionelle Symbolverarbeitungs-Modelle.[28]

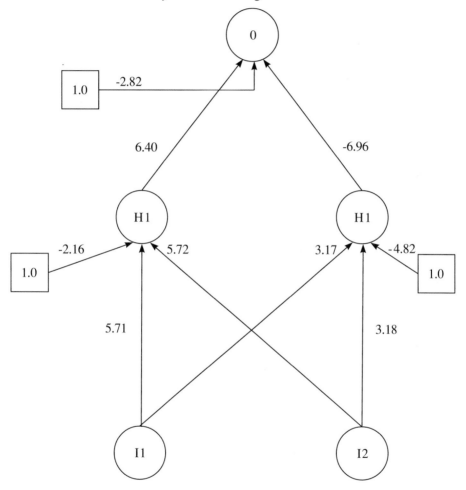

Figur2: Drei-Schichten-Netzwerk mit Rückwärtspropagierung trainiert, das die Funktion (ausschließendes) ODER berechnet. Die beiden Wahrheitswerte werden an den beiden Eingabe-Einheiten angegeben, der berechnete Wahrheitswert wird an der Ausgabe-Einheit produziert. Die drei bervorzugten Einheiten (in den eckigen Kästchen) dienen der Schaffung von Schwellenwerten für die verborgenen und die Ausgabe-Einheiten.

Die Befähigung solcher Netzwerke, auf das Erkennen neuer Muster trainiert zu werden, liefert in der Tat eine Teilantwort auf eines von Fodors Argumenten für die Sprache des Denkens. Fodor hatte argumentiert, daß man nur durch Hypothesen-Überprüfung die intensionale Definition lernen könne, die einen in den Stand setzen könne, die Extension eines Begriffes richtig zu bestimmen. Weil solche Hypothesen-Überprüfung für die Spracherlernung wichtig sei, könne man, so Fodor, keine Sprache lernen, wenn man nicht schon eine Sprache des Denkens annehme, in deren Begrifflichkeit man zu überprüfende Hypothesen repräsentieren könne. Folglich behauptete Fodor, die Sprache des Denkens müsse angeboren sein. Konnektionistische Netzwerke zeigen aber klar die Befähigung, Kategorisierungskapazitäten auf der Basis des Trainings an einigen Exemplaren der Kategorie auszubilden. Sie weisen so einen Weg, auf dem man den Spracherwerb modellieren könnte, ohne Hypothesen über eine angeborene Sprache des Denkens aufzustellen. Die Grundlage für die Ausdehnung einer Kategorie auf ein neues Objekt ist im Falle eines Netzwerks keine intensionale Definition, sondern die Ähnlichkeitsmetrik des Netzwerks, die als Resultat des verwendeten Trainingsverfahrens angewandt wird.[29]

Die Konzentration auf Mustererkennung oder Kategorisierung als grundlegende kognitive Aktivität hat den besonderen Wert, daß sie das Studium der Kognition ohne weiteres in einen evolutions-theoretischen Rahmen stellt. Der Großteil der selbstinitiierten, motorischen Aktivität von Tieren wird dadurch angestoßen, daß das Tier eine Situation in seiner Umwelt erkennt und auf sie reagiert.[30] Ein Tier muß eine Futterquelle erkennen und sich auch darüber klar werden, welche Handlung erforderlich ist, um an das Futter heranzukommen. Es muß auch Räuber erkennen und Möglichkeiten, ihnen aus dem Weg zu gehen. Vieles von dem, was Menschen beim Training ihrer Heimtiere tun, besteht darin, ihnen die Erkenntnis bestimmter Muster beizubringen und in der erwünschten Weise darauf zu reagieren. Selbst wenn Aktivität durch innere Zustände wie Wünsche geleitet wird, muß das Tier immer noch die einschlägigen Situationen in seiner Umwelt erkennen, um seinen Wunsch befriedigen zu können. Obgleich wir als Menschen mit einer Anzahl von Aktivitäten befaßt sind, die nicht schlicht in Reaktionen auf Reize der Umwelt bestehen, so gibt es doch große Teile unseres Lebens, in denen wir tatsächlich davon abhängig sind, äußere Reize zu erkennen und zu kategorisieren, wenn wir in unserer Umwelt handeln. Ein großer Teil unseres Lebens besteht aus Umherbewegen in der Umwelt, Erkennen und Vermeiden von Hindernissen, Identifikation von für uns nützlichen Objekten usw. Auf solche Weise verwenden wir viele mentale Fähigkeiten, die wir mit unseren phylogenetischen Vorläufern teilen. Ein Vorteil dieser mit der Aktivität der Mustererkennung beginnenden Herangehensweise an die Kognition, die wir mit anderen Tieren gemeinsam haben, besteht darin, daß wir diese Aktivitäten wahrscheinlich weniger geringschätzen.

Philosophen werden wahrscheinlich antworten: vielleicht kann Mustererkennung ja

130

tatsächlich alles oder doch das meiste erklären, was Meeresschnecken, Mücken, Frösche, Katzen und Hunde tun, aber es kann nicht die spezifisch menschlichen Aktivitäten wie schlußfolgerndes Denken und Planen erklären, für dessen Erklärung wir eine Humanpsychologie benötigen. Es muß jetzt die Frage aufgeworfen werden, ob konnektionistische Netzwerke mehr können, als *nur* Mustererkennung oder Kategorisierung. Können sie andere kognitive Fähigkeiten modellieren? Eine Möglichkeit, über diese Frage nachzudenken, besteht darin, sich klarzumachen, daß man jede Aktivität, die von einem Netzwerk ausgeübt wird, als einen Prozeß der Kategorisierung betrachten kann: man gibt dem Netzwerk eine Eingabe. Kraft seiner Ausgabe ordnet das Netzwerk diese Eingabe einer Kategorie zu oder erkennt sie als Beispielsfall eines Musters. Deshalb besteht eine andere Art, das Thema zu betrachten darin, zu fragen, ob es irgendwelche kognitive Aufgaben gibt, die nicht als Aufgaben der Mustererkennung oder Kategorisierung angesehen werden können.

Wenn wir an diese Fragen herangehen, dann müssen wir uns daran erinnern, daß es keinen Grund dafür gibt, daß diese Mustererkennungs- oder Kategorisierungsaktivitäten nicht rekursiv sein können. Die Antwort eines Netzwerks, das eine Eingabe in eine Kategorie einordnet, kann selbst einen Teil einer Eingabe zu einer anderen Mustererkennungs- oder Kategorisierungsaufgabe beitragen, die vom gleichen oder einem anderen Netzwerk ausgeführt wird. Elmans (1990) rekurrierende Netzwerk-Architektur liefert einen möglichen Weg hin zu einer solchen Rekursion. In einem rekurrierenden Netzwerk (vgl. Fig. 3) wird die Aktivierung von verborgenen Einheiten oder von Ausgabeeinheiten dem Netzwerk als ein Teil der Eingabe für den nächsten Eingabezyklus repräsentiert. Solche rekurrierenden Netzwerke sind zur Modellierung einer Reihe kognitiver Aktivitäten benutzt worden, z.B. Formen der Sprachverarbeitung, in der die Verarbeitung ein andauernder Vorgang ist, der immer dann ausgeführt wird, wenn eine neue Eingabe aufgenommen wird. Wenn man also an Mustererkennung oder Kategorisierung als eine grundlegende kognitive Fähigkeit denkt, dann ist man nicht auf simple Ein-Schritt-Antworten seitens des Netzwerks eingeschränkt. Margolis (1987) beispielsweise schlägt vor, daß es bei aller kognitiven Aktivität um Mustererkennung geht, obwohl er in seiner Theorie keinen konnektionistischen Mechanismus verwendet. Er denkt sich Mustererkennung als einen Vorgang, in dem eine bestimmte sensorische Eingabe einen Vorgang der Mustererkennung veranlassen könnte, daß dann aber eben diese Aktivität die Eingabe für eine neue Runde von Mustererkennung liefert.

Die Aufgabe, der sich der Konnektionismus gegenübersieht, scheint teilweise darin zu bestehen zu zeigen, daß wir andere kognitive Aktivitäten als im wesentlichen aus Mustererkennungs- oder Kategorisierungsprozessen bestehend bzw. aus diesen aufgebaut beschreiben können. Diese Idee scheint offensichtlich unplausibel zu sein. Für Philosophen besteht die paradigmatische, kognitive Aktivität darin, schlußfolgernd zu denken. Darüber hinaus konstruieren Philosophen schlußfolgerndes Denken nach dem

Modell der Logik, d.h. es geht darum, auf der Basis von Prämissen zu Konklusionen zu gelangen. In Systemen der natürlichen Deduktion[31]wird dieser Prozeß der Ableitung von Konklusionen aus Prämissen als regelgeleitet angenommen. Logisches Schlußfolgern besteht in der Anwendung von Regeln auf symbolische Strukturen. Da logisches Schlußfolgern sowohl für viele die paradigmatische, kognitive Aktivität zu sein scheint als auch diejenige, die am weitesten von Mustererkennung entfernt ist, lohnt es sich, sorgfältiger zu betrachten, was es mit der Logik auf sich hat. Obwohl heute kein Mensch mehr glaubt, daß die Schlußregeln der formalen Logik die tatsächlichen Regeln des menschlichen Denkens beschreiben, lehren wir noch immer Logik in der Hoffnung, daß die Studenten, die es packen, ihr schlußfolgerndes Denken wirkungsvoller organisieren und strukturieren. Zumindest hoffen wir, daß ein wenig formale Logik Studenten mit der Fähigkeit ausstattet, ihre Argumente so zu strukturieren, daß sie zwingende Anwendungsfälle für ihre Konklusionen liefern. Jedoch ist eine sorgfältige Prüfung, wie Studenten Logik lernen und was sie lernen, sehr aufklärend.

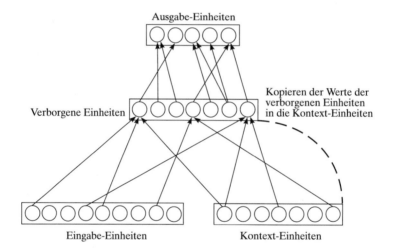

Figur 3: Rekurrierendes Netzwerk. Werte aus den verborgenen Einheiten werden auf die Kontext-Einheiten rückkopiert, so daß die Kontext-Einheiten des nächsten Zyklus eine Kopie der verborgenen Einheiten des voraufgehenden Zyklus darstellen. Eingabe- und Kontext-Einheiten zusammen stellen die Eingabe-Einheiten für die verborgenen Einheiten im nächsten Zyklus dar.

Ich denke mir, daß viele andere, die elementare Logik lehren, die Sache so angehen, wie ich es tat, d.h. sie betrachten es als ihre Aufgabe, die Regeln der Logik zu lehren. Ich hatte oft die Gelegenheit, sehr elementare Kurse zu unterrichten, in denen das Ziel nicht darin bestand, Beweise zu bauen, sondern in denen es vielmehr einfach darum ging, ein paar gültige Argumentationsschemata zu lernen und diese dazu zu verwenden, um gül-

132

tige Argumente in englischer Prosa zu formulieren. Ich würde z.B. *modus ponens* (MP) in der Vorlesung präsentieren, erklären, warum dieses Schlußschema gültig ist, es mit zwei Beispielen illustrieren und annehmen, daß die Studenten lernen, was *modus ponens* ist. Ich war überrascht, daß auch nach dieser Einführung von *modus ponens* und seiner Unterscheidung von *affirmatio consequentis*[32] einige Studenten immer noch nicht sicher angeben konnten, welches Schlußschema in einem bestimmten Beispiel illustriert war. Einer der nützlichsten Schritte, die ich unternahm, um mit diesem Problem fertig zu werden, bestand in der Entwicklung computergestützter Übungsaufgaben, die den Studenten eine Menge Feedback bei der Klassifikation von Argumenten in englischer Prosa lieferten. Noch nützlicher, aber nur wenn es der Zufall wollte, war die Gelegenheit zu beobachten, wie Studenten an die Übungen herangingen, und zuzuhören, wenn sie gemeinsam daran arbeiteten. Ich beobachtete, daß eine Reihe von Studenten eine Schablone nötig hatte, auf die sie die verschiedenen gültigen und ungültigen Formen aufgeschrieben hatten und daß sie ausdrücklich versuchten, die Teile des Arguments, das sie prüften, mit den Teilen des Schlußschemas auf der Schablone zur Deckung zu bringen. Die Studenten, die gemeinsam arbeiteten, machten sich oft gegenseitig darauf aufmerksam, wie das untersuchte Argument zu einem Schema auf der Schablone paßte bzw. nicht paßte. Langsam wurde mir klar, daß Studenten, die elementare Logik lernten, in Wirklichkeit lernten, Muster im englischen Text zu erkennen, die sie vorher nicht bemerkt hatten. Während es für einige Studenten ausreichte, ein einziges Mal mit einem neuen Muster konfrontiert zu werden, um es bei jedem weiteren Auftreten wiederzuerkennen, hatten viele einiges Üben nötig, um dieses neue Muster identifizieren zu können.

Das legt nahe, daß das Erlernen der formalen Logik im Grunde darin besteht, Muster zu erkennen. Wenn das stimmt, dann müßte es möglich sein, konnektionistische Netzwerke zum Erkennen logischer Argumentationsformen und zur Vervollständigung von Enthymemen[33] zu entwickeln. In Bechtel und Abrahamsen (1991) werden zwei solcher Netzwerke vorgestellt. Das erste (vgl. Fig. 4) wurde darauf trainiert, einfache Argumentationsformen zu benennen und ihre Gültigkeit zu bewerten. Das Netzwerk arbeitet mit Argumenten, in denen die erste Prämisse eine komplexe Proposition darstellt, die aus zwei atomaren Propositionen oder deren Negationen gebildet wird, sowie aus den logischen Partikeln ODER, NICHT ZUGLEICH und WENN, DANN; die zweite Prämisse ist eine einfache Proposition oder deren Negation, die Konklusion ist ebenfalls eine einfache Proposition oder deren Negation. Es standen vier atomare Propositionen zur Verfügung: A, B, C und D. Man könnte dem Netzwerk beispielsweise vorlegen:

Nicht zugleich A und B
Nicht A
B

Dieses Argument bewerte ich als eine ungültige Form des disjunktiven Syllogismus (DS).[34] Für die Simulation wurde eine Menge von 576 Argumenten konstruiert. Ursprünglich war das Netzwerk auf einer Stichprobe von einem Drittel der Argumente trainiert worden, die es alle richtig zu identifizieren lernte. Es wurde sodann auf dem zweiten Drittel der Argumente getestet und identifizierte 76% von ihnen richtig. Dann gab es ein zusätzliches Training auf der Kombination der ersten beiden Testmengen, und dann wurde das letzte Drittel getestet. Das Netzwerk identifizierte 84% dieser Argumente richtig.

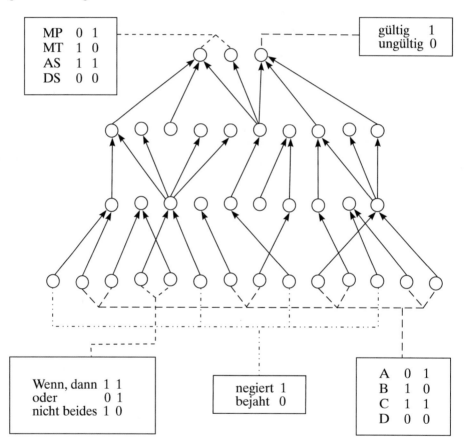

Figur 4: Netzwerk, das die Bewertung von Form und Gültigkeit einfacher Argumente der Aussagenlogik lernt. Dabei bedeuten MP – Modus Tollens, AS – Alternativer Syllogismus, DS – Disjunktiver Syllogismus.

Das zweite Netzwerk bestand aus einer Variation des ersten, bei der in einigen Fällen die Aufgabe darin bestand, Enthymeme zu vervollständigen und in anderen, Form und Gültigkeit des Arguments zu bestimmen. Bei 128 Enthymem-Vervollständigungsaufgaben, auf die das Netzwerk nicht trainiert worden war, gab es in 97,6% der Fälle eine richtige Antwort. Jedoch schnitt dieses zweite Netzwerk wesentlich weniger gut bei Problemen ab, die in der Bewertung von Form und Gültigkeit eines Arguments bestanden. Obwohl diese Simulationen alles andere als endgültig sind, legen sie doch nahe, daß konnektionistische Netzwerke die Fähigkeit besitzen, auf hohem Niveau Aufgaben zu erledigen, die einfache logische Formen betreffen.

Die Behauptung, daß Logik-Fähigkeit auf Mustererkennungs-Fähigkeiten beruht, kann ferner auch dadurch richtig eingeschätzt werden, daß man über die Erfahrungen von Studenten beim Lernen der Konstruktion formaler Beweise nachdenkt. Wenn Studenten die Regeln der natürlichen Deduktion lernen, dann lernen sie, in vorliegenden Prämissen Muster zu identifizieren, die die Anwendung einer Regel gestatten. Das heißt, die Leistung einer Regel besteht darin, ein Muster mit einer erlaubten Antwort auf dieses Muster zu verknüpfen. Bei der tatsächlichen Konstruktion von Beweisen müssen die Studenten noch mehr lernen. Sie müssen nicht nur Situationen erkennen lernen, in denen eine bestimmte Regel angewendet werden kann, sondern auch Situationen, in denen es *nützlich* ist, diese Regel zu gebrauchen. Wenn wir aber darüber nachdenken, wie wir diese Fertigkeit lehren, dann wird klar, daß sie darin besteht, komplexere Muster erkennen zu lernen. Wir könnten versuchen, Regeln aufzustellen, die genau angeben, wann eine bestimmte Regel verwendet werden soll.[35] Es hilft aber normalerweise den Studenten nicht zu lernen, Beweise zu konstruieren, wenn man ihnen schlicht diese Regeln beibringt. Praxis in der Konstruktion von Beweisen bringt mehr. Aus den Erfahrungen solcher Beweispraxis entwickeln Studenten Fähigkeiten zu erkennen, wann bestimmte Schlußregeln nützlich sind. Es ist hilfreich, die Studenten auf einige Indikatoren von Situationen hinzuweisen, in denen eine bestimmte Regel nützlich ist. Das aber scheint den Studenten mehr zu helfen, Muster in Problemen zu sehen, für die sie Beweise konstruieren, als die Regeln *an sich* zu lernen.

Wenn Logik ein Prototyp symbolverarbeitender Aktivität ist und auf Mustererkennung beruht, wie die hier entwickelte Analyse nahelegt, dann mag es eine einleuchtende Annahme sein, daß Symbolverarbeitung selbst in Mustererkennung gegründet ist, und daß Mustererkennung und nicht Symbolverarbeitung die grundlegende kognitive Aktivität darstellt. In einem späteren Abschnitt will ich mich dem Thema Sprache selbst zuwenden und einen Vorschlag dazu unterbreiten, wie die Fähigkeit, die Sprache zur Repräsentation von Information zu verwenden sowie zum Problemlösen mittels sprachlicher Repräsentationen, selbst auf Mustererkennung beruhen könnte. Bevor ich jedoch diese weiterentwickle, möchte ich die eben für die Logik ausgearbeitete Analyse auf zwei andere, menschliche Aktivitäten ausweiten.

Fähigkeit zu Arithmetik und ganz allgemein zu Mathematik betrachtet man oft als eine andere, prototypische, menschliche, kognitive Aktivität, und zwar als eine, bei der Regelbefolgung eine zentrale Rolle spielt. Aber Rumelhart, Smolensky, McClelland und Hinton (1986) bieten eine Analyse an, die einen Vorschlag unterbreitet, wie die Fähigkeit zur Arithmetik auf Mustererkennung beruhen könnte. Sie stellen sich die Aufgabe vor, zwei dreistellige Zahlen miteinander zu multiplizieren und stellen fest, daß die meisten von uns eine solche Aufgabe nicht im Kopf durchführen können. Sobald wir jedoch die Aufgabe in kanonischer Form auf ein Blatt Papier geschrieben haben, »sehen wir den ersten Schritt eines solchen Multiplikationsproblems« (S. 45). Zum Abschluß des ersten Schritts schaffen wir eine neue Mustererkennungsaufgabe:

> »Wir können dann unsere Fähigkeit zum Mustervergleich erneut einsetzen, um zu sehen, was wir als nächstes tun sollen. Jeder Zyklus dieser Operation besteht erstens darin, eine Repräsentation durch Manipulation der Umgebung zu schaffen, und zweitens in einer Verarbeitung dieser (tatsächlichen, physischen) Repräsentation mittels unseres gut abgestimmten Wahrnehmungsapparats mit dem Resultat einer weiteren Modifikation dieser Repräsentation« (S. 45).

Diese Charakterisierung der Arithmetik in Form von Mustererkennung wird noch einleuchtender, wenn wir uns daran erinnern, daß die grundlegenden Werkzeuge der Arithmetik, nämlich Additions- und Multiplikationstabellen, auswendig gelernt sein müssen, bevor man Arithmetik betreiben kann. Diese Tabellen stellen gelernte Antworten auf Muster dar. Von da an besteht Arithmetik darin, diese Antworten auf eine systematische Weise zu geben, was wiederum selbst ein gelerntes Muster darstellt.

Das zweite Beispiel findet man in einem Netzwerk, das Hinton (1986) entworfen hat, um Schlußfolgerungen im Bereich familiärer Beziehungen auszuführen. Hinton konstruierte zwei isomorphe Familienstammbäume und instruierte das Netzwerk sodann über die Stammbäume durch Aktivierung der Einheiten, die einem Familienmitglied entsprechen, sowie einer Verwandtschafts-Beziehung als Eingabe und trainierte das Netzwerk, als Ausgabe, die Einheiten zu aktivieren, die diejenigen Familienmitglieder repräsentieren, auf die die genannte Beziehung paßt. Zum Beispiel wurde dem Netzwerk die Eingabe *Colin hat-eine-Tante* gegeben und es wurde darauf trainiert, die Einheiten *Margaret* und *Jennifer* zu aktivieren. Das Ziel des Netzwerks war es nicht nur, die Beziehungen zu lernen, auf die es trainiert worden war, sondern darüber hinaus Beziehungen *herauszufinden*, auf die es nicht trainiert worden war. In seiner Simulation trainierte Hinton das Netzwerk auf 100 von 104 möglichen Beziehungen und testete sodann seine Fähigkeit, die restlichen vier herauszufinden. Bei einer Simulation antwortete es richtig für alle vier, bei einer anderen richtig für drei von vieren. Das ist eine außerordentlich bescheidene Leistung, aber sie ist es wert, daraufhin untersucht zu werden, wie sie zustandegekommen ist. Hintons Netzwerk bestand aus drei Zwischen- oder verborgenen Schichten von Knoten. Auf jeder Ebene entnahmen die Einheiten Information, die für die umfassende Identifikation des Familienmitglieds von Nutzen war. Informationsentnahme bestand im Erkennen eines Musters in der Aktivierung auf der vorangehenden Knotenschicht und im Schaffen eines neuen Musters, das auf die gleiche Weise von folgenden Schichten verwendet wurde. Wenn eine neue Eingabe gemacht wurde, klassifizierten die Knoten in jeder Schicht das Muster auf der niedrigeren Ebene danach, welchem Trainingsmuster es am ähnlichsten war. Auf diese Weise wird die Schlußfolgerungsaufgabe zu einer Aufeinanderfolge von Mustererkennungsversuchen.

Die entscheidende Einsicht, die Hintons Simulation nahelegt, besteht darin, daß Schlußfolgern in neuen Situationen ein Fall von Mustererkennung sein könnte, die aber nicht durch einen einzigen Schritt erlangt wird, sondern durch eine Kaskade von Schritten, in der einige Muster erkannt werden und in der dann die Identifikation dieser Muster zur Basis des darauffolgenden Erkennens anderer Muster bildet. Es ist nicht klar, wie allgemein dieser Ansatz anwendbar ist. Hintons Netzwerk führt nur eine bescheidene Menge von Schlußfolgerungen aus. Aber zusammen mit der obigen Analyse von Logik und Arithmetik legt es eine Möglichkeit nahe, komplexe kognitive Verrichtungen zu erklären, ohne eine Sprache des Denkens vorauszusetzen oder Denken als einen Prozeß der Symbolmanipulation zu charakterisieren. Damit ist gezeigt, daß eine große Menge Kognition erklärbar sein kann, ohne Sätze im Kopf zu verlangen und Operationen, die an diesen Sätzen ausgeführt werden.

4. Ausdehnung der Konzeption des Denkens

Ein Vorteil, der mit der Verabschiedung der Idee verbunden ist, daß Denken die Manipulation von Symbolen im Kopf erfordere, besteht darin, daß wir in der Lage sind, von einer Anzahl anderer Aktivitäten Notiz zu nehmen, die als kognitiv betrachtet werden sollten, von Philosophen aber ignoriert wurden. Man betrachte z.B., daß viele physische Handlungen mentale Aktivität erfordern. Bereits Gehen oder Autofahren erfordern die Koordination komplexer, eingehender Information mit Bewegungsmustern auf eine solche Art und Weise, daß die erwünschten Ziele erreicht werden. Die Aktivitäten sowohl von geschickten Hand- oder Kopfarbeitern, die Experten in ihrem Bereich sind, bestehen oft darin, Situationen zu erkennen und passend zu antworten.[36] Zwar mag die Aktivität des Sehens, oberflächlich betrachtet, nicht viel kognitive Aktivität zu erfordern scheinen, aber sobald Theoretiker versucht haben zu erklären, wie wir sehen, sahen sie sich veranlaßt, kognitive Operationen anzunehmen. Kant sprach von diesem Vorgang als ›einen Gegenstand unter eine Kategorie bringen‹. Helmholtz führte den Begriff des ›unbewußten Schlusses‹ in seine Wahrnehmungstheorie ein. Gegenwärtige Forschungen über den Sehprozeß in Psychologie und Künstlicher Intelligenzforschung nehmen eine große Menge von Informationsverarbeitung an, die oft darin besteht, Regeln auf die im Reiz enthaltene Information anzuwenden, um zu einem Urteil darüber zu gelangen, was vorhanden ist.

Es ist nicht nur so, daß in diesen grundlegenden Prozessen eine große Menge mentaler Aktivität vorliegt, es ist auch eine Menge *Wissen* nötig, um sie auszuführen. Sehen ist etwas, das wir lernen müssen. Wir bemerken dies am deutlichsten, wenn wir mit neuen Arten von Gegenständen bekannt gemacht werden, z.B. technischen Ausrüstungsgegenständen in einem Labor. Die meisten unserer Urgroßeltern würden keinen Tischcomputer erkennen, was uns überhaupt keine Schwierigkeiten bereitet. Sie hatten nicht gelernt, ihn zu sehen. Dieses Lernen besteht jedoch typischerweise nicht darin, Hinweise aus dem Reiz zu entnehmen und dann formale Regeln anzuwenden, um zu bestimmen, was das Objekt ist. Im allgemeinen wissen wir nicht, was in uns vor sich geht, wenn man uns beibringt, ein neues Objekt zu erkennen, und im allgemeinen können wir nicht sagen, was es uns erlaubt, ein Objekt zu erkennen. Niemand hat uns je Regeln angegeben, es zu sehen. Natürlich könnten wir unbewußt Regeln formulieren und überprüfen, es gibt aber keine Hinweise darauf, daß dem so ist. Es ist vielmehr so, daß wir in Zukunft einen Gegenstand erkennen können, wenn wir ein paar Exemplare gesehen haben und das Objekt vielleicht in die Hand genommen oder mit ihm in irgendeiner Weise interagiert haben.

Wie das Sehen, so ist auch das meiste motorische Handeln erlernt. Eine Menge lernt man dadurch, daß man anderen bei der Ausführung einer Handlung zuschaut, obwohl wir uns beträchtlich darin unterscheiden, wie gut wir diese Handlung ausführen können. Mehr lernt man schon dabei, wenn man tatsächlich versucht, die Handlung auszuführen – durch *Lernen aus Erfahrung*. Durch die Betonung solchen Wissens, bei dem die Information in Sätzen repräsentiert ist, tendieren wir dazu, das zum Handeln erforderte Wissen zu vernachlässigen. Einer der wenigen Versuche, diese Art Wissen zu würdigen, findet man in Ryles (1949) Einführung der Unterscheidung von *wissen, daß* (knowing that) und *wissen, wie* (knowing how). Ryle führt dies als eine in erster Linie grammatikalische Unterscheidung ein. *Wissen, daß* hat als sein Objekt eine Proposition (Regina weiß, daß *der Etat gekürzt wurde*) und scheint so etwas zu identifizieren, das wir *propositionales Wissen* nennen könnten. *Wissen, wie* auf der anderen Seite erfordert einen Infinitiv (Regina weiß, wie sie sich im Zeichnen *verbessern* kann) und scheint auf Wissen darüber zu verweisen, wie man Handlungen ausführt. Über Ryle hinausgehend könnten wir *Wissen, daß* als ein Wissen betrachten, das in Form von Propositionen gespeichert sein könnte, sei es in internen Sätzen oder in Sätzen einer natürlichen Sprache. Psychologen haben solches Wissen als *Aussagewissen* (declarative knowledge) bezeichnet. Im Unterschied dazu besteht *Wissen, wie* in der Fähigkeit, eine Handlung auszuführen. Es scheint keine propositionale Verschlüsselung zu benötigen und wird von Psychologen als *Verfahrenswissen* (procedural knowledge) bezeichnet.

Für Psychologen ist es eine wichtige Frage, wie man *Wissen, wie* bzw. Verfahrenswissen repräsentieren soll, wenn man ein kognitives Modell aufbaut. Eine verbreitete Strategie verwendet hier, allerdings auf modifizierte Weise, das symbolische Medium, das an sich ja eine sehr natürliche Repräsentation des Aussagewissens darstellt. Beispielsweise werden in einem Produktionssystem symbolische Strukturen auf ganz ähnliche Art wie Konditionalsätze zum Einsatz gebracht, um das Verhalten des Systems zu generieren. Die als *Produktionen* bekannten Strukturen bestehen aus einem Antezedens, das Bedingungen angibt, die erfüllt sein müssen, bevor die Produktion zum Einsatz gelangt. Wenn das Antezedens erfüllt ist, dann sagt man, daß die Produktion *feuert*. Das bedeutet, daß die Handlung ausgeführt wird, die im Konsequens angegeben ist. In den meisten Produktionssystemen schließen die Bedingungen die Aktivierung bestimmter Symbole in einem Gedächtnis-Puffer ein, der als *Arbeitsgedächtnis* (working memory) bekannt ist. Viele der Handlungen bestehen in Veränderungen im Arbeitsgedächtnis, aber sie können auch in der Ausführung von Handlungen in der Welt bestehen. Die Menge der Produktionen bildet ein Programm für ein Produktionssystem.

Gegenwärtig werden einige sehr interessante Produktionssysteme zum Einsatz gebracht, um Verfahrenswissen zu modellieren. Es ist bemerkenswert und erschwert es außerordentlich, solche Systeme zur Modellierung von Verfahrenswissen in der wirklichen Welt zu entwickeln, daß diese Systeme spezifizierende Information ausdrücklich in einer propositionsartigen Form verlangen. Man muß ein Vokabular entwickeln, das alle bei der Ausübung einer Aktivität möglichen Zustände beschreibt sowie ein Vokabular zur Beschreibung aller möglichen Handlungen. Auf diese Weise erhalten diejenigen sprachlichen Darstellungsweisen Vorrang, die am natürlichsten bei der Repräsentation von Aussagewissen verwendet werden. Das heißt, daß die Forschungsstrategie der Entwicklung von Produktionssystemen in einem grundlegenden Sinn dem Aussagewissen Vorrang einräumt. Konnektionistische Netzwerke bieten jedoch eine davon ganz verschiedene Möglichkeit, über Verfahrenswissen nachzudenken. Netzwerke antworten auf Bedingungen, die in ihren Eingaben spezifiziert werden, und sie können darauf trainiert werden, auf sehr komplexe Weisen zu antworten. Es ist aber nicht symbolisch verschlüsselte Information, die diese Antwort vermittelt. Dies tun vielmehr Aktivierungszustände und Verbindungsgewichtungen in einem Netzwerk von Verarbeitungseinheiten. Es wird sich wahrscheinlich bei vielen Aufgaben als schwierig oder unmöglich herausstellen, verbal zu beschreiben, was die verborgenen Einheiten oder eine bestimmte Verbindung repräsentieren. Das heißt: wir könnten außerstande sein, ihre Semantik zu charakterisieren. Mehr noch: man kann diese Netzwerke so trainieren, daß sie ihre Aufgaben mittels Algorithmen ausführen, die im Laufe ihrer Anwendung die Gewichtungen innerhalb des Netzwerks revidieren. Wenn wir uns mithin Netzwerke als Vorrichtungen zur Verschlüsselung von Verfahrenswissen denken, dann ist dieses Wissen in den Gewichtungen, nicht in den Symbolen gespeichert.

Der Vorrang symbolischer Weisen der Repräsentation hat dem Aussage- oder propositionalen Wissen sowohl Vorrang in der Kognitionswissenschaft als auch in der Philosophie verschafft. Eine Konsequenz daraus ist, daß wir einen guten Teil des Verfahrenswissens oder des *Wissen, wie* schlicht ignorieren. Zum Beispiel betonen die unterschiedlichen, erkenntnistheoretischen Analysen sämtlich Propositionen und bieten keinerlei Einblick darin, was es heißt zu wissen, wie etwas gemacht wird. Als Ryle seine Unterscheidung von *Wissen, wie* und *Wissen, daß* einführte, bestand sein ausdrückliches Ziel darin, sich von der philosophischen Voreingenommenheit für Tatsachen und theoretisches Wissen abzusetzen, indem er zeigte, daß es einen weiten Bereich des Wissens gibt, das die Voreingenommenheit für *Wissen, daß* unanalysiert läßt. Alles Beliebige, von dem wir sagen können, daß wir es auf eine intelligente oder dumme Weise tun, scheint Wissen zu beinhalten. Zum Beispiel können wir auf eine dumme Art Auto fahren oder auf clevere Weise eine Partie Basketball spielen. Wir können einen Computer auf eine Art auseinandernehmen, die zeigt, daß wir wissen, wie man das macht, oder wir können es auf eine nicht intelligente Art machen, die nahelegt, daß wir nicht wissen, wie man es macht.

Der Bereich des Verfahrenswissens oder *Wissens, wie* zeigt sich als sehr ausgedehnt, wenn wir erst einmal unsere Aufmerksamkeit auf ihn gerichtet haben. Er trifft auch auf intellektuelle Bereiche zu. Ryle selbst hat auf diesen Punkt aufmerksam gemacht:

> »Ja sogar, wenn wir uns mit ihren [d.h. der Menschen] intellektuellen Vorzügen und Schwächen beschäftigen, sind wir weniger an den Wahrheitsvorräten interessiert, mit denen sie sich eingedeckt haben, als an ihren Fähigkeiten, Wahrheiten auf eigene Faust ausfindig zu machen und sie sodann einzuordnen und auszuwerten« (1949, S. 28; dt. S. 30).

Insbesondere in der Wissenschaftstheorie hat unsere Betonung des *Wissens, daß* uns zur Nichtbeachtung vieler Wissensarten verleitet, die ein Wissenschaftler besitzen muß, die sich aber schwer in Propositionen kleiden lassen, sondern sich in der Fähigkeit des Wissenschaftlers zu einem angemessenen Verhalten manifestieren. Zunächst einmal müssen Wissenschaftler, wie Kuhn (1970) und Hanson (1959) beide feststellten, wissen, wie sie die Phänomene, die sie interessieren, zu Gesicht bekommen können, sei es direkt mit ihren Augen oder mittels Instrumenten.[37] Wenn sie Instrumente verwenden, dann müssen sie wissen, wie man sie richtig verwendet. Propositional verschlüsselte Anleitungen, wie in Benutzerhandbüchern oder in den Methodenabschnitten wissenschaftlicher Aufsätze, liefern im allgemeinen nicht genügend Information, um dies zu leisten. Man muß vielmehr aus Erfahrung lernen oder aus der gemeinsamen Arbeit mit einem Techniksachverständigen. In vielen Fällen gibt es keine geeigneten Instrumente. Dann muß man wissen, wie man neue baut und ihre Verläßlichkeit überprüft. Zusätzlich muß man wissen, wie fruchtbare Experimente eingerichtet werden. Dazu gehört z.B., daß man weiß, wie man Variable richtig kontrolliert, wie man sich die richtigen Probestücke verschafft, und wie man sie richtig behandelt. Wenn eine statistische Analyse erforderlich wird, dann muß man wissen, wie man das passende statistische Maß bestimmt und es passend anwendet.

Ein Wissenschaftler muß auch wissen, wie man Information in einem propositionalen Medium vorträgt. Zum Beispiel muß man wissen, wie man einen Forschungsaufsatz schreibt. In einigen Wissenschaften wie der Psychologie braucht es semesterlange Kurse, in denen die Studenten darin unterwiesen werden, wie man einen Aufsatz in die von der *American Philosophical Association* verlangte Form bringt. Wie bei den meisten Tätigkeiten scheint dies Praxis zu erfordern und nicht bloß die passenden, verbalen Anweisungen. Man muß ferner wissen, wie man einen Vortrag hält, was etwas ganz anderes ist als zu wissen, wie man einen Aufsatz schreibt. Und schließlich muß man wissen, wie man einen guten Drittmittelantrag schreibt, was noch einmal eine ganz andere Art des Schreibens darstellt. In allen Fällen muß man wissen, wie man Information auf eine informative Weise präsentiert. Oft bedeutet das, daß man andere Arten der Informationsverschlüsselung verwendet als diejenige durch Sätze. Man muß z.B. wissen, wie man Tabellen macht und Figuren zeichnet, die einen wirksamen Mitteilungseffekt besitzen.

In den letzten beiden Absätzen habe ich lediglich die Oberfläche von all den Wissensarten angekratzt, die in der wissenschaftlichen Tätigkeit enthalten sind.[38] Man muß lernen, wie man diese Tätigkeiten ausübt, und dies tut man nicht durch das Lesen von Propositionen, von äußerst seltenen Fällen einmal abgesehen. Es ist kein Zufall, daß man in den Naturwissenschaften das meiste in einer Art Lehrlings-Position im Labor lernt.[39] Als Kuhn seinen Begriff des Paradigmas einführte, dachte er an das Wissen darüber, wie man viele dieser Arten von Tätigkeiten ausübt. Unsere Vernachlässigung jeder nicht-propositionalen Form der Informationsrepräsentation erschwerte es, den Reichtum des Paradigmabegriffs zu erkennen. Wenn wir jedoch den Charakter von Wissenschaft, auf den Kuhn anspielt, richtig würdigen wollen, dann müssen wir diese, nicht-propositionalen Wissensformen in den Vordergrund rücken.

Einer der Beiträge des Konnektionismus besteht darin, daß er uns eine Fülle an Fällen von Wissen erkennen läßt, die unserer Aufmerksamkeit entgangen waren, indem er uns ein Modell von Systemen liefert, die lernen können und Wissen besitzen, ohne auf satzartige oder symbolische Repräsentationen zurückzugreifen. Das Problem ist allerdings, wie man dieses Wissen analysieren soll. Was z.B. bedeutet es für jemanden, wirklich und nicht bloß scheinbar zu wissen, wie man etwas Bestimmtes macht? Wir benötigen neue begriffliche Werkzeuge, um das zu analysieren. Mehr noch: wenn wir anfangen, das Füllhorn mentaler Tätigkeiten zu betrachten, die beim Tun der Dinge auftreten, die man übersieht, wenn man sich nur auf den Erwerb und die Verteidigung von Propositionen konzentriert, dann wird uns klar, daß wir Werkzeuge benötigen, die jenseits der Alltagspsychologie liegen. Der Konnektionismus gibt uns ein Werkzeug an die Hand, um solche Verhaltensweisen zu modellieren. Es ist aber auf keinen Fall klar, daß dieses den einzigen oder den besten Ansatz darstellt. Es ist aber ein Ansatz, der es uns gestattet, diese Züge des kognitiven Lebens zu erkennen und sich mit ihnen zu befassen. Auf diese Weise erweitert er unser Verständnis des kognitiven Lebens.

5. Der Ort der Sprache und der sprachlichen Repräsentation des Denkens

Nachdem ich eine Verbindung hergestellt habe zwischen Mustererkennung und Ryles Begriff des *Wissens, wie* und nachdem ich dafür argumentiert habe, daß Mustererkennung einen größeren Teil des kognitiven Unternehmens ausmacht und sogar in so prototypischen Schlußfolgerungsaufgaben wie der Konstruktion formaler Beweise eine Rolle spielen könnte, will ich zu der Frage zurückkehren, warum Sprache so eng mit Denken verbunden zu sein scheint. Man sollte nicht verkennen, daß unsere hauptsächliche Weise, über unsere Gedanken zu berichten, sprachlich ist, trotz meiner Behauptung im vorigen Abschnitt, daß sich Denken oft in Handeln manifestiere. Darüber hinaus ist das Erlernen der Sprache ein großer Segen für unsere Fähigkeit zu denken. Schließlich und endlich würde es ohne Sprache unmöglich scheinen, an solche Dinge zu denken wie, was wir nächste Woche machen werden oder Langzeitziele zu formulieren oder Handlungspläne zur Verwirklichung dieser Ziele. Läßt sich die Konzeption, wonach Denken hauptsächlich in Mustererkennung besteht, auf diese sprachlichen Tätigkeiten ausdehnen? In dem geringen Raum, der noch bleibt, läßt sich ein solcher Ansatz nicht besonders detailliert entwickeln. Aber lassen Sie mich skizzieren, wie ein solcher Ansatz funktionieren könnte.

Es könnte mit Blick auf den Spracherwerb natürlich erscheinen, beim ersten Schritt an so etwas zu denken, wie Kinder zu lehren, Etiketten an Gegenstände zu heften. Gewiß spielt diese Art von Tätigkeit eine Rolle: in unserer Kultur z.B. verwenden Eltern oft Zeit darauf, mit Kindern Bilderbücher durchzugehen und ihnen beizubringen, die dort abgebildeten Tiere oder Gegenstände mit einem Etikett zu versehen. Das wäre eine Tätigkeit, die sich für eine Analyse nach Art der Mustererkennung eignete: Kinder lernen dabei, welche Art von Mustern in ihrer Umgebung in welche Kategorien einzuordnen sind. Dieser Ansatz bietet aber eine nur sehr schwache Erklärung dafür, wie die meisten Kinder Sprache lernen. Oft begegnet ihnen Sprache zuerst als ein Werkzeug. Dadurch, daß sie lernen, bestimmte Töne hervorzubringen, sind sie in der

Lage, bestimmte Situationen zu beeinflussen. Andrew Lock (1980) hat dargelegt, daß ein wichtiger Teil dieses Vorgangs darin besteht, jemanden da zu haben, der die Äußerungen des Kindes auf besondere Art interpretiert, sie als intentional behandelt und entsprechend antwortet. Er legte Beschreibungen des Lernprozesses vor, in denen es so aussieht, als ob Kinder beim ersten Gebrauch eines sprachlichen Ausdrucks solche Intentionen oft noch gar nicht besitzen, aber aus der Antwort der Betreuungsperson lernen, ihn in einer bestimmten Weise zu gebrauchen. Noch einmal, von zentraler Bedeutung ist, daß das Kind lernt, ein Muster zu erkennen, das die Situation erfaßt, in der eine Äußerung gemacht wird, ferner die Äußerung und die Konsequenzen, und daß das Kind lernt, das Muster erneut zu aktivieren, wenn die Umstände entsprechend und die Konsequenzen erwünscht sind.

Dieser Vorschlag mag exzessiv empiristisch scheinen, von der Art, die von Behavioristen befürwortet wird. Zwar gibt es Gemeinsamkeiten mit dem behavioristischen Ansatz, es besteht aber für den Konnektionisten keine Notwendigkeit, der extremen Fixierung auf Umgebungsfaktoren (environmentalism) des Behavioristen beizupflichten. Das Netzwerk, das Sprache lernen soll, ist wahrscheinlich schon hochstrukturiert, bevor das Kind damit beginnt, Töne hervorzubringen, die als sprachlich interpretiert werden. Es mag ganz wohl so sein, daß ein Teil der Grundstruktur aus der Wechselwirkung der Gene des Kindes mit seiner frühen, pränatalen Umgebung herrührt. Bald nach der Geburt hat das Kind gelernt, mit vielen Merkmalen seiner Umgebung zurechtzukommen. In einem sehr frühen Stadium identifiziert es in seiner Umgebung Muster, die im Laufe seiner Tätigkeiten erneut auftreten und fängt an, sich wiederholende Muster zu erwarten. Insbesondere war das Kind schon eine Zeitlang Sprache ausgesetzt, ehe es damit begann, Laute zu produzieren, die denen der Sprache ähnlich waren, denn von anderen Menschen in seiner Umgebung wurde Sprache verwendet. Es gibt Hinweise darauf, daß ein Kind bereits in einem frühen Stadium seines Lebens sich der Beziehung bewußt ist zwischen den Lauten, die seine Mutter hervorbringt, und ihrer physischen Erscheinung. Wird dieses Muster unterbrochen, dann wird das Kind sehr verwirrt (Murray & Trevarthen, 1985). Darüber hinaus mehren sich die Hinweise darauf, daß Kinder manches von dem zu verstehen beginnen, was man ihnen sagt, bevor sie mit ihrer Teilnahme am Medium der Sprache durch die Hervorbringung eigener Laute beginnen. All das erfordert eine reiche, innere Struktur in einem Netzwerk, das eine Grundlage bietet, auf der das Lernen von Mustererkennung in der Sprache und schließlich auch angemessener Sprachgebrauch aufbauen kann.

Zwar sehe ich das nicht als einen empiristischen Vorschlag an, er ist aber dazu gedacht, die anfängliche Externalität von Sprache zu betonen. Sprache existiert in der Umgebung, in dem das Kind großgezogen wird, und das Kind muß lernen, in diesem Medium genauso zu interagieren, wie es dies im Medium von Gegenständen und Menschen lernen muß. Das Kind muß *lernen, wie* die Sprache gebraucht werden muß. Anfangs mag das nötig sein, um Informationen aus der Umgebung aufzunehmen, um etwa fähig zu sein, aus dem, was andere sagen, zu antizipieren, was geschehen wird oder durch das, was man selbst sagt, Einfluß auf das zu nehmen, was andere tun. Sprache leistet sich aber noch mehr Ressourcen. Man kann zum Selbstzweck Beschreibungen der Welt entwickeln. Man kann Sprache verwenden, um Regularitäten in der Welt zu beschreiben. Das kann man mit von außen her übernommenen Worten machen. Aber sobald man Vertrautheit mit der Sprache gewonnen hat, kann man diese Worte für einen selbst einüben oder sie sich für einen späteren Gebrauch merken.[40] Wir können dazu gelangen, Sprache in unserem Denken zu gebrauchen. Zum Beispiel können wir Gebrauch von Logikmustern machen, um Muster zu vervollständigen, die damit begonnen haben, daß man Sätze anderer hörte oder las, oder um eigene Sätze zu konstruieren. Auf diese Weise kann Sprache ein Werkzeug des Denkens werden. Das aber liefert eine Perspektive auf die Beziehung von Sprache und Denken, die dramatisch von derjenigen verschieden ist, die man gemeinhin im philosophischen Diskurs annimmt. Es ist ein Bild, in dem Sprache beim Denken verwendet wird, nicht aber eines, in dem die Existenz der Sprache die Grundlage für unser Denken bildet.

Lassen Sie mich, um diese Skizze zu vervollständigen, zu dem zurückkehren, was bei Fodor als zentrales Merkmal des Denkens eine Sprache des Denkens erfordert: das Phänomen des systemischen Zusammenhangs. Fodor behauptete, daß im Falle des Besitzes einer Sprache des Denkens der systemische Charakter des Denkens zu erwarten wäre, ohne diese Sprache aber eine Überraschung darstellte. Er behauptete ferner, daß Konnektionisten für jede Form systemischen Zusammenhangs in unserem Denken eine gesonderte Erklärung liefern müßten. Es gibt dazu aber eine Alternative. Angenommen, Sprachen besitzen eine Zusammensetzungssyntax und -semantik, dann weisen sie systemischen Zusammenhang auf. Um zu lernen, wie man Information aus Sprache herausholt oder Information sprachlich verschlüsselt, muß man *lernen, wie* man diese Zusammensetzungssyntax und -semantik verwendet. Vorausgesetzt wir haben gelernt, wie man dieses in der Sprache gefundene *Muster* verwendet, dann werden wir auch in der Lage sein, den Satz *Mary liebt den Blumenhändler* zu verstehen, wenn wir den Satz *Der Blumenhändler liebt Mary* verstanden haben. Auf diese Weise wird für uns als Sprachverwender unser Denken nicht vonstatten gehen, sondern den systemischen Charakter aufweisen, den Fodor identifiziert hat. In diesem Fall können wir den systemischen Charakter der Sprache, die gelernt wird, zuschreiben und nicht der grundlegenden Fähigkeit zu denken.

Mein Vorschlag: systemischer Zusammenhang rührt daher, daß wir Sprache gelernt haben. Zwar steht das in scharfem Kontrast zu Fodors Vorschlag, daß systemischer Zusammenhang ein wesentliches Merkmal des Denkens an sich darstellt, daraus herrührend, daß alles Denken Sprache benutzt. Es ist aber ein Unterschied, der schwer zu überprüfen ist. Dennoch kann einige Bestätigung in der Tatsache gefunden werden, daß

Kinder in ihrer frühen Sprachentwicklung bestimmte Strukturen lernen, während sie noch große Schwierigkeiten haben, damit nah verwandte zu verstehen. Aber vielleicht kann man die Glaubwürdigkeit der Behauptung, daß systemischer Zusammenhang zusammen mit Spracherlernung erworben wird, steigern, wenn wir eine von Fodors Behauptungen zugunsten des Systemcharakters des Denkens untersuchen. Er zeigt auf eine Katze namens Greycat und behauptet, daß auch Greycat eine Sprache des Denkens besitzen muß (Fodor, 1987). Es ist aber längst nicht klar, daß Greycat systemischen Zusammenhang aufweist. Ich zweifle nicht daran, daß Greycat in einem bestimmten Sinn den Gedanken, eine Maus zu jagen, bedenken könnte. Aber ich habe äußerste Zweifel an der Behauptung, daß Greycat den Gedanken erwägen könnte, daß eine Maus sie jagen könnte. Katzen sind Produkte der Evolution und sind sozialisiert worden, sich in ihrer Umwelt auf eine bestimmte Weise zu verhalten. Ein Teil davon mag darin bestehen, Situationen zu antizipieren. Evolution und Sozialisation versorgen die Katze mit einer ganzen Reihe von Optionen, in Situationen, mit denen sie konfrontiert wird, zu antworten. Aber es ist kein klarer Selektionsvorteil oder eine andere evolutionäre Erklärung zu erkennen, warum sie Systemcharakter in ihren Repräsentationen erwerben sollte, wenn dieser sie nur dazu befähigen würde, unmögliche oder irrelevante Situationen zu repräsentieren.

Es gibt jedoch wenigstens ein mögliches Szenario dafür, wie Sprache Systemcharakter erworben haben könnte. Lautmuster könnten eine Menge von Bedeutungen transportieren. Als die stimmliche Kommunikation sich zu entwickeln begann, konnte man verständlicherweise lernen, jedes dieser Lautmuster unabhängig voneinander zu erkennen und hervorzubringen. Aber die Erweiterung der Kraft dieser Ressource in die Richtung, den Menschen die Mitteilung neuer Information zu ermöglichen, machte es erforderlich, diesen Lautmustern Struktur aufzuprägen. So könnte z.B. jemand ein System erfinden, um den Handelnden in einer Äußerung zu bezeichnen, so daß es für jemand möglich wird mitzuteilen, daß ein Individuum B eine Handlung ausgeführt habe, die bis dahin nur als von dem Individuum A ausgeführt beschrieben wurde. Das hochentwickelte Mustererkennungssystem, das schon bei den Frühmenschen vorlag, könnte wahrscheinlich gelernt haben, auf diese Struktur zu antworten. Im Laufe der Zeit könnten die Sprachen Systeme entwickelt haben, die die Menschen befähigten, mehr mit ihnen zu tun. Alles, was Menschen zu tun hatten, war zu *lernen, wie* sie diese Strukturen gebrauchen mußten. Der wichtige Punkt hier besteht darin, daß sich die Sprache evolutionär entwickelt, und wir könnten uns gut vorstellen, wie diese Evolution die Sprache zu einem brauchbareren Instrument für die Kommunikation gemacht hat. Als dieses Instrument jedoch façettenreicher wurde, erlaubte es auch ein komplexeres, inneres Denken.

Obwohl ich angenommen habe, daß ein konnektionistisches System lernen könnte, Sprache zu verwenden, habe ich nicht viel über die Natur jenes Systems gesagt. Aber es ist klar, daß es kein einfaches vorwärts arbeitendes Netzwerk des Typs sein würde, wie er in den ENTWEDER-ODER- oder den Logiksimulationen verwendet wurde. Denn erstens würde ein Netzwerk, das Sprache zu verwenden lernt, vermutlich bereits eine große Menge Wissen darüber besitzen, wie Gegenstände erkannt werden und wie Handlungen in der Welt vorbereitet werden, wie ein Kind, das anfängt, sprechen zu lernen. Ferner ist die grammatikalische Struktur jeder natürlichen Sprache komplex und sogar erfahrene Sprachbenutzer sind anstandslos bereit, sich in passender Weise subtilen Änderungen in der Struktur von Sätzen anzupassen. Wir können z.B. ohne Schwierigkeiten Sätze vom Passiv ins Aktiv umformen. Auch sind wir recht empfänglich für einigermaßen weitreichende Abhängigkeit in Sätzen, wie z.B. den Subjekt-Prädikat Zusammenhang über einige Wörter dazwischen aufrechtzuerhalten.[41] Es ist klar, daß ein Netzwerk eine komplexe Organisation verlangt, um mit solchen strukturempfindlichen Fähigkeiten klarzukommen. Neuere Forschungen von Konnektionisten haben damit begonnen, Netzwerk-Architekturen zu erkunden, die in der Lage sein könnten, wenigstens eine gewisse Bandbreite sprachlicher Fähigkeiten aufzuweisen. Zum Beispiel wurden rekurrierende Netzwerke zur Modellierung weitreichender, sprachlicher Abhängigkeit verwendet (Elman, 1990), sowie zur Revision semantischer Interpretationen von Wörtern im Laufe der Verarbeitung darauffolgender Wörter (St. John & McClelland, 1991). Autoassoziative Netze wurden zur Entwicklung interner Repräsentationen von Sätzen verwendet, auf denen syntaktische Operationen ausgeführt werden können (Chalmers, 1990, Pollack, 1991), und ähnliche Netzwerke wurden verwendet, um innere, semantische Repräsentationen zu entwickeln, die an unterschiedlichen Verarbeitungs-Netzwerken beteiligt sind (Miikkulainen & Dyer, 1991).

Der Ansatz, für den ich mich in Richtung auf eine konnektionistische Modellierung der Sprache ausgesprochen habe, besteht darin, Sprache in erster Linie als aus externen Symbolen bestehend aufzufassen, aus denen kognitive Systeme Information schöpfen und Reihungen zum Zweck interpersonaler Kommunikation bilden können, und nicht als ein repräsentationelles System, das intern unter Verwendung formaler Regeln manipuliert wird. Es mag von Nutzen sein, mit einer metaphorischen Charakterisierung meines Vorschlags zu schließen. Nachdem Turing die Idee der Turing-Maschine als eines Apparats entwickelt hatte, der jeden beliebigen, algorithmisch darstellbaren Vorgang ausführen konnte, wurde es populär zu glauben, daß eine geeignete Turing-Maschine in der Lage sein könnte, das Denken eines menschlichen Wesens darzustellen. Es ist aber wichtig, sich daran zu erinnern, daß eine Turing-Maschine aus zwei Komponenten besteht: ein Band, auf dem Symbole aufgezeichnet sind, und ein Lesegerät, das imstande ist, eine endliche Anzahl Regeln anzuwenden und sich in eine endliche Anzahl von Zuständen zu bewegen. Wenn man sich den Geist als eine Turing-Maschine vorstellt, dann versetzt man metaphorisch die ganze Turing-Maschine, Band und Lesegerät, in den Kopf. Mein Vorschlag besteht aber darin, nur das Lesegerät hineinzusetzen. Das Band kann draußen in der Welt gelassen werden (vgl. Fig. 5). Obwohl das Lesegerät eine Maschine mit einer endlichen Anzahl von Zuständen ist, erwirbt es mit Hilfe des externen Bandes die unbegrenzte Kraft der Turing-Maschine. Wenn man sich das Lesegerät nicht so denkt, daß seine Regeln und der Bereich seiner Zustände im Voraus festgelegt sind, sondern es vielmehr als ein konnektionistisches System betrachtet, das durch Erfahrung lernen kann, dann können wir mit ziemlich begrenzten Ressourcen eine ziemlich vielseitige Maschine bekommen. Bei dieser Konzeption ist es aber so, daß die externen Symbole eine starke Ressource für das relativ einfache System darstellen, aber eben nicht innerhalb von ihm sind. In ähnlicher Weise liefert nach meinem Ansatz die Fähigkeit, externe Symbole zu produzieren und auf sie zu antworten eine starke Ressource, die Mustererkennungs-Fähigkeiten eines konnektionistischen Systems zu erweitern.

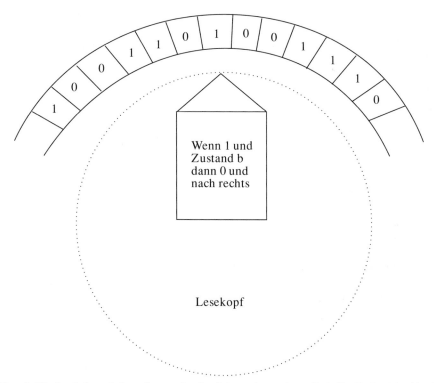

Figur 5: Die Symbolverarbeitungskonzeption des Geistes nimmt eine vollständige Turing-Maschine im Kopf kognitiv Handelnder an. Der Alternativvorschlag besteht darin, nur den Lesekopf im Geist anzusiedeln. Das potentiell unendliche Band, auf dem die Symbole aufgeschrieben werden, kann in der Außenwelt bleiben.

6. Schluß

Ziel dieses Aufsatzes war es, die enge Beziehung zu brechen, die Philosophen oft als zwischen Sprache und Denken bestehend angenommen haben. Der Sprache-des-Denkens-Ansatz zur Erklärung der Kognition hat diese Assoziation verstärkt. Ich habe aber dargelegt, daß das Sprache-des-Denkens-Modell in unangemessener Weise ein begriffliches Gerüst, das für den Gebrauch der Sprache zwischen Personen geeignet ist, dazu verwendet, Vorgänge innerhalb einer Person zu analysieren. Der Konnektionismus hilft dabei, diese Verbindung zu brechen, indem er ein Gerüst für die Modellierung von Kognition anbietet, das keine Sätze im Kopf behauptet.

Konnektionistische Netzwerke sind auf natürliche Weise als Mustererkennungs-Apparate konstruiert und verstärken die Erwartung, daß Mustererkennung und nicht schlußfolgerndes Operieren mit Symbolen die grundlegende, kognitive Tätigkeit darstellt. In Weiterführung dieser Erwartung habe ich angedeutet, wieviel sogar von menschlicher Kognition, einschließlich z.B. unserer Befähigung, Schlußverfahren der Logik anzuwenden, aus Mustererkennung besteht. Ferner habe ich nahegelegt, daß die Fähigkeit, die Netzwerke bei der Mustererkennung aufweisen, eine Möglichkeit bieten, Ryles Begriff des *Wissens, wie* zu entwickeln und zu zeigen, wie Verfahrenswissen eine bedeutende Wissensform darstellen könnte, die außerhalb des Rahmens von *Wissen, daß* oder Aussagewissen liegt. Nachdem ich so weit gegangen war, die Verbindung zwischen Sprache und Denken auseinanderzubrechen, deutete ich jedoch auch an, daß Sprache und Denken durch den Gedanken verbunden sein könnten, daß eine Sprache zu verwenden eines von jenen Dingen ist, von denen wir Menschen *wissen, wie* wir sie tun sollen. Der Erwerb der Fähigkeit, Sprache zu verwenden mittels unserer Begegnungen mit Sprache als einem externen Symbolsystem, erhöht die Kraft unserer Denkfähigkeit. Offensichtlich ist Denken, das Sprache benutzt, außerordentlich stark. Meine Behauptung aber ist, daß das nur eine Manifestation des Denkens unter anderen ist, nicht aber sein Wesen darstellt.

Anmerkungen

1 Vgl. Glossar: Kognitionswissenschaft.
2 Vgl. Glossar: mental.
3 Vgl. Glossar: propositionale Einstellung.
4 Man sollte allerdings beachten, daß es recht problematisch ist, einzelne Sätze als Objekte des Wissens zu betrachten. Wir hegen im allgemeinen ziemliche Zweifel daran, ob jemand etwas Bestimm-

tes weiß, wenn er es nur in einer einzigen Menge von Wörtern auszudrücken versteht und nicht in der Lage ist, mit anderen Worten neu zu formulieren, was er zu wissen beansprucht.Das Mindeste, was wir zu verlangen scheinen, ist eine Fähigkeit, Sätze zu erzeugen, die unser Wissen zum Ausdruck bringen.

5 Vgl. Glossar: Erklärung.

6 d.h. Sätze der Form: ›Für alle x gilt: wenn Fx, dann Gx‹ (Anm. des Übers.).

7 Vgl. Glossar: Paradigma.

8 Vgl. Glossar: Inkommensurabilität.

9 Vgl. Glossar: Behaviorismus.

10 Vgl. Glossar: rekursiv.

11 Vgl. Glossar: Syntax und Semantik.

12 Vgl. Glossar: Kognition.

13 Vgl. Glossar: Realismus.

14 Manchen schien der buchstäbliche Gedanke an Sätze im Kopf schwer vorstellbar. Vielleicht genau so schwer vorstellbar wie der, daß kleine Bilder im Kopf unsere mentalen Vorstellungen erklären sollten. Hier half die Verfügbarkeit des Computermodells zu klären, was überhaupt behauptet wird. Einige Computersprachen speichern Information in Strukturen, die in ihrem Charakter den Propositionen der natürlichen Sprache sehr ähnlich sind. Die Programme, die in diesen Sprachen geschrieben sind, führen dann Manipulationen mit diesen Repräsentationen aus. Auf diese Weise liefert der Computer ein Modell eines mechanischen Geräts, das Prozesse ausführt, die stark jenen gleichen, die als im Kopf ablaufend postuliert werden. Während der Gedanke, daß der Computer oder der Geist sprachliche Strukturen in sich speichern und Operationen darauf ausführen können, zunächst abwegig zu sein scheint (wer glaubt schon, daß man einen Schädel öffnen und kleine Sätze darin geschrieben finden kann!), ist das Geheimnis rasch entzaubert. Die Schöpfer von Computersprachen entwickeln Übersetzer oder Compiler, die die Repräsentationen aus der hohen Sprachebene in sehr niedrigstufige, symbolische Repräsentationen übertragen, die direkt einfachen Schaltern entsprechen, die entweder *ein* oder *aus* sind. Die Anweisungen zur Umformung der in der niedrigstufigen Sprache kodierten Repräsentationen sind ihrerseits selbst in die gleiche Art von Schalterzuständen übersetzt, aber in solche Schalterzustände, die auf eine solche Art Änderungen im Zustand der anderen Schalter ausführen, daß es sicher ist, daß das, was in Form von Schalterzuständen herauskommt, bei der Rückübertragung in die höhere Sprachebene der richtigen Repräsentation in dieser Sprache entspricht. Obwohl die Architektur des Gehirns von der eines Computers verschieden ist, ist es nicht unmöglich, daß eine ähnliche Art der Übersetzung aus natürlichen Sprachen in Gehirnzustände und zurück in natürliche Sprachen im Gehirn ausgeführt werden könnte. Der Gedanke an Sätze im Gehirn mag falsch sein, er ist aber nicht widerspruchsvoll.

15 Vgl. Glossar: analog.

16 Vgl. Glossar: Alltagspsychologie.

17 Der modus ponens ist die Schlußform, die aus dem Vorliegen von ›wenn A, dann B‹ und ›A‹ die Schlußfolgerung ›B‹ zu ziehen gestattet (Anm. des Übers.).

18 Vgl. Glossar: Extension und Intension von Begriffen.

19 Vgl. Glossar: Bezug.

20 Vgl. Glossar: Funktionalismus.

21 Vgl. Glossar: Kybernetik, Neurowissenschaft.

22 Für einführende Werke in diesen Ansatz vgl. Bechtel & Abrahamsen, 1991, Rumelhart, McClelland, & the PDP Research Group, 1986, sowie McClelland, Rumelhart, & the PDP Research Group, 1986.

23 Diese Netzwerke werden wegen des nur in die eine Richtung vom Systemeingang zum Systemausgang gerichteten Signalflusses feed forward genannt. Man verwendet auch die Bezeichnung Von-unten-nach-oben-Netzwerke (bottom-up-networks) (Anm. des Übers.).

24 D.h. eine Funktion, in der Variable zweiter oder höherer Potenz auftraten (Anm. des Übers.).

25 Vgl. Glossar: Rückwärtspropagierung.

26 Als verborgene Einheiten bezeichnet man die Elemente eines Netzwerks, die weder Eingabe-, noch Ausgabeeinheiten sind (Anm. des Übers.).

27 Vgl. Glossar: Symbolverarbeitungstheorie.

28 Es gibt eine ganze Anzahl von nicht-traditionellen Symbolverarbeitungs-Modellen, die von Forschern im Bereich der Kategorisierung entwickelt wurden, die Gewichtungen auf verschiedenen Merkmalen verwenden und so viele eben dieser Effekte erreichen können. Die Verwendung numerischer Gewichtungen macht diese Systeme aber in ihrem Charakter konnektionistischer als traditionelle Symbolverarbeitungs-Modelle.

29 Dieser Gebrauch von ›Ähnlichkeit‹ beinhaltet, daß das Netzwerk bei der Ausführung von Kategorisierung im allgemeinen keine Menge notwendiger und hinreichender Bedingungen verwendet. Jedoch legt die kognitionspsychologische Arbeit der letzten fünfzehn Jahre nahe, daß menschliche Kategorien nicht durch notwendige und hinreichende Bedingungen charakterisiert sind, sondern eine Prototyp-Struktur besitzen, nach der die Mitglieder einer Kategorie als bessere oder schlechtere Fallbeispiele dieser Kategorie benotet werden. Man vgl. Neisser, 1987 und Lakoff, 1987.

30 Es muß betont werden, daß Mustererkennung auf eine dynamische Weise ausgeübt wird, in dem Maße wie der Organismus sich in seiner Umwelt herumbewegt. Der Organismus erkennt kein statisches Bild und handelt dann, sondern bringt seine Identifikation von Objekten und Ereignissen in seiner Umwelt auf den neuesten Stand und bewegt sich in dieser Umwelt herum.

31 Vgl. Glossar: natürliches Schließen.

32 Der Fehlschluß der Bejahung des Konsequens (affirmatio conseqentis) besteht aus dem unerlaubten Folgern von ›A‹ bei Vorliegen von ›Wenn A dann B‹ und ›B‹ (Anm. des Übers.).

33 Unvollständige Argumente, d.h. Argumente, in denen entweder eine Prämisse oder die Konklusion fehlt.

34 Der disjunktive Syllogismus (DS) ist ein Schlußschema, in dem eine Prämisse eine logische Disjunktion enthält, d.h. einen komplexen Satz, der aus mit dem nicht-ausschließenden ›Oder‹ verknüpften Elementarsätzen besteht. Die erste Prämisse des Beispiels ist entgegen ihrer äußeren Form eine Disjunktion, da sie dem Satz ›Nicht A oder Nicht B‹ äquivalent ist. Bei Vorliegen von ›Nicht A‹ wäre auch die Konklusion ›Nicht B‹ logisch korrekt (Anm. des Übers.).

35 Solche Regeln wären z.B. die Regeln, die wir in einem Computerprogramm für den Beweis von Theoremen kodieren könnten.

36 Z.B. Erkennen, daß ein Bolzen lose ist und ihn wieder befestigen, oder bemerken, daß ein Patient einen Infarkt erleidet und die Notrufnummer wählen.

37 Mikroskopbeobachter müssen beispielsweise wissen, wie Fotos aus Elektronenmikroskopen zu interpretieren sind.

38 Ähnliche Listen könnten für andere menschliche Tätigkeiten entwickelt werden.

39 Obwohl der lehrlingshafte Teil der philosophischen Ausbildung sehr viel weniger offensichtlich ist, so sind doch die Formen des *Wissens, wie* in unserem Beruf nicht minder bedeutend. Man muß lernen, wie man argumentiert, wie man argumentierende Aufsätze schreibt usw. Wie in den Disziplinen, die ausdrücklich eine Lehre (apprenticeship) vorsehen, wird dies in den meisten Fällen durch Erfahrung gelernt: man nimmt an Seminaren teil und schreibt Seminararbeiten.

40 Aber sogar letztere Aktivität, die einen symbolischen Gedächtnisspeicher zu verlangen scheint,

könnte nicht auch die *Speicherung* von Wörtern im Kopf erfordern, sondern nur die Fähigkeit, sie zu rekonstruieren.

41 Dabei sind wir allerdings nicht unfehlbar, und gelegentlich halten wir beim Sprechen an und bemerken, daß wir vergessen haben, wie der Satz begonnen hat.

Literatur

Anderson, J.R. (1983): *The Architecture of Cognition.* Cambridge, MA: Harvard University Press.

Anderson, J.R. (1990): *The Adaptive Character of Thought.* Hillsdale, NJ: Lawrence Erlbaum Associates.

Bechtel, W. & Abrahamsen, A. A. (1991): *Connectionism and the Mind: An Introduction to Parallel Processing in Networks.* Oxford: Basil Blackwell.

Bechtel, W. & Richardson, R. C. (1992): *Discovering Complexity: Decomposition and Localization as Strategies in Scientific Research.* Princeton: Princeton University Press.

Chalmers, D. J. (1990): Syntactic transformations on distributed representations. *Connection Science,* 2, 53-61.

Chomsky, N. (1957): *Syntactic Structures.* The Hague: Mouton.

Deacon, T. (1992): *Symbolic Origins.* New York: W. W. Norton.

Dennett, D. C. (1978): *Brainstorms.* Cambridge, MA: MIT Press.

Elman, J. L. (1990): Finding structure in time. *Cognitive Science,* 14, 179-211.

Field, H. H. (1978): Mental representation. *Erkenntnis,* 13, 9-61.

Fodor, J. A. (1987): *Psychosymantics: The Problem of Meaning in the Philosophy of Mind.* Cambridge, MA: MIT Press.

Fodor, J. A. & Pylyshyn, Z. W. (1988): Connectionism and cognitive architecture: A critical analysis. *Cognition,* 36, 193-202.

Harman, G. (1973): *Thought.* Princeton: Princeton University Press.

Hinton, G. E. (1986): Learning distributed representations of concepts. *Proceedings of the Eighth Annual Conference of the Cognitive Science Society,* pp. 1-12. Hillsdale, NJ: Erlbaum.

Holland, J. H., Holyoak, K. J., Nisbett, R. E. and Thagard, P. R. (1986): *Induction: Processes of Inference, Learning, and Discovery.* Cambridge, MA: MIT Press.

Kosslyn, S. M. (1980): *Image and Mind.* Cambridge, MA: Harvard University Press.

Kuhn, T. S. (1970): *The Structure of Scientific Revolutions.* Chicago: University of Chicago Press.

Lakoff, G. (1987): *Women, Fire and Dangerous Things: What Categories Reveal about the Mind.* Chicago: University of Chicago Press.

Lock, A. (1980): *The Guided Reinvention of Language.* London: Academic.

Lycan, W. G. (1981a): Toward a homuncular theory of believing. *Cognition and Brain Theory,* 4, 139-159.

Lycan, W. G. (1981b): Form, function, and feel. *Journal of Philosophy,* 78, 24-49.

Lycan, W. G. (1987): *Consciousness.* Cambridge, MA: MIT Press.

Margolis, H. (1987): *Patterns, Thinking, and Cognition.* Chicago: The University of Chicago Press.

McClelland, J. L., Rumelhart, D. E., & the PDP Research Group (1986): *Parallel Distribution Proces-*

sing: Explorations in the Microstructure of the Cognition. Vol. 2: Psychological and Biological Models. Cambridge, MA: MIT Press.

McCulloch, W. S. & Pitts, W. (1943): A logical calculus of the ideas immanent in nervous activitiy. *Bulletin of Mathematical Biophysics*, 5, 115-133.

Miikkulainen, R. & Dyer, M. G. (1991): Natural language processing with modular PDP networks and distributed lexicon. *Cognitive Science*, 15, 343-399.

Minsky, M. A. & Papert, S. (1969): *Perceptrons*. Cambridge, MA: MIT Press.

Murray, L. & Trevarthen, C. (1985): Emotional regulation of interactions between two month olds and their mothers. In: T. M. Field & N. A. Fox (eds.), *Social Perception in Infants*, pp. 177-197. Norwood, NJ: Ablex.

Neisser, U. (ed.) (1987): *Concepts and Conceptual Development: Ecological and Intellectual Factors in Categorization*. Cambridge, England: Cambridge University Press.

Newell, A. & Simon, H. A. (1972): *Human Problem Solving*. Englewood Cliffs, NJ: Prentice-Hall.

Pitts, W. & McCulloch, W. S. (1947): How we know universals: the perception of auditory and visual forms. *Bulletin of Mathematical Biophysics*, 9, 127-147.

Pollack, J. B. (1991): Recursive distributed representations. In: Geoffrey Hinton (ed.), *Connectionist symbol processing*, pp. 77-105. Cambridge, MA: MIT Press.

Pylyshyn, Z. W. (1984): *Computation and Cognition: Toward a Foundation for Cognitive Science*. Cambridge, MA: MIT Press.

Rosenblatt, F. (1958): The perceptron: A probabilistic model for information storage and organization in the brain. *Psychological Review*, 65, 368-408.

Rumelhart, D. E., McClelland, J. L., & the PDP Research Group (1986): *Parallel Distribution Processing: Explorations in the Microstructure of the Cognition. Vol. 1: Foundations*. Cambridge, MA: MIT Press.

Rumelhart, D. E., McClelland, J. L., & Williams, R. J. (1986): Learning internal representations by back-propagation. *Nature*, 323, 533-536.

Rumelhart, D. E., Smolensky, P., McClelland, J. L., & Hinton, G. E. (1986): Schemata and sequential thought processes in PDP models. In: McClelland, Rumelhart, and the PDP Research group, 1986.

Ryle, G. (1949): *The Concept of Mind*. New York: Barnes & Noble, dt. Der Begriff des Geistes, übers. von Kurt Baier, Stuttgart 1969: Reclam.

Sellars, W. F. (1963): Empiricism and the philosophy of mind. In: W. F. Sellars, *Science, Perception, and Reality*, pp. 253-359. London: Routledge and Kegan Paul.

Sejnowski, T. J. & Rosenberg, C. R. (1987): Parallel networks that learn to pronounce English text. *Complex Systems*, 1, 145-168.

St. John, M. F. & McClelland, J. L. (1991): Learning and applying contextual constraints in sentence comprehension. In: G. Hinton (ed.), *Connectionist symbol processing*, pp. 217-257. Cambridge, MA: MIT Press.

Vygotsky, L. V. (1962): *Thought and Language*. Cambridge, MA: MIT Press.

(Übersetzung: Gereon Wolters)

ERNST PÖPPEL

Neuropsychologische Rekonstruktion der subjektiven Kontinuität

Wenn wir eine monistische Position hinsichtlich des Leib-Seele-Problems annehmen, daß nämlich subjektive Phänomene als Zustände des Gehirns zu beschreiben sind, dann müssen wir uns fragen, wie subjektive Phänomene im Gehirn repräsentiert sind. Eine Möglichkeit zur Klärung dieser Frage wird durch neuropsychologische Beobachtungen nahegelegt, die zeigen, daß spezifische Läsionen des Gehirns zu definierten funktionellen Ausfällen führen. Solche Beobachtungen können in der folgenden Weise genutzt werden: Da die Zerstörung umschriebener Gebiete des Gehirns zu spezifischen Funktionsverlusten führt, kann gefolgert werden, daß unter normalen Bedingungen diese Hirnareale für die Verfügbarkeit genau dieser Funktionen verantwortlich sind.

Die hieraus abgeleitete moduläre Repräsentation[1] spezifischer Funktionen (Fodor, 1983) wird durch eine Vielzahl von Beobachtungen bestätigt. Hinsichtlich eines möglichen Katalogs psychischer Elementarfunktionen wird man zu folgender These gedrängt: Das gesamte Repertoire psychischer Phänomene wird durch definierte neuronale Programme verfügbar gemacht, wobei die einzelnen funktionstragenden Programme als voneinander unabhängig anzusehen sind. Diese neuronalen Programme sind häufig räumlich voneinander getrennt, d.h. Läsionen in bestimmten Gebieten des Gehirns führen zu den beobachteten spezifischen Funktionsverlusten. Es ist jedoch möglich, daß verschiedene Programme in ein und demselben Areal des Gehirns repräsentiert sind, wobei die Nutzung verschiedener Transmittersysteme die funktionelle Trennung ermöglicht.

Die Beobachtung, daß Funktionen örtlich im Gehirn repräsentiert sein können, geht schon auf das letzte Jahrhundert zurück (Broca, 1865). Das Prinzip der Lokalisation von Funktionen bezieht sich auf 4 Klassen mentaler Phänomene, die gleichsam das »Material« möglicher Erlebnisse ausmachen. Diese 4 Klassen sind:

1. die Funktionen der Wahrnehmung, 2. die Funktionen der Reizverarbeitung (Lernen, Gedächtnis, Assoziationen), 3. die Funktionen der Reizbewertung (Gefühle) und 4. die Funktionen des Handelns, Agierens und Reagierens, d.h. der Motorik im weitesten Sinne.

Nur wenige Beispiele seien gegeben, um das Prinzip der räumlich getrennten Repräsentation von Funktionen zu verdeutlichen. Am besten untersucht ist bisher das visuelle

153

System (z.B. Zeki, 1978). Es kann gezeigt werden, daß visuelle Teilfunktionen abhängig sind von der Integrität umschriebener Regionen des Gehirns. Falls eine solche Region nicht länger funktionsfähig ist (z.B. aufgrund eines Schlaganfalls oder eines traumatischen Ereignisses), dann können Funktionen wie das Farbensehen, das Erkennen von Gesichtern oder das Wahrnehmen von Bewegungen selektiv ausgeschaltet sein. Entsprechende Beispiele lassen sich aus den anderen Sinnesmodalitäten geben, die das Konzept der Modularität der Funktionsrepräsentation bestätigen.

Modularität ist aber auch von den anderen drei Klassen psychischer Phänomene anzunehmen. Durch eine Vielzahl von Experimenten und durch klinische Beobachtungen wird nahegelegt, daß die Gedächtnissysteme modulär aufgebaut sind. Das Speichern neuer Information scheint neuronal unabhängig zu sein von dem Wiedererkennen oder dem Erinnern, und das prozedurale Gedächtnis scheint anders als das referentielle (semantische) Gedächtnis organisiert zu sein. Für den Bereich der Reizbewertung (d.h. der Gefühle), scheint ebenfalls das Prinzip der modulären Repräsentation zu gelten, wie beispielsweise durch Reizexperimente im limbischen System oder neuroethologische Studien gezeigt werden konnte; verschiedene Emotionen werden durch unterschiedliche neuronale Programme bereitgestellt, die örtlich getrennt im Gehirn repräsentiert sind.

Schließlich scheint die Modularität auch für den Bereich des Handelns, des Agierens und des Reagierens zuzutreffen. Ein wesentlicher Repräsentant dieses Funktionsbereiches ist die Sprache. Es kann gezeigt werden, daß die einzelnen linguistischen Kompetenzen von der Integrität spezifischer Regionen des Gehirns abhängig sind. Das Konzept der Modularität hat seine erste wissenschaftliche Bestätigung wohl durch die Beobachtungen von Broca (1865) erhalten; man muß vermuten, daß die linguistischen Kompetenzen der Syntax, der Semantik oder der Prosodie durch voneinander unabhängige neuronale Programme bereitgestellt werden.

Die vier Klassen psychischer Phänomene umfassen jene Funktionsbereiche, die das Inhaltliche des Psychischen ausmachen. Es handelt sich also um »Was-Funktionen«. Weitere neuronale Mechanismen sind jedoch erforderlich, die die Verfügbarkeit des Psychischen garantieren. Diese sog. »Wie-Funktionen« können auch als logistische Voraussetzungen verstanden werden. Ohne hinreichende Aktivation wird die Stufe zur Bewußtheit des Psychischen nicht erreicht. Die tagesperiodische Veränderung der Aktivation wird z.B. im Schlaf-Wach-Zyklus ausgedrückt und belegt die Wichtigkeit der Aktivation. Es gibt allerdings auch Langzeitmodulationen der Aktivation, die abhängig von der Müdigkeit, dem Menstrualzyklus oder auch von den Jahreszeiten sind. Die Aktivation ist des weiteren abhängig von pharmakologischen Manipulationen oder von Läsionen des Gehirns, d.h. sie kann durch Hinverletzungen eingeschränkt sein, sodaß die Verfügbarkeit psychischer Funktionen nicht mehr gegeben ist, obwohl die neuronalen Programme der Was-Funktionen im Prinzip funktionsfähig wären.

Die räumlich getrennte Repräsentation von Funktionen im Gehirn wirft die Frage auf, wie ein einheitliches Erleben denn überhaupt möglich ist. Wie können Funktionen, die in verschiedenen Bereichen des Gehirns repräsentiert sind, zusammengebunden werden, um zu ermöglichen, was ein Gesunder üblicherweise erlebt, daß nämlich ein subjektives Phänomen nur eines ist, und daß es offenbar eine anschauliche Kontinuität des Erlebens gibt?

Bevor zu diesen Fragen Stellung bezogen werden kann, müssen zwei weitere Probleme angesprochen werden, nämlich

1. wieviele verschiedene Hirnareale (Module) bei jedem mentalen Akt möglicherweise beteiligt sind und 2. welche neuronalen Zeitkonstanten für die unterschiedlichen Funktionsklassen angenommen werden können, d.h. wie lange dauern Wahrnehmungen oder Gefühle? Die verschiedenen Zeitkonstanten können Aufschluß darüber geben, wie lange einzelne Funktionen neuronal verfügbar sind.

Bezüglich der ersten Frage muß angenommen werden, daß jeder mentale Akt durch die gleichzeitige Aktivität nicht eines, sondern mehrerer neuronaler Module charakterisiert ist. Messungen der regionalen Hirndurchblutung oder die Verwendung der Positronen-Emissions-Tomographie (PET) haben ergeben, daß jeweils mehrere und räumlich getrennte Areale des Gehirns eine höhere Aktivität bei bestimmten Aufgaben zeigen. Jeder mentale Akt ist durch ein spezifisches Muster räumlich verteilter Aktivitäten in neuronalen Modulen gekennzeichnet.

Diese Beobachtung weist darauf hin, daß neuronale Mechanismen vorhanden sein müssen, die die Integration der verteilten Aktivitäten ermöglichen, damit auf der Erlebnisebene ein einheitliches und auf einen Sachverhalt fokussiertes subjektives Ereignis geformt wird. Eine mögliche Grundlage für die Bindung verteilter neuronaler Aktivitäten kann in neuronalen Oszillationen gesehen werden, die Systemzustände bereitstellen, innerhalb derer Integrationsprozesse ablaufen (Pöppel et al., 1990).

Eine Antwort auf die Frage nach den Zeitkonstanten innerhalb der verschiedenen Funktionsklassen kann nur in einer qualitativen Weise gegeben werden. Die kürzesten Zeitkonstanten sind wahrscheinlich für die Wahrnehmungsfunktionen anzunehmen. Die sensorisch verfügbare Umwelt verändert sich ununterbrochen, was dazu führt, daß die neuronale Information, die in den verschiedenen Sinneskanälen repräsentiert wird, ebenfalls einer kontinuierlichen Veränderung unterworfen ist. Es ist nicht einfach, einen zeitlichen Bereich anzugeben, der für diese Funktionsklasse gilt, aber man befindet sich auf der sicheren Seite, wenn man annimmt, daß die zentrale Verfügbarkeit im Wahrnehmungsbereich auf einige hundert Millisekunden beschränkt sein dürfte. Im Gegensatz dazu sind die Zeitkonstanten im Gedächtnissystem sehr viel länger; man kann annehmen, daß im Langzeitgedächtnis Information praktisch nie verloren wird, d.h., für viele Dekaden verfügbar bleibt. Innerhalb des Kurzzeitgedächtnisses bleibt die Information wohl nur bis zu einigen Sekunden repräsentiert. Die Module des Aktions- und Reaktionsbereiches halten ihre Information vermutlich ebenfalls im Bereich bis zu mehreren

Sekunden, wie sich aus Untersuchungen über das Bereitschaftspotential (z.B. Deecke et al., 1976) ableiten läßt.

Die Frage nach den Zeitkonstanten im Bereich der Reizbewertung (Gefühle) ist schwieriger zu beantworten. Auf der Grundlage ethologischer Studien (z.B. Lorenz, 1978) kann man vermuten, daß hier eine längerfristige Repräsentation gegeben ist, wie wir sie beispielsweise beim appetitiven Verhalten beobachten können. Die emotionelle Bewertung von Reizgegebenheiten dauert so lange, bis es zu einem konsummatorischen Akt kommt, bis also eine Bedürfnisbefriedigung eingetreten ist. Die zentrale Verfügbarkeit der Gefühle kann also Minuten, Stunden oder auch Tage dauern. Diese Überlegung impliziert, daß die grundlegende Aufgabe eines Organismus darin besteht, ein homöostatisches Gleichgewicht zu halten. Abweichungen vom homöostatischen Gleichgewicht führen zu neuronalen Erregungen, die auf der Erlebnisebene als Gefühle repräsentiert sind; über die Gefühle wird versucht, das Verhalten eines Organismus in einer solchen Weise zu orientieren, daß das homöostatische Gleichgewicht schließlich wieder hergestellt wird. Typische Beispiele hierfür sind etwa das Gefühl des Hungers oder der Lust, die das Verhalten in eine bestimmte Richtung orientieren, bis es zu einem konsummatorischen Akt kommt und damit die emotionelle Bewertung reduziert und eventuell auf ein neues Ziel gerichtet wird.

Wenn man von der Hypothese der modulären Funktionsrepräsentation ausgeht, hat man sich also mit dem Problem auseinanderzusetzen, wie die räumlich getrennten Funktionen des Gehirns zusammengebunden werden. Des weiteren muß man sich mit der Frage auseinandersetzen, wie einzelne Erlebnisse über die Zeit hinweg zusammengefaßt werden. Es wird vermutet, daß in verschiedenen Kontexten spezifische Systemzustände definiert werden, die durch die Arbeitsweise des Gehirns bestimmt sind, und die als logistische Grundlage für solche Bindungsoperationen neuronaler Aktivitäten angenommen werden können. Wie andernorts beschrieben, gibt es hinreichend Evidenz dafür, daß das Gehirn Systemzustände mit einer Dauer von etwa 30 bis 40 Millisekunden (ms) ausnutzen könnte (Pöppel, 1985, Pöppel et al., 1990). Überschwellige Reize, die die sensorische Oberfläche erreichen, lösen nach der Transduktion in den Rezeptoren neuronale Oszillationen aus, die eine Periode von 30 bis 40 ms haben und die die jeweiligen hypothetischen Systemzustände einer solchen Dauer definieren. Ein Systemzustand ist dadurch gekennzeichnet, daß eine zeitliche Beziehung verschiedener Ereignisse, die auf der physikalischen Ebene als zeitlich aufeinanderfolgend beschrieben werden können, vom Gehirn nicht mehr möglich ist. Dies bedeutet, daß ein Systemzustand einer Zone von Atemporalität entspricht, innerhalb derer die gesamte physikalisch unterscheidbare Information als gleichzeitig behandelt wird. Für das Gehirn gibt es unterhalb einer Zone von 30 bis 40 ms keine Zeit. Es wird vorgeschlagen, daß diese Systemzustände die logistische Grundlage für räumliche Bindungsoperationen des Gehirns bereitstellen. Informationen aus verschiedenen sensorischen Kanälen können unabhängig vom Auftritt innerhalb einer solchen Zeitzone als gleichzeitig bewertet werden und somit für das Gesamtsystem (den Organismus also) einen Zustand definieren. Auf dieser Grundlage ist es im Prinzip möglich, durch geeignete neuronale Programme die räumliche Trennung der funktionellen Repräsentationen zu überbrücken.

Die operationale Basis für diese Systemzustände wird durch neuronale Relaxationsoszillatoren bereitgestellt. Derartige Oszillationen sind dadurch gekennzeichnet, daß sie unmittelbar durch einen Reiz synchronisiert und in eine bestimmte Phasenlage gebracht werden können. Hinzu kommt, daß ihre Frequenz variabel sein kann, und daß sie aufgrund von Dämpfung nach einigen Perioden nicht mehr erkennbar sein können. Der Ablauf des Mentalen ist nach dieser Hypothese also eingebettet in eine Folge von Systemzuständen, deren Dauer in Grenzen variabel ist, und die durch jeweils neue Reize auf ein neues Geschehen fokussiert werden können. Mit zunehmendem zeitlichen Abstand von einem synchronisierenden Reiz wird aufgrund der gedämpften Schwingung, d.h. der flacher werdenden Amplitude der neuronalen Oszillation, die Wahrscheinlichkeit größer, daß ein neuer Reiz das System resynchronisiert. Nach diesem Konzept dienen neuronale Oszillationen also dem Zweck, eine Folge von Systemzuständen als formale Basis für Bindungsoperationen bereitzustellen; die Oszillationen selber sind somit nicht der Ausdruck einer Bindungsoperation. Hierfür müssen weitere neuronale Programme gesucht werden.

Es ist wichtig, zwischen verschiedenen Ebenen neuronaler Bindung zu unterscheiden, denn die räumlichen und zeitlichen Bindungsoperationen werden vermutlich durch unterschiedliche neuronale Programme bewerkstelligt. Auf der untersten Ebene der visuellen Informationsverarbeitung ist die Bindung verteilter neuronaler Aktivität dadurch charakterisiert, daß Erregungen, die jeweils identische Eigenschaften in verschiedenen Teilen des Gesichtsfeldes repräsentieren, zusammengefaßt werden; der topologische Ansatz der visuellen Reizverarbeitung (Chen, 1982) muß beispielsweise eine solche Bindungsoperation voraussetzen.

Auf der nächsthöheren Ebene der Bindung wird bereits eine semantische Steuerung wirksam. Wenn verschiedene Qualitäten zusammengefaßt werden, wie z.B. die Farben eines Objektes und die Konturen, die das Objekt aufweist, dann muß das Wahrnehmungssystem mit »Top-Down«-Steuerung definieren, welche verschiedenen Qualitäten zusammenzufassen sind. Auf dieser Ebene der Bindung muß ein Schema oder ein Konzept eines wahrgenommenen Objektes vorhanden sein, um die notwendigen neuronalen Programme zu aktivieren. Es ist wichtig, daß bei diesen Bindungsoperationen, die verschiedene Qualitäten betreffen, jeweils auch räumlich verteilte Aktivitäten zusammengefaßt werden müssen.

Auf der dritten Ebene der Bindung werden Informationen aus den verschiedenen Sinneskanälen zusammengefaßt. Gegenstände, die im visuellen Bereich definiert sind, tragen häufig auch auditive oder taktile Information. Diese intersensorischen

Bindungsoperationen müssen deshalb die intrasensorischen Operationen transzendieren.

Diese hierarchisch angeordneten drei Ebenen der Bindungen, die räumliche Informationen, qualitative Information und Informationen der unterschiedlichen Sinnessysteme zusammenfassen, setzen vermutlich unterschiedliche neuronale Programme voraus. Es ist aber vorstellbar, daß die Einführung von zeitlichen Systemzuständen (etwa im Bereich von 30 bis 40 ms) als eine formale Grundlage genutzt werden kann, um diese Bindungsoperationen sachgerecht durchzuführen. Wie die neuronalen Programme im einzelnen charakterisiert sind, ist noch weitgehend unklar, doch Objekt intensiver Forschung.

Es ist typisch für die menschliche Wahrnehmung und Kognition, daß aufeinanderfolgende mentale Ereignisse zusammengefaßt werden, wie wir es typischerweise vom Hören der Sprache oder der Musik oder dem Sehen von Bewegungen kennen. Auf der Ebene der zeitlichen Bindung müssen zwei prinzipiell verschiedene Operationen unterschieden werden. Auf der unteren Ebene ist ein automatischer zeitlicher Integrationsprozeß implementiert, der Informationen bis zu ungefähr 3 Sekunden zusammenfaßt (Pöppel, 1985). Dieser zeitliche Bindungsprozeß ist insbesondere dadurch gekennzeichnet, daß Ereignisse bis zu maximal etwa 3 Sekunden integriert werden können, daß aber durchaus kürzere Integrationszeiten möglich sind. Dieses Operationsprinzip impliziert, daß zeitliche Bindungsprozesse syntaktisch nach oben bis etwa 3 Sekunden geschlossen, semantisch nach unten, für kürzere Intervalle also, offen sind. Diese Bindungsoperation ist damit sowohl als »bottom-up« als auch als »top-down« zu verstehen. Die Integrationsleistungen im Bereich von etwa 3 Sekunden stellen ein universelles Phänomen dar, das verschiedene Arten mentaler Tätigkeit (Wahrnehmung, Kognition, Motorik) in verschiedenen Kulturen kennzeichnet; die 3-Sekunden-Segmentierung ist auch bei kulturellen Artefakten zu beobachten (Pöppel, 1985).

Auf einer hierarchisch höheren Ebene der zeitlichen Bindung muß ein neuronaler Prozeß angenommen werden, der die Inhalte dessen, was jeweils in den 3-Sekunden-Segmenten repräsentiert ist, miteinander in Beziehung setzt. Der Integrationsprozeß auf der unteren Ebene mit einer Dauer von etwa 3 Sekunden stellt die formale Basis für bewußte Repräsentation zur Verfügung und ist somit eine logistische Voraussetzung der Hirntätigkeit. Durch diesen Prozeß wird aber nicht das »Was« des zu Repräsentierenden ausgewählt; hiermit ist jeweils nur das »Wie« gekennzeichnet. Die subjektive Kontinuität der Erfahrung kommt dadurch zustande, daß eine semantische Verbindung dessen besteht, was jeweils in aufeinanderfolgenden 3-Sekunden-Segmenten repräsentiert ist. Die Beobachtung, daß die Kontinuität zusammenbrechen kann, wie bei schizophrenen Erkrankungen, weist darauf hin, daß es ein spezifisches neuronales Programm geben muß, das verantwortlich ist für die semantische Verbindung von jeweils jenen Ereignissen, die innerhalb eines 3-Sekunden-Segmentes repräsentiert sind.

Die spezifische Operationsweise der neuronalen Programme, die für den semantischen Nexus verantwortlich ist, kann augenblicklich noch nicht angegeben werden. Es läßt sich jedoch vermuten, daß die subjektive Kontinuität dadurch herbeigeführt wird, daß neuronale Hysterese-Effekte, die die Konsequenz der verschiedenen Zeitkonstanten der neuronalen Repräsentation bei den Elementarfunktionen sind, ausgenutzt werden, um anschauliche Kontinuität zu schaffen. Es wurde betont, daß die emotionelle Bewertung von Sachverhalten (und auch die Gedächtnisprozesse) jeweils relativ lange Zeitkonstanten haben. Es sei betont, daß jeder mentale Akt durch die emotionale Bewertung von Sachverhalten gekennzeichnet ist (Pöppel, 1982). Die subjektive Kontinuität des Erlebens kann somit dadurch gewährleistet sein, daß die langen Zeitkonstanten der emotionellen Bewertung, die für das homöostatische Gleichgewicht des Verhaltens verantwortlich sind, genutzt werden. Aufgrund einer gleichbleibenden Bewertung von Sachverhalten wird eine Abhängigkeit aufeinanderfolgender mentaler Akte eingeführt, und die statistische Abhängigkeit der jeweiligen Inhalte in aufeinanderfolgenden Segmenten ist die Grundlage der subjektiven Kontinuität auf phänomenaler Ebene. Auf der Grundlage solcher Operationen ist es möglich, die potentiell unendlich vielen Systemzustände des Gehirns in ihrer Zahl erheblich zu reduzieren. Subjektive Kontinuität ist somit auch Ausdruck einer Reduktion potentiell möglicher Systemzustände.

Anmerkung

1 Vergl. Glossar: Repräsentation

Literatur

Broca P.: Sur le siège de la faculté du langage articulé. Bull. Soc. Anthropol., 337-393 (1865).
Chen L.: Topological structure in visual perception. Science 218, 699-700 (1982).
Deecke L., Grözinger B., Kornhuber H.H.: Voluntary finger movement in man: cerebral potentials and theory. Biol.Cybern. 23, 99 (1976).
Fodor J.A.: The Modularity of Mind. The MIT Press, Cambridge/MA (1983).
Lorenz K.: Vergleichende Verhaltensforschung: Grundlagen der Ethologie. Springer, Wien (1978).
Pöppel E.: Lust und Schmerz. Grundlagen menschlichen Verhaltens. Verlag Severin & Siedler, Berlin (1982), 2. Aufl. 1993.

Pöppel E.: Grenzen des Bewußtseins. Über Wirklichkeit und Welterfahrung. Deutsche Verlags-Anstalt, Stuttgart (1985), 2. Aufl. 1988.

Pöppel E., Ruhnau E., Schill K., von Steinbüchel N.: A hypothesis concerning timing in the brain. In: H.Haken, M.Stadler (Eds.): Synergetics of Cognition. Springer, Berlin, 144-149 (1990).

Zeki S.: Functional specialisation in the visual cortex of the rhesus monkey. Nature 274, 423-428 (1978).

BRUNO PREILOWSKI

Geist und Gehirn: Bewußtsein und Gehirnfunktionen aus der Sicht der Neuropsychologie[1]

Von einem berühmten Philosophen wird berichtet, daß er eines Tages seine Vorlesung ausfallen ließ, und der Pedell einen Zettel an die Tür des Hörsaals heftete, auf dem stand: »Der Herr Professor ist mit dem Denken noch nicht fertig.« Wenn Sie heute keinen solchen Zettel an der Tür dieses Hörsaal fanden, dann nicht, weil ich mir einbilde, ich hätte ein solches Eingeständnis nicht nötig gehabt. Vielmehr stelle ich mir entschuldigend vor, daß man zur Thematik dieses Vortrages mit dem Denken niemals fertig werden kann. Darüberhinaus bin ich kein Philosoph und hoffte somit, daß Sie von mir nicht erwarten, das Leib-Seele-Problem zu lösen oder den Sinn unseres Seins zu erklären. Ich verkenne dabei nicht, daß Überlegungen über Geist und Gehirn, selbst wenn ich dies einschränkend als Diskussion über Bewußtsein und Funktionen des Gehirns verstanden wissen möchte, letztlich auf diese Fragen hinauslaufen, beziehungsweise durch diese motiviert werden. In der Neuropsychologie, insbesondere in der klinischen Neuropsychologie, gibt es jedoch noch andere, unmittelbar zwingendere Gründe, sich mit Bewußtsein und Gehirnfunktionen zu beschäftigen.

Was mich in diesem Zusammenhang interessiert, und darüber möchte ich hier diskutieren, ist die Frage, ob man mit Hilfe eines Konstruktes, nämlich eines Komplexes von Hirnfunktionen, die man zusammenfassend als »Bewußtsein« bezeichnet, ein umfassenderes Verständnis von den Verhaltensmöglichkeiten nach Hirnschädigungen erreichen kann. Ein besseres Verständnis kann sowohl für den hirngeschädigten Patienten, wie auch für seine Angehörigen und die an seiner Behandlung beteiligten Personen eine wesentliche Hilfe darstellen. Darüber hinaus sollte es dazu beitragen, die Planung und Durchführung von Maßnahmen zur Verbesserung der Lebenssituation betroffener Patienten wirkungsvoller gestalten zu können.

Probleme bei der Definition von Geist und Bewußtsein

Der Formulierung des Titels ist zu entnehmen, daß ich aus neuropsychologischer Sicht eher über »Bewußtsein« als über »Geist« diskutieren möchte. Die Konnotationen von »Geist« im Sinne von »mens« sind mir durchaus wichtig, die von »spiritus« aber möchte ich meiden. Nur insoweit erscheint mir »Bewußtsein« gegenüber »Geist« die bessere Wahl zu sein.

Selbst wenn religiöse und weltanschauliche Fragen, beispielsweise zur »Seele«, ausgeklammert sind, hat »Bewußtsein« immer noch so viele Bedeutungen, daß man sich mit gutem Recht fragen kann, ob es bei dem Versuch, Zusammenhänge zwischen Verhalten, beziehungsweise Verhaltensmöglichkeiten und Gehirnfunktionen aufzuklären, sinnvoll ist, ein derart vieldeutiges Wort zu verwenden. Ich glaube es *ist* sinnvoll; denn, obwohl es vielleicht nicht möglich sein wird, eine Definition von Bewußtsein zu geben, die jedem Anspruch gerecht wird, so haben wir alle doch ein Gefühl dafür, was es heißt, bewußt zu sein und Bewußtsein zu haben. Diesen gemeinsamen Nenner kann man nutzen, um auch ein Verständnis für Verhaltensänderungen Hirngeschädigter zu wecken.

Sprachforscher sagen uns, daß das Wort »Bewußtsein« in den meisten Sprachen erst relativ spät auftauchte; viele Kulturen kamen also offensichtlich sehr lange ohne diesen Begriff aus. Dafür gibt es sicherlich historische, religiöse und geistesgeschichtliche Gründe. Vielleicht lag es aber auch daran, daß »Bewußtsein« damals wie heute gleichzeitig etwas sehr Selbstverständliches und etwas sehr Geheimnisvolles ist. Auch die Psychologie, zu deren zentralen Themen »Bewußtsein« gehört, tut sich mit diesem Begriff schwer. Es ist möglich, daß »Bewußtsein« einfach zu selbstverständlich und zu allumfassend ist, um eine für seine wissenschaftliche Bearbeitung befriedigende Definition oder Theorie zu formulieren. Vielleicht liegt es auch daran, daß wir eigentlich noch überhaupt nicht wissen, was eine solche Theorie alles erklären sollte.

William James, der vor hundert Jahren in verführerischer Einfachheit die Inhalte der Psychologie beschrieb und daher gewiß einer derjenigen ist, die zum Thema »Bewußtsein« am häufigsten zitiert werden, bekannte in einem posthum veröffentlichten Aufsatz: »For twenty years I have mistrusted ›consciousness‹ as an entity; for seven or eight years past I have suggested its non-existence to my students and tried to give them its pragmatic equivalent in realities of experience. It seems to me that the hour is ripe for it to be openly and universally discarded« (James, 1912, S.3). James hatte 1890 in »The principles of psychology« die Psychologie als »science of mental life« definiert und damals Bewußtsein noch als »stream of thought« charakterisiert. Er hätte »Bewußtsein« eventuell auch als Strom der Gefühle bezeichnet, vor allem weil Gedanke und Gefühl, im Gegensatz zu Bewußtsein, Verbformen haben und so den für ihn wichtigen funktionellen Aspekt betonen. Erst in der zwei Jahre später herausgegebenen Kurzform seines

Lehrbuches gibt es die Kapitelüberschrift »Stream of consciousness«, die uns das wahrscheinlich berühmteste Bild des Bewußtseins lieferte.

Bewußtsein als Welt in unserem Gehirn[2]

Paläobiologische Untersuchungen (z.B. Jerison, 1973) deuten darauf hin, daß die Entwicklung zu größeren und komplexeren Gehirnen insbesondere bei den Primaten mit einer qualitativen Veränderung einherging. Eine Chance, um außerhalb enger ökologischer Nischen zu überleben, lag offensichtlich darin, mit einem im Vergleich zum Körpergewicht immer größeren Gehirn immer mehr Informationen zu verarbeiten und immer flexiblere Verhaltensmöglichkeiten zu entwickeln.

Die wachsenden Ansprüche an die Kapazität des Gehirns sind leicht vorstellbar. Um zum Beispiel gleichzeitig mehrere Wahrnehmungssysteme zu nutzen, bedarf es komplexer Integrationsmechanismen: anders wäre es nicht möglich festzustellen, ob Geräusche, Gerüche und visuelles Bild zu ein- und demselben Objekt im Raum gehören. Oder es sind Verschiebungen der unterschiedlichen Sinneswelten gegeneinander zu kompensieren, beispielsweise der visuellen Umwelt gegenüber der auditiven, wenn Augenbewegungen bei unbewegtem Kopf ausgeführt werden. Oder Erregungen von Sensoren, die unterschiedlich weit vom Gehirn entfernt sind, müssen zeitlich in Beziehung zueinander gesetzt werden. Entsprechend müßte ebenso für differenzierte Reaktionen auf eine immer größere Anzahl von Reizkonfigurationen das Gehirn ständig größer und komplexer werden.

Dem Wachstum des Gehirns aber sind Grenzen gesetzt. Sein Energiebedarf ist relativ groß; die metabolischen Kosten wachsen also mit zunehmender Gehirngröße enorm an. Auch ein immer größerer Kopf bei der Geburt oder ein immer länger andauerndes postnatales Gehirnwachstum bringen Nachteile mit sich. Und so scheint ab einem bestimmten Ausbaugrad des Gehirns, anstatt eines größeren Wachstums, die Plastizität und die Lernfähigkeit sowie die flexible Nutzung von Gehirnsubstanz zuzunehmen. Damit wäre es möglich, daß große Teile des Gehirns für den Aufbau einer ständig wechselnden Gehirnwelt verwendet werden, die Vergangenheit und Gegenwart wie auch Erwartungen über mögliche zukünftige Veränderungen beinhaltet.

Wie im Bild des »Bewußtseinsstroms«, ist diese Welt im Gehirn zugleich immer von einer scheinbaren Konstanz und doch von einem Moment zum nächsten nie identisch. Sie bildet nur scheinbar eine Einheit, weil sie immer wieder nach einem bestimmten Satz von Regeln aufgebaut wird oder in ihrem Aufbau zumindest durch Regeln eingegrenzt wird. Diese Regeln sind teilweise durch die genetische Programmierung der Bestandteile des Gehirns festgelegt, teilweise ergeben sie sich aus der Entwicklung von funktionellen Gesetzmäßigkeiten, beispielsweise durch Wahrscheinlichkeiten, die aus einem ständig wachsenden Erfahrungsschatz berechnet werden können.

Die Gehirnwelt ist jedoch - auch unter theoretisch gleichbleibenden äußeren Einflüssen - nie statisch, sondern unterliegt einem ständigen Wechsel. Sie wird ständig erneuert. Menge und Inhalte der Einzelteile dieser Konstruktion, sowie deren zeitliche Persistenz, Klarheit, Intensität, Detailliertheit und Kohärenz sind nie gleich. Teils sind diese Veränderungen willentlich beeinflußbar, teils scheinen sie sich selbständig zu entwickeln. Zumeist ergibt sich eine sinnvolle Ordnung, dann wiederum ist eine solche nicht klar ersichtlich. Manchmal decken sich die Bilder der inneren Welt mit den äußeren momentanen Gegebenheiten, ein anderes Mal ergibt sich keine direkte Beziehung zwischen äußerer und innerer Welt. Sie kann zeitweise scheinbar grenzenlos weit und zum anderen außerordentlich klein und eng sein. Oft können wir uns selbst als mehr oder weniger großen Teil dieser Welt erleben, manchmal scheinen wir darin gar nicht vorzukommen. Unser »Selbst« können wir als identisch mit dieser Gehirnwelt erleben, aber auch quasi von ihr abgehoben, in ihr agierend oder sie bearbeitend.

Bewußt zu sein, bewußt zu leben und zu handeln, bedeutet, um diese Welt im Gehirn zu wissen. Es bedeutet auch, sich in ihr zurecht zu finden. Diese Begriffsbestimmung paßt übrigens auch zur Herkunft des Wortes »Bewußtsein«. Von den Ethymologen erfahren wir, daß das Adjektiv »bewußt« eigentlich ein Partizip des frühneuhochdeutschen »bewissen« darstellt. »Bewissen« hieß soviel wie, »sich zurechtfinden«. Im Mittelniederdeutschen gab es »beweten« in der Bedeutung von »auf etwas besinnen, um etwas wissen« (Duden Band 7, 1963, S.64).

»Sich zurechtfinden, sich auf auf etwas besinnen, um etwas wissen« -Funktionen des Gehirns, die dies ermöglichen, bzw. mit diesen Verhaltensweisen identisch sind, das ist für mich Bewußtsein.

Die in dieser Definition erkennbare Annahme einer monistischen Identitätshypothese hat rein pragmatischen Charakter: Solange ich mit einer »Substanz« auskomme, wozu sollte ich dann eine zweite ins Spiel bringen? Wenn meine Formulierungen diesen Standpunkt nicht immer ganz überzeugend wiedergeben, so liegt das zum einen wahrscheinlich an mangelnder philosophischer Bildung und Disziplin, aber unter anderem auch daran, daß jedes Reden über Geist oder Bewußtsein immer ein »dualistisches G'schmäckle« hat; da ist zum einen der Gegenstand der Diskussion und zum anderen der, der darüber redet. Aber deshalb werde ich genausowenig zum Dualisten, wie wenn ich auf die Frage, welche Feststellung der Wahrheit näher zu kommen scheine, »Ich habe ein Gehirn« oder »Ich bin ein Gehirn«, die erste Aussage der zweiten vorziehe.[3]

Was sich hier aber andeutet, ist die Notwendigkeit, zwischen Bewußtsein im Sinne einer Gehirnwelt unseres wachen Erlebens und Bewußtsein im Sinne eines »Ich« oder »Selbst« zu unterscheiden.

164

Bewußtsein, Hirnfunktionen und Klassifikationen neuropsychologischer Störungen

Aus der introspektiven Beschreibung von »Bewußtsein« und der entwicklungsbiologischen und ethymologischen Rechtfertigung, ergibt sich »Bewußtsein« als Konstrukt aus einem Komplex von Hirnfunktionen, die eine Gehirnwelt darstellen. Die Frage ist nun, ob neuropsychologische Störungen als Veränderungen der Möglichkeiten verstanden werden können, diese Gehirnwelt aufzubauen und zu nutzen. Können neuropsychologische Symptome beispielsweise damit erklärt werden, daß Patienten Probleme haben, verschiedene Informationen in der relevanten Auswahl, notwendigen Qualität und sinnvollen Ordnung zusammenzustellen? Gibt es andere Symptome, die darauf zurückgeführt werden können, daß die Kontrolle über die Konstruktion der Gehirnwelt eingeschränkt ist, etwa indem die Konstruktion nicht unabhängig von äußeren Gegebenheiten erfolgen kann oder sie vielleicht nicht abstrahierend oder symbolisch zu nutzen ist? Können wieder andere Patienten eventuell keine Erwartungen über Veränderungen der Gehirnwelt aufbauen, und damit die Grundlage dafür verlieren, verschiedene Verhaltensalternativen und ihre Konsequenzen zu vergleichen, oder Zielsetzung und Kontrolle eines bestimmten Verhaltens aufrechtzuerhalten?

Eine Möglichkeit, diese Fragen zu bearbeiten, besteht darin, bewährte Klassifikationen von neuropsychologischen Störungen[4] mit Hinblick auf derartige Bewußtseinsfunktionen zu untersuchen. Klassifikationen neuropsychologischer Symptome oder Syndrome bedeuten immer eine grobe Vereinfachung, da fast ausschließlich mehrere unterschiedliche Störungen in den verschiedensten Ausprägungsgraden gleichzeitig auftreten. Diese stehen zudem in Wechselwirkung miteinander und können sich aufgrund einer Vielzahl von Einflußgrößen mit variabler zeitlicher Dynamik in unterschiedliche Richtungen verändern. Aber wenn man die komplizierte Wirklichkeit für den klinischen Alltag begreifbar machen muß, läßt es sich nicht vermeiden zu vereinfachen.

Der Versuch, neuropsychologische Störungen zu ordnen, ist immer auch ein Versuch, die Arbeitsweise des Gehirns zu verstehen. Leider wissen wir noch nicht, wie das Gehirn funktioniert und folglich auch nicht, welche Klassifikation die richtige ist. Das einzige Kriterium einer guten Gliederung ist ihre Bewährung im klinischen Gebrauch und ihre Überprüfbarkeit in Test und Experiment. Das gleiche gilt für Klassifikationen, in denen Bewußtseinsfunktionen eine Rolle spielen.

Die gängigsten Klassifikationsformen neuropsychologischer Symptome sind Gliederungen (1) nach der Ätiologie (Ursache) der Hirnverletzung, (2) nach der Lokalisation der verursachenden Hirnschädigung und vor allem (3) nach funktionellen Gesichtspunkten. Aus verschiedenen Gründen werde ich mich hier nur mit funktionellen Ansätzen ausführlicher beschäftigen. Die beiden anderen Möglichkeiten werde ich nur kurz ansprechen, da sie mit Bezug auf Bewußtseinsfunktionen relativ wenig Informationsgewinn bringen.

Lokalisatorische und ätiologische Klassifikationen

Lediglich mit Hinblick auf eine Differenzierung von eher »basalen« und sogenannten »höheren« Bewußtseinsfunktionen kann man bestimmte lokalisatorische und ätiologische Einflüsse unterscheiden. Eine basale Bewußtseinsfunktion ist die Aktivierung. Der Grad der Aktiviertheit des Gehirns, also der Grad der Wachheit oder Weckbarkeit, wird vor allem mit Funktionen des Stammhirns und des limbischen Systems, also phylogenetisch älteren Hirnstrukturen, in Verbindung gebracht. Die »höheren« Bewußtseinsformen, die im Zusammenhang mit psychischen Phänomenen, wie etwa Wahrnehmung, Gedächtnis, Denken, Handeln oder auch Selbstbewußtsein zu sehen sind, werden eher als Funktionen des Endhirns angesehen. Aber auch diese Unterscheidung ist nicht ganz unproblematisch. Beispielsweise sind einige Strukturen des Endhirns gleichzeitig Teil des limbischen Systems, und grundlegende emotionale und motivationale Einflüsse des Stammhirns und limbischen Systems beeinflussen natürlich auch die »höheren« Bewußtseinsfunktionen.

Vergleichbares gilt auch für Gliederungen von Bewußtseinsveränderungen nach der Pathologie der verursachenden Hirnverletzungen. Eigentlich ist die Einflußgröße zumeist auch nicht die Ätiologie per se, als vielmehr das bei einigen Erkrankungsursachen typische besondere Ausmaß der Schädigung von Hirnsubstanz. Ferner ist einschränkend hinzuzufügen, daß plötzliche und weitreichende pathologische Veränderungen wiederum besonders häufig Schäden im Stammhirnbereich und Teilen des limbischen Systems mit sich bringen.

Die Möglichkeiten der neuropsychologischen Diagnostik und Rehabilitation sind aber in Fällen von grundlegenden Bewußtseinsveränderungen ohnehin sehr eingeschränkt. Differenzierungen dieser basalen Bewußtseinsformen, beispielsweise in Benommenheit, Somnolenz, Supor, Koma, sind daher auch eher von medizinischer Bedeutung.

Die neuropsychologischen Erfahrungen sind bislang vor allem im Bereich der »höheren« Bewußtseinsleistungen gesammelt worden. Diese werden, wie bereits erwähnt, vor allem als Funktionen des Endhirns angesehen. Eine besondere Rolle spielt hierbei die äußere graue Substanz der Hirnrinde (der zerebrale Kortex). Innerhalb der Hirnrinde wiederum werden vor allem den beim Menschen besonders stark entwickelten Bereichen des Assoziationskortex Bewußtseinsfunktionen zugeschrieben. »Bewußtsein« kann aber im Augenblick noch mit keiner bestimmten Struktur des Gehirns in Verbindung gebracht werden. So gibt es bisher keine Beschreibung einer Verletzung eines bestimmten Gehirnteiles, die lediglich zu einem isolierten Verlust oder Einschränkung aller höheren Bewußtseinsfunktionen geführt hätte. Hingegen gibt es nach Schädigungen der unterschiedlichsten Bereiche des Gehirns Beeinträchtigungen, die verschiedene Funktionen des Bewußtseins beeinträchtigen. Ähnliches gilt für die verschiedenen Ursachen von Hirnverletzungen.

Funktionelle Klassifikation am Beispiel von Wahrnehmungsstörungen

Funktionellen Klassifikationen liegen, wie der Name schon andeutet, Annahmen über hypothetische Hirnfunktionen zugrunde. Die Möglichkeit einer solchen Gliederung möchte ich am Beispiel von Wahrnehmungsstörungen erläutern. Hier hat sich außer einer Einteilung nach Sinnesmodalitäten oder materialspezifischen Gesichtspunkten, die folgende Unterteilung als recht nützlich erwiesen (Preilowski, 1991):
– Als erstes kann man *primäre sensorische, d.h. neurologische Störungen* abgrenzen, die beispielsweise durch Verletzungen der Sinnesorgane und Hirnnerven, bzw. anderer Verbindungen zum Gehirn, bedingt sind.
– Die eigentlichen neuropsychologischen Störungen lassen sich in drei weitere Kategorien einteilen:
– Bei den *apperzeptiven Störungen* ist die Wahrnehmung in Form von Unschärfen, Ausfällen oder Verzerrungen verändert, oder wesentliche Einzelheiten können von unwichtigen nicht unterschieden werden. Das kann dann dazu führen, daß ein Patient bestimmte Objekte nicht erkennen kann. Die defekte Wahrnehmung spiegelt sich auch in den Versuchen wieder, den Gegenstand zu beschreiben oder zu zeichnen. Im Falle von *assoziativen Störungen* ist die Wahrnehmung intakt. Ein Objekt kann also gewissermaßen naturgetreu beschrieben oder gezeichnet werden, aber es können keine zugehörigen Erfahrungsinhalte assoziiert werden; die Bedeutung eines Gegenstandes oder Bildes kann nicht erkannt werden. Unter *Bewußtwerdungsstörungen* schließlich klassifiziere ich beispielsweise Probleme der Wahrnehmung und des Erkennens, die aufgrund systematischer Vernachlässigung von Reizen der Umwelt und des eigenen Körpers auftreten.
Wie bereits einleitend angedeutet, sind die Grenzen zwischen diesen Störungen nicht immer deutlich. Ich möchte auch besonders darauf hinweisen, daß man nicht davon aus-

gehen kann, es handele sich hierbei um Störungen hierarchisch geordneter Funktionen. Bevor ich aber auf die hypothetische Grundlage dieser Gliederung und insbesondere auf die Rolle des Bewußtseins näher eingehe, möchte ich für die neuropsychologischen Störungen einige Beispiele geben.

Es wurde schon erwähnt, daß Wahrnehmungsstörungen sehr spezifisch sein können. Es kann beispielsweise nur die visuelle Modalität betroffen sein und hier wiederum vielleicht nur das Erkennen von Formen oder Mustern. Die Defizite können auch nur bei der Wahrnehmung von Farben oder Gegenständen bestimmter Objektkategorien, so etwa bei Gesichtern, auftreten. Besonders deutlich wird das wesentliche der obigen Gliederung, am Beispiel von sogenannten taktilen oder auch haptischen *Astereognosien*. Damit wird die Unfähigkeit bezeichnet, Gegenstände aufgrund der Tastempfindung zu unterscheiden und zu erkennen.

In seiner *apperzeptiven* Form gelingt es dem Patienten im wahrsten Sinne des Wortes nicht, sich ein Bild von dem Gegenstand zu machen. Aus der verbalen Beschreibung oder einer Zeichnung des Patienten läßt sich beispielsweise schließen, daß er bestimmte Qualitäten eines Objekts, wie Form, Größe, die Beschaffenheit der Oberfläche oder Materialeigenschaften nicht erkennt, oder daß er die verschiedenen durch Ertasten gewonnenen Informationen räumlich nicht integrieren kann. Das führt dann dazu, daß er Gegenstände durch Erfühlen weder unterscheiden, noch aus einer Reihe von anderen Objekten wiederkennen und auswählen kann.

Ein Patient mit einer *assoziativen Astereognosie* hingegen hat mit solchen Aufgaben keine Probleme. Er kann erfühlte Gegenstände in ihren Einzelheiten richtig beschreiben, auch visuell wiedererkennen, aber er kann sie weder benennen, noch ihren adäquaten Gebrauch demonstrieren.

Als *Bewußtwerdungsstörung* bezeichne ich es, wenn der Patient beispielsweise systematisch nur jeweils einen Teil, zumeist eine Hälfte eines Objekts oder nur eine Hälfte des unmittelbar vor ihm befindlichen Raumes beachtet. Zumeist können solche Patienten auch durch verbale Aufforderung nicht dazu gebracht werden, den vernachlässigten Bereich zu erkunden. Selbst wenn man sie mit bestimmten Tricks dazu bringen kann, tun sie es nur flüchtig und die dort vorhandene Information scheint nicht registriert zu werden. Ob ein Gegenstand oder ein Bild richtig erkannt werden kann, hängt davon ab, ob in dem Teil, der vom Patienten untersucht wird, relevante Informationen in ausreichendem Maße zur Verfügung stehen. Da die Vernachlässigung zumeist eine Hälfte des visuellen, akustischen oder taktilen Raumes beziehungsweise eine Hälfte des Körpers betrifft, spricht man bei einer solchen Störung auch von einem halbseitigen Neglekt *(Hemineglekt)*.

Bewußtseinsstörungen – Defekte im Aufbau der Gehirnwelt

Bewußtsein ist gleichbedeutend mit Gehirnfunktionen, die unsere Gehirnwelt aufbauen. Der Nutzen eines solchen Konstrukts soll nun anhand der Erklärung von Wahrnehmungsproblemen und weiteren neuropsychologischen Syndromen verdeutlicht werden.

Wahrnehmungsstörungen

Es erscheint mir sinnvoll, die Diskussion der Wahrnehmungsstörungen wiederum nach der vorher diskutierten Gliederung zu unterteilen und zuerst Bewußtwerdungsstörungen und danach apperzeptive und assoziative Störungen zu besprechen.

Abbildung 1: Selbstportrait eines japanischen Architekten und geübten Zeichners nach einer Hirnblutung. Der Patient litt unter einem Hemineglekt und einer Anosognosie für Paresen in den linken Extremitäten (Inoue & Sugishita, 1974; M. Sugishita, persönliche Mitteilung, 15. Sept. 1975).

Bewußtwerdungsstörungen

Die Probleme, die Patienten mit Hemineglekt haben können, machen die Beziehung dieser Kategorie von Störungen zu Bewußtseinsfunktionen vielleicht am ehesten deutlich. Man betrachte, beispielsweise, das Selbstportrait eines japanischen Architekten und geübten Zeichners, der nach einer Hirnblutung einen deutlichen Hemineglekt in mehreren sensorischen Modalitäten zeigte (Inoue & Sugishita, 1974; M. Sugishita, per-

169

sönliche Mitteilung, 15. Sept. 1975). Ähnliche, wenn auch weniger auffällige halbseitige Probleme sind übrigens auch in Bildern des Malers Lovis Corinth, nach einer schweren Erkrankung (vermutlich ein Schlaganfall) zu beobachten. Ein besonders gut dokumentiertes Beispiel für den Verlauf eines Neglekts ist die Beschreibung der Leistungen des Malers Anton Räderscheidt. Er hatte nach einem Hirnschlag mit intensiver Unterstützung seiner Frau ein Selbstportrait nach dem anderen versucht, und noch nach Monaten zeigten sich deutliche einseitige Beeinträchtigungen.

Abbildung 2: Anzeichen eines linksseitigen Hemineglekts in Skizzen des Malers Lovis Corinth ca. ein Jahr (A) und zehn Jahre (B) nach einem vermuteten rechtsseitigen Schlaganfall. In seiner Autobiographie berichtete Corinth von einer Erkrankung, die ihn dem Tod nahe brachte. Weitere Selbstportraits, auf denen beispielsweise die spastische Haltung der paletteführenden linken Hand des Malers auffällt, bestätigen die Vermutung eines rechtshemisphärischen Infarkts, trotz der Dementis der Familienangehörigen (Corinth, 1926; Jung, 1974; R. Jung, persönliche Mitteilung, 03. Juli 1974).

Weshalb können die Patienten nicht sehen, daß ein Bild auf einer Seite (zumeist der linken) unfertig ist und dies dann entsprechend korrigieren? Typisch ist beispielsweise, daß ein Patient von einer Blume mehr oder weniger nur eine Hälfte zeichnet und im zweiten Versuch, wiederum Blütenblätter und sonstige Ergänzungen nur auf der eigentlich schon fertigen Seite anfügt. Vermutlich aus dem gleichen Grund ißt ein Patient mit halbseitigem Neglekt nur eine Hälfte seines Tellers leer und zeigt sich dann, wenn man den Teller um 180 Grad dreht, verwundert darüber, wieder einen vollen Teller vor sich stehen zu haben.

Ich sollte an dieser Stelle erwähnen, daß die meisten Patienten mit einem visuellen Neglekt unter einer *halbseitigen Blindheit (homonyme Hemianopsie)* leiden. Wenn sie einen Punkt fixieren, sind sie blind für den Bereich, der sich beispielsweise links vom Fixationspunkt befindet. Aber nicht alle Patienten mit visuellem Neglekt haben eine Hemianopsie und viele, ja die Mehrzahl der Patienten mit halbseitiger kortikaler Blindheit, zeigen keinen Hemineglekt. Diese letzteren Patienten bemerken die Einschränkungen ihres Gesichtsfeldes und können sie durch Kopf- und Augenbewegungen kompensieren. Neglektpatienten tun dies nicht, sie sind sich überhaupt keines Defizits bewußt; sie bemerken nicht, daß ihrem Gesichtsfeld eine Hälfte fehlt. Auch andere Störungen können für sie unerkannt bleiben, wie im Falle des oben erwähnten japanischen Architekten, der objektiv nachweisbare Schwächen in den Extremitäten seiner linken Körperhälfte verneinte.

Abbildung 3: A) Selbstbildnisse des Malers Anton Räderscheidt, a) zwei Jahre vor einer Hirngefäßerkrankung, b) erster Versuch zwei Monate nach einem Schlaganfall, c) fünf Monate nach der Erkrankung. B) Versuche der Kompensation des Halbseitenneglekts, a) dreieinhalb Monate, b) sechs Monate und c) neun Monate nach dem Schlaganfall (nach Jung, 1974).

Die Bezeichnung »Bewußtwerdungsstörungen« erscheint also aus mehreren Gründen gerechtfertigt. Zum einen wird den Patienten eine Störung nicht bewußt, zum anderen soll die Wortwahl deutlich machen, daß diese Störungen verständlicher werden, wenn man sie als Folge eines Problems im Verlauf der Konstruktion des Bewußtseins, bzw. der Gehirnwelt betrachtet. Ein weiteres Phänomen, auf das Edoardo Bisiach zuerst aufmerksam gemacht hat, mag dies verdeutlichen: Er bat seine Mailänder Patienten, die unter einem Hemineglekt litten, sich vorzustellen, an dem Zugang zum Domplatz ihrer Stadt zu stehen, der dem Eingang zum Dom gegenüberliegt. Dann sollten sie beschreiben, welche Gebäude sich am Platz befinden. Alle Patienten waren mit diesem Teil der Stadt sehr vertraut und konnten zahlreiche Gebäude benennen. Aber alle Häuser, die sie beschrieben, lagen auf der von ihnen aus rechten Seite. Dann wurden sie aufgefordert, sich vorzustellen, vor dem Eingang des Domes zu stehen und den Platz zu beschreiben. Dieses Mal zählten sie nur Gebäude auf, die sich auf der anderen Seite des Platzes, wiederum zu ihrer rechten, befinden (Bisiach, Capitani, Luzzatti & Perani, 1981).

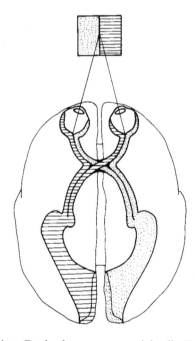

Abbildung 4: Vereinfachte, schematische Darstellung des Verlaufs der Sehbahn im Gehirn. Die Verbindungen der temporalen (äußeren) Retinahälften mit dem Zwischenhirn und Endhirn verlaufen ipsilateral (gleichseitig), während die Informationen aus den nasalen (inneren) Retinahälften über Nervenfasern, die im Chiasma opticum kreuzen, in die jeweils kontralaterale (gegenüberliegende) Hemisphäre gelangen. Somit wird die linke Gesichtsfeldhälfte, das heißt das, was links vom Fixationspunkt gesehen wird (hier gepunktet), in die rechte Hemisphäre und die rechte Gesichtsfeldhälfte (hier horizontal schraffiert) in die linke Gehirnhälfte projiziert (aus Preilowski, 1985).

Diese Beobachtung unterstreicht die Tatsache, daß ein Hemineglekt nicht einfach als Teilblindheit, oder räumliche Gedächtnis- oder Aufmerksamkeitsstörung verstanden werden kann. Neglekt ist auch eine Bewußtwerdungsstörung in dem Sinne, daß für die Konstruktion eines bestimmten Bereichs der inneren Welt keine Erwartungen gebildet werden. Er existiert einfach nicht. Diese Interpretation wird übrigens auch durch Untersuchungen über Augenbewegungen gestützt; es scheint so, als ob auch das Ziel von Augenbewegungen gewissermaßen durch Erwartungen oder Sets (Einstellungen) vorgegeben und die Ausführung durch den Vergleich der Einstellung mit der sensorischen Rückmeldung kontrolliert wird. Ohne diese Erwartung ist das Gehirn nicht zu Augenbewegungen zu verleiten. Ebensowenig scheint auch das Gehirn des Neglektpatienten, die Augen in den nicht existierenden Bereich bewegen zu können, und genausowenig kann man dem Patienten bewußt machen, daß seine Wahrnehmung fehlerhaft ist. Man kann mit ihm nicht über etwas reden, was es für ihn nicht gibt. Das Ziel einer Therapie muß also sein, den Patienten dazu zu bringen, selbst Erwartungen für den vernachlässigten Bereich aufzubauen.

Dies gilt ebenso für andere, mit dem Neglekt assoziierte Bewußtwerdungsstörungen, beispielsweise für die *Anosognosie,* das heißt, die veränderte Wahrnehmung oder gar Leugnung von Funktionsausfällen. Auch hier erscheint es dem Patient sinnlos, daß man beispielsweise versucht, von ihm eine Stellungnahme über die bei ihm diagnostizierte einseitige Lähmung eines Beines oder des Armes zu bekommen. Er scheint keine Erwartungen bezüglich der Bewegungsmöglichkeiten dieser Extremitäten zu haben. Somit wird verständlich, daß er in der Untersuchungssituation zumeist verblüfft oder unwirsch auf die Fragen oder Feststellungen des Arztes reagiert, und dann etwa demonstriert, daß überhaupt keine Probleme vorliegen, indem er den gesunden Arm bewegt, oder den gelähmten Arm mit dem gesunden anhebt. Manchmal gibt der Patient auch Erklärungen, die für den naiven Beobachter Ausflüchte oder Konfabulationen darstellen. Aber wie sonst könnte er zu etwas Stellung beziehen, das in seiner Gehirnwelt gar nicht existiert.

Als eine alternative Erklärung könnte man sich vorstellen, daß bei einigen Formen der Anosognosie, allein die Erwartungskonstruktion zur Gehirnwirklichkeit werden kann, wenn diese beispielsweise durch keine Rückmeldung beeinträchtigt, und somit auch nicht in Zweifel gezogen werden kann. So etwa wäre das sogenannte *Anton-Syndrom* zu verstehen. Dies beschreibt den Fall einer kortikalen Blindheit, bei der sich der Patient aber so verhält, als sehe er. Er läßt sich auch dadurch, daß er in Gegenstände hineinrennt, sich verletzt und generell massivst behindert ist, nicht davon überzeugen, die Behinderung anzuerkennen.

Mit Hilfe des Konstrukts eines Bewußtseins als Gehirnwelt werden auch scheinbar unbegreifliche neuropsychologische Störungen verständlicher, wie sie seit Jahrzehnten in der wissenschaftlichen Literatur beschrieben sind und neuerdings durch Bücher und Filme auch der breiten Öffentlichkeit bekannt werden. Beispielsweise können Fremdheitsgefühle für eigene Körperteile so weit gehen, daß der Patient einen Teil seines Körpers als nicht zu sich gehörend betrachtet. Ein Patient mit einer solchen *Somatoparaphrenie* ist, ähnlich wie in den oben beschriebenen Fällen, nicht davon zu überzeugen, den »fremden« Körperteil als den seinen zu akzeptieren, obwohl er bestätigen kann, daß er zwei Beine haben müsse, und sieht, daß das »fremde« Bein mit seinem Körper verbunden ist. In der Literatur gibt es Beschreibungen über Patienten, die ihre Hand wiederholt versuchten wegzuschleudern, sich darüber beschwerten, daß sie das Bett mit einem Fremden teilen müßten, oder das Bein beziehungsweise den anderen Körper versuchten, aus dem Bett zu schmeißen, und vollkommen verwirrt waren, als sie sich dann selbst vor dem Bett liegend wiederfanden.

Apperzeptive und assoziative Störungen

Auch die apperzeptiven und assoziativen Wahrnehmungsstörungen hängen meines Erachtens mit spezifischen Funktionsstörungen des Bewußtseins zusammen. Aber ich konnte kein Wort aus der Bewußtseinskategorie finden, das mir eine einfache Kennzeichnung erlaubt hätte. Daher der Rückgriff auf die Unterscheidung zwischen apperzeptiv und assoziativ, die von H. Lissauer bereits vor hundert Jahren in die Neuropsychologie (damals noch Teil der Psychiatrie) eingeführt wurde.

Wenn man die Wahrnehmung als einen konstruktiven Prozeß betrachtet, dann kann man aufgrund der Kennzeichen der apperzeptiven und assoziativen Störungen auf bestimmte Teilprozesse schließen, die eine Konstruktion der Wahrnehmung ermöglichen und auch Teil der Bewußtseinskonstruktion sind. So kann man sich Hirnfunktionen vorstellen, die die Vielzahl an sensorischen Informationen auf verschiedenen Ebenen parallel bearbeiten. Auswahl und Bereitstellung von vielfältigen Assoziationen, Erfahrungen, Erwartungen passend zu bestimmten sensorischen Informationen, bestimmten Kontexten oder beispielsweise emotionalen Zuständen, sowie für bestimmte Zielsetzungen des reaktiven Verhaltens, machen weitere Bewußtseinsfunktionen aus.

Nun könnte man fragen, weshalb ich von unterschiedlichen Bewußtseinsfunktionen spreche, anstatt zum Beispiel bei den apperzeptiven Störungen nach spezifischen Aufmerksamkeitsdefiziten zu suchen, oder bei assoziativen Störungen zu postulieren, daß bestimmte Gedächtnisinhalte nicht mehr zugänglich sind. Dazu muß man als erstes darauf hinweisen, daß auch die gebräuchlicheren traditionellen Erklärungsansätze auf hypothetischen Konstrukten basieren. Darüberhinaus haben die meisten Patienten, die unter einer Agnosie leiden, keine offensichtlichen Gedächtnisdefizite. Man kann auch zeigen, daß die Assoziationen zu bestimmten Gegenständen doch noch vorhanden sind, aber beispielsweise nicht willentlich verwendbar, oder nur in bestimmten Situationen, insbesondere von der Wirklichkeit abstrahierten Tests nicht zur Verfügung stehen. So haben Patienten mit Bildern mehr Probleme als mit konkreten Gegenständen. Darüberhinaus können Patienten mit einer Agnosie für bestimmte Objekte diese oft ohne Probleme im täglichen Leben nutzen. Sie können also in einer bestimmten Umgebung, in bestimmten Situationen das leisten, was sie in der Testsituation nicht fertigbringen. Patienten berichten manchmal, daß eine Unterbrechung dessen, was sonst »unbewußt«

abläuft, zu ähnlichen Problemen, wie in den Tests führen kann. Um diese ganzen Möglichkeiten auf der Basis von Gedächtnisfunktionen zu erklären, müßte man nicht nur eine Reihe spezifischer Gedächtnisspeicher annehmen, sondern wahrscheinlich auch unterschiedliche Einspeicherungs-, Verwaltungs- und Abrufmechanismen. Es erscheint mir aber ein Umweg zu sein, wenn ich beispielsweise bei der Erklärung von Agnosien als einer Gedächtnisproblematik verschiedenste Gedächtnisspeicher oder Gedächtnisprozesse postulieren muß, obwohl bei einem betroffenen Patienten keine spezifischen Gedächtnisdefizite nachweisbar sind. Welche der Erklärungen am ehesten zutreffen, ist nicht nur von theoretischer Bedeutung, sondern letztlich entscheidend für den Weg, den man einschlägt, um eine Therapie für Agnosien zu entwickeln.

Andere neuropsychologische Störungen

Apraxie

Unter einer *Apraxie* versteht man die Unfähigkeit, zweckmäßige oder durch bestimmte Vorgaben (Instruktion, Vorbild) definierte Bewegungen auszuführen, ohne daß grundlegende sensorische, motorische oder intellektuelle Beeinträchtigungen bestehen. Apraxien können einzelne Bewegungen oder Gesten betreffen oder auch Handlungssequenzen. Es können dabei Bewegungen der Gliedmaßen oder auch Gesichtsbewegungen betroffen sein. Bei der Untersuchung der Apraxie kann man eine gewisse Abstufung in der Schwierigkeit von Aufgaben feststellen: Am schwierigsten scheint es zu sein, bedeutungslose Bewegungen nachzuahmen. Ebenfalls sehr schwierig sind sogenannte »als ob« oder symbolische Aufgaben, beispielsweise eine Bewegung wie beim Zigarettenrauchen zu machen, oder eine abweisende Geste auszuführen. Der Patient kann aber in einer entsprechenden Situation spontan Bewegungen oder Handlungen korrekt ausführen, die er in der Untersuchungssituation auf Aufforderung hin nicht zeigen konnte. Generell können situative Reize unterstützend wirken. So kann im eigenen Haus eher demonstriert werden, was man machen muß, um eine Tasse Kaffee zu kochen, als in der Klinik. Noch leichter wird es, wenn mit konkreten Gegenständen hantiert werden kann, und eine weitere Verbesserung der Leistungen ergibt sich, wenn tatsächlich ein realer Anlaß zur Ausführung der Handlungen gegeben ist.

Wie in anderen Bereichen der Neuropsychologie auch, gibt es noch keinen Konsens darüber, auf welche grundlegende Störung die Apraxie zurückzuführen ist. Wegen der sehr unterschiedlichen Fehlerformen muß man annehmen, daß es keinen einheitlichen Defekt gibt. Gewöhnlich können apraktische Patienten auch durchaus beurteilen, ob eine Bewegung, die von einer anderen Person ausgeführt wurde, falsch oder richtig war. Es können Defizite also sowohl in der Produktion von Bewegungsplänen, wie auch in

175

den damit verbundenen Erwartungen über somato-sensorische Konsequenzen von intendierten Bewegungen vorliegen. Wiederum könnte man analog zu der Diskussion über Wahrnehmungsprobleme eine Reihe von Störungen im Aufbau der Gehirnwelt und ihren Veränderungen, die mit der Planung und Ausführung von Bewegungen einhergehen, postulieren.

Mutismus

In ähnlicher Weise versuche ich, den Mutismus einer Patientin zu erklären, die einen schweren Schlaganfall erlitten hatte. Als *Mutismus* bezeichnet man eine Sprechstörung, die dadurch gekennzeichnet ist, daß der Betroffene keinerlei Ansatz oder willentliche Anstrengung zeigt, um sprachlich zu kommunizieren. Wie in diesen Fällen häufig zu beobachten ist, hat auch unsere Patientin keinerlei Probleme, schriftliche Antworten zu geben und ebenso längere Mitteilungen ohne bedeutsame Fehler aufzuschreiben. Es sind mittlerweile mehrere Monate seit dem Beginn des Mutismus vergangen und an dem Zustand der Sprachlosigkeit hat sich nichts geändert. Die Patientin äußert manchmal sehr leise ein »Grüß Gott« oder »Auf Wiedersehen« bei der Begrüßung beziehungsweise Verabschiedung, bleibt im Übrigen aber stumm. Auf Gesprächsaufforderungen hin zeigt sie keinerlei Regung, obwohl andere emotionale Reaktionen in Mimik und Gestik zu beobachten sind; zum Beispiel kann sich die Patientin sowohl über eigene Mißgeschicke, wie auch über eine Ungeschicklichkeit des Untersuchers köstlich amüsieren.

Ich kann hier nicht auf alle neuropsychologischen Beeinträchtigungen eingehen, die bei dieser Patientin aufgrund der schweren Gehirnschädigung ebenfalls nachweisbar sind. Noch ist unklar, welche dieser Störungen mit dem Mutismus direkt zusammenhängen. Auffällig und hier erwähnenswert ist jedoch eine auf das Gesicht beschränkte Apraxie. Die Patientin kann Bewegungen des Gesichts weder imitieren noch auf mündliche Aufforderung hin ausführen. Sie kann beispielsweise der Aufforderung, die Augen zu schließen, nicht folgen; aber sie kann ohne Zögern auf die Augen zeigen, wenn man sie darum bittet. Daß die spontane Mimik intakt zu sein scheint, wurde bereits erwähnt, aber mimische Gesichtsbewegungen können weder auf Aufforderung hin angedeutet noch nachgeahmt werden. Es liegt also nahe, diesen Mutismus als eine besondere Form der Apraxie, beispielsweise einer Sprechapraxie zu interpretieren. Apraktiker zeigen aber immer zumindest Ansätze eines Versuchs, einer verbalen Aufforderung nachzukommen. Bei unserer Patientin aber fehlt jede Reaktion, sobald es ums Sprechen oder um Gesichtsbewegungen geht. Insofern ähnelt der Mutismus eher einer Bewußtwerdungsstörung. In ihrer Gehirnwelt scheint es keine Erwartungen bezüglich der Konsequenzen sprachlicher Äußerungen zu geben. Wie bei den Augenbewegungen eines Patienten mit visuellem Neglekt, scheint im Mutismus für die Sprechmotorik keine

Erwartungen vorgegeben zu sein, die die entsprechende Lautäußerung auslösen und kontrollieren. Die Aufforderung zu sprechen, macht für die Patientin keinen Sinn. Das gelegentliche »Grüß Gott« und »Aufwiedersehen« ist eher als eine automatisierte Reaktion zu verstehen, die nicht durch die Anrede, sondern durch andere Reize der Begrüßungs- und Verabschiedungssituation ausgelöst wird.

Wir haben die Patientin auch zweimal – in mehrmonatigem Abstand – gefragt, warum sie denn nicht spreche. Ihre Antwort war beide Male sehr ähnlich. Einmal schrieb sie: »Wenn ich nicht sofort anworte, hab ich es bis zur nächsten Frag[e] vergessen.« Das andere Mal antwortete sie (schriftlich): »Vielleicht hab ich es bis [zur] nächsten Frage vergessen, was ich antworten wollte.« Da sich zu diesen Zeitpunkten keine Anzeichen für Gedächtnisprobleme fanden, ist diese Antwort nicht ohne weiteres verständlich. Ich interpretiere sie dahingehend, daß die Patientin (im Sinne der oben gegebenen Erklärung) keine Erwartung dafür hat, wie sich eine gesprochene Antwort anhören müßte. Sie kann nur Erwartungen bezüglich einer schriftlichen Reaktion aufbauen, wenn sie diese aber nicht ausnutzt, sich stattdessen gewissermaßen verleiten läßt, eine Richtung einzuschlagen, die für sie im Nichts endet, verliert sie überhaupt die Möglichkeit zu antworten: Sie hat das Gefühl zu vergessen, um was es ging.

Ist das Bewußtsein teilbar?

Bei der ständigen Erneuerung unserer Gehirnwelt wird normalerweise – so jedenfalls lautet die bisher vertretene Hypothese – eine Kontinuität und scheinbare Einheit gewahrt. Darüber hinaus bilden die Einzelheiten dieser inneren Welt eine zusammenhängende Ordnung. Bewußtsein in diesem Sinne ist unmittelbar an Funktionen des Gehirns gebunden; entsprechend kommt es bei Funktionsbeeinträchtigungen zu Störungen des Bewußtseins, wie sie bereits als Folge von Hirnverletzungen beschrieben wurden.

Ein Zerfall der Ordnung und Einheit des Bewußtseins ist auch bei Beeinträchtigungen basaler Bewußtseinsfunktionen zu beobachten, die durch physiologische Veränderungen hervorgerufen werden. Diese ergeben sich unter anderem in bestimmten Ermüdungs- oder Schlafzuständen sowie bei Fieber, metabolischen Entgleisungen oder durch Einwirkungen von Drogen. In Untersuchungen mit Anästhetika wurde beispielsweise gefunden, daß, ab einem bestimmten Niveau der Narkose, die einzelnen Sinneswelten nicht mehr willkürlich trennbar sind; insbesondere wurde beobachtet, daß dann Geräusche sehr intensive visuelle Mitempfindungen hervorrufen (z.B. Gregory, 1988). Neben solchen Synästhesien können pharmakologische Manipulationen aber ebenso Veränderungen in Richtung einer Aufspaltung von Erlebniswelten bewirken. In der klinischen Psychologie und Psychiatrie finden wir ebenfalls viele Beispiele von Bewußtseinsveränderungen, deren physiologische Basis noch weitgehend ungeklärt ist.

Sowohl Dissoziation wie auch Konfusion (im ursprünglichen Sinne des Wortes) kann man aber auch in ansonsten normal funktionierenden Gehirnen provozieren. Hier zeigen sich gewissermaßen die Unzulänglichkeiten in der Konstruktion unserer Gehirnwelt, die durch eine Reihe von einschränkenden Eigenschaften der Funktionen unseres Gehirns bedingt sind. Verschiedenste Illusionen, hypnotische Phänomene oder auch sogenanntes Priming und Maskierungseffekte können hier als Beispiele genannt werden.

Viele dieser Effekte beruhen darauf, daß Informationen so dargeboten werden, daß sie von den Versuchspersonen nicht mehr wiedergegeben werden können, scheinbar also nicht wahrgenommen wurden. Beim *Priming* wird das zumeist durch eine sehr kurze Darbietungszeit erreicht. Worte, die also so kurz dargeboten werden, daß sie nicht identifiziert werden können, erleichtern später dennoch zum Beispiel das Ergänzen von Lücken in Wortbruchstücken oder die Identifikation von unvollständigen Strichzeichnungen, die ohne das »Priming« nicht zu erkennen gewesen wären. Auch die Wahl einer bestimmten von mehreren Bedeutungen eines polysemantischen Wortes (z.B. Pferd – Tier, Turngerät oder Bank – Sitzgelegenheit, Geldinstitut) kann durch »Priming« beeinflußt werden. Vergleichbare Effekte lassen sich übrigens auch bei Patienten mit extremen Gedächtnisstörungen nachweisen, was bedeutet, daß anscheinend vergessene Informationen doch noch vorhanden sein können. Die Erklärungen von Patienten wie von gesunden Versuchspersonen darüber, wie sie die Aufgabe lösen konnten, sind dabei ähnlich zufällig und unabhängig von den eigentlichen, nur dem Experimentator bekannten Gründen.

Etwas anders funktioniert die *Maskierung (Metakontrast)*. Hier kann beispielsweise die Beurteilung der Helligkeit eines Lichtreizes durch eine Versuchsperson mit Hilfe eines zweiten nachfolgenden Reizes beeinflußt werden (rückwärtige Maskierung). Die subjektive Helligkeit des maskierten Lichts variiert dabei mit dem zeitlichen Abstand der beiden Stimuli. Eine der Grundlagen der Demonstration von dissoziiertem Verhalten mit Hilfe des Metakontrasts ist die Tatsache, daß Reaktionszeiten im allgemeinen durch die Intensität des Reizes beeinflußt werden, auf die reagiert werden muß; umso intensiver der Reiz, desto kürzer die Reaktionszeit. Bei Maskierungsexperimenten zeigt sich nun, daß die Reaktionszeit auf den ersten Lichtblitz durch dessen physikalisch meßbare Intensität und nicht durch seine subjektiv empfundene Helligkeit bestimmt wird (Überblick z.B. bei Raab, 1963). Aus dem Bereich der experimentellen Psychologie könnten noch viele weitere Beispiele für Dissoziationen ebenso wie für Konfusionen in unserer Gehirnwelt angeführt werden. Ein wesentlicher Aspekt aller dieser Beobachtungen aber ist es, daß die Versuchspersonen, obwohl sie also beispielsweise in einer Art und Weise reagieren, die gar nicht ihrer eigenen Wahrnehmung entspricht, nie von einem Gefühl der Bewußtseinsspaltung berichten. Einschränkend muß hinzugefügt werden, daß eine wirklich fachgerechte Untersuchung hierzu noch nicht durchgeführt wurde.

Im Normalfall gibt es also die Möglichkeit einer Dissoziation von Gehirnwelten, was sich je nach den gegebenen Bedingungen in unterschiedlichem Verhalten äußern kann. In diesem Sinne ist das Bewußtsein teilbar. Andererseits aber ist es nicht möglich, diese Teilung wahrzunehmen. Solange wir gesund sind, können wir uns scheinbar nur als eine Einheit empfinden. Was aber wäre, wenn das organische Substrat unseres Bewußtseins selbst, also das Gehirn geteilt wäre?

Diskonnektions- oder Split-brain-Syndrom

Das Endhirn, das im Wesentlichen durch die Funktionen seines Kortex die Konstruktion der Gehirnwelt ermöglicht, besteht aus zwei Hälften. Jede dieser Hemisphären hat Verbindungen mit den subkortikalen Strukturen der jeweiligen Seite. Die direkte Verbindung zwischen dem rechten und linken Kortex erfolgt durch die Nervenfaserbündel der Kommissurenbahnen. Eine Durchtrennung der Kommissurenbahnen *(Kommissurotomie)* bedeutet also den Verlust jeglicher direkter Kommunikation zwischen den beiden Endhirnhälften. Informationen können nur noch auf Umwegen ausgetauscht werden, beispielsweise über Strukturen des Stammhirns.

Seit nunmehr über zwanzig Jahren habe ich Kontakt mit Patienten, bei denen zur Therapie einer medikamentös nicht mehr zu kontrollierenden Epilepsie alle Kommissurenbahnen oder ein wesentlicher Teil davon operativ durchtrennt wurde.[5]

Was am meisten an diesen Patienten überrascht, ist, daß man ihnen diese massive Veränderung ihres Gehirns überhaupt nicht anmerkt. Aber weder diese erstaunliche Tatsache, noch die bemerkenswerte Reduktion der epileptischen Anfälle, fand besondere Beachtung. Es waren vielmehr Besonderheiten im Verhalten dieser Patienten, die nur unter ganz bestimmten experimentellen Bedingungen beobachtet werden können, die in kurzer Zeit enormes Aufsehen erregten und bis heute weit über das Gebiet der Neuropsychologie hinaus diskutiert werden.

Split-brain-Untersuchungen sowohl bei Tieren als auch beim Menschen hatte es schon früher gegeben. Ihre Ergebnisse aber waren aus verschiedenen Gründen, auf die hier nicht näher eingegangen werden kann, widersprüchlich und relativ bald mehr oder weniger in Vergessenheit geraten. In den fünfziger Jahren hatte Roger W. Sperry dann im Tierversuch eine verbesserte operative Technik der Kommissurotomie erarbeitet und ebenso die methodischen Voraussetzungen für eine adäquate Untersuchung ihrer Effekte entwickelt. Als diese Technik dann etwas später von den Neurochirurgen P. J. Vogel und Joseph E. Bogen wieder in die Epilepsietherapie eingeführt wurde, leitete Sperry auch die neuropsychologischen Untersuchungen der so operierten Patienten. Sperry erhielt 1981 den Nobelpreis für Physiologie oder Medizin für diese Arbeiten, die – wie es in der Laudatio hieß – ›Einsichten in die innere Welt des menschlichen Gehirns [ermöglichten], die uns bisher fast vollständig verborgen war.‹

Besondere Bedeutung kommt den Split-brain-Untersuchungen auch insofern zu, als sie die Befunde aus der klinischen Neuropsychologie bezüglich einer unterschiedlichen funktionellen Spezialisierung beider Gehirnhälften bestätigten. Was bisher nur aus Beobachtungen der Verhaltensänderungen unterschiedlicher Patientengruppen nach rechts- und linkshemisphärischen Gehirnverletzungen zu erschließen war, konnte nun im Vergleich zwischen den Leistungen der linken und rechten Gehirnhälften in ein- und derselben Person nachgewiesen werden. Darüber hinaus konnten nicht nur die besonderen sprachlichen Funktionen der linken Hemisphäre sowie die speziellen Fähigkeiten der rechten Hirnhälfte für räumliche ganzheitliche Wahrnehmung bestätigt werden; das besondere Verdienst der Arbeitsgruppe um Sperry besteht auch darin, Hinweise auf das relativ hoch entwickelte Lese- und Sprachverständnis der rechten Hemisphäre sowie andere ursprünglich nur für die linke Hemisphäre reservierte Fähigkeiten erbracht zu haben.

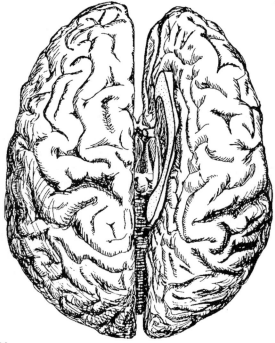

Abbildung 5: Halbschematische Darstellung eines Gehirns (von oben gesehen) nach der Durchtrennung der vorderen Kommissur und des Corpus callosum (gepunktet) sowie weiterer telencephaler Kommissurenbahnen. Durch die seitliche Verschiebung der rechten Hemisphäre werden die Strukturen des Zwischen- und Mittelhirns sowie Kleinhirns sichtbar (aus Preilowski, 1985).

Split-brain-Personen haben (mindestens) zwei Gehirnwelten

Das wichtigste Ergebnis dieser Split-brain-Forschung ist, daß den Patienten Information so dargeboten werden kann, daß sie nur in eine Gehirnhälfte gelangt und man dann aufgrund ihrer Reaktionen nachweisen kann, daß jede Hemisphäre ihre eigene Welt der Wahrnehmungen und Kognitionen hat, zu der die jeweils andere keinen Zugang besitzt. Beispielsweise wird ein Objekt, das nur mit einer Hand gefühlt oder nur in einer Hälfte des Gesichtsfeldes dargeboten wird, mit der anderen Hand oder in der anderen Gesichtsfeldhälfte nicht wiedererkannt. Ähnliches gilt zum Beispiel auch für Gerüche, die nur in der einen oder anderen Nasenöffnung dargeboten werden.

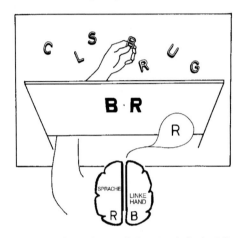

Abbildung 6: A) Der Split-brain Patient schaut auf einen Punkt in der Mitte der Projektionswand vor ihm. Die Gegenstände auf dem Tisch kann er nicht sehen. B) Ein Gegenstand, der ihm kurzzeitig visuell links vom Fixationspunkt dargeboten wird, kann mit der rechten Hand nicht gefunden werden. C) Dies ist jedoch mit der linken Hand möglich, denn die Hemisphäre, die den Gegenstand gesehen hat, erhält auch die somatosensorischen Informationen der linken Hand, die zum Erkennen eines Gegenstandes durch Fühlen notwendig sind. D) Werden einem Split-brain Patienten jeweils rechts und links vom Fixationspunkt unterschiedliche Bilder dargeboten, dann kann die sprechende linke Gehirnhälfte nur das rechts vom Fixationspunkt gesehene benennen. Die rechte Gehirnhälfte sucht unterdessen mit der linken Hand den Buchstaben heraus, der links vom Fixationspunkt dargeboten wurde. Der Patient glaubt aber, den benannten Buchstaben R in der Hand zu halten (nach Sperry & Preilowski, 1972).

Welche besonderen Möglichkeiten die Split-brain Situation für die Forschung bietet, läßt sich am Beispiel der Verwendung von sogenannten *Chimären* besonders gut zeigen. Unter Chimären versteht man in diesem Falle Stimuli, die je zur Hälfte von unterschiedlichen Gegenständen stammen. Sie wurden von Kinsbourne, Levy und Trevarthen in die Lateralitätsforschung eingeführt. Die Idee ist aber schon viel älter. Poppelreuter beschrieb 1917 zum ersten Mal, daß ein symmetrisches Muster von einem Patienten mit einer homonymen Hemianopsie als Ganzes gesehen werden kann. Wie ich bei den Wahrnehmungsstörungen bereits erläuterte, sollte ein solcher Patient, wenn ihm das Bild nur sehr kurz so dargeboten wird, daß sein Fixationspunkt auf die Mitte des Reizes fällt, eigentlich nur eine Hälfte wahrnehmen. Bei einer Hemianopsie fehlt ja eine Hälfte des Gesichtsfeldes. Tatsächlich ist es unter bestimmten Umständen, die ich hier nicht näher diskutieren kann, auch möglich, daß ein Patient mit halbseitiger Blindheit auch dann angibt, eine ganze Figur gesehen zu haben, wenn ihm tatsächlich nur eine Hälfte dargeboten wird (und zwar so, daß diese von der gesunden Hirnhälfte gesehen wird). Poppelreuter erklärte dies als »totalisierende Gestaltauffassung« und Fuchs wenig später nach den Gesetzen der Gestaltpsychologie (Fuchs, 1920). Der eigentliche Mechanismus einer möglichen »Ergänzung« im blinden Bereich, den man auch mit Bezug zu Neglektphänomenen diskutiert, ist noch unbekannt.

Split-brain Patienten sind nun gewissermaßen verdoppelte Hemianopiker, denn jeder ihrer Gehirnhälften fehlt das Gesichtsfeld, das nur in der jeweils anderen Hemisphäre repräsentiert ist. Man kann nun auch einen doppelten »Poppelreuter Effekt« erzeugen, indem man jeweils zwei unterschiedliche Hälften eines Bildes zusammenfügt und so darbietet, daß der Fixationspunkt auf die Schnittlinie zwischen den beiden Bildhälften zu liegen kommt. Wenn die Darbietung dieser Chimäre so kurz erfolgt, daß keine Augenbewegungen möglich sind, dann sieht der Patient mit jeder Hirnhemisphäre jeweils eine Bildhälfte. Gibt man ihm nun verschiedene (vollständige) Bilder, unter denen auch die sind, die zur Herstellung der Chimären herangezogen worden waren, zur Auswahl, so kann er beide wiedererkennen.

Interessant ist dabei, daß er, wenn er verbal berichten soll, was er gesehen hat, nur das Bild beschreibt, dessen Hälfte von der linken sprachlichen Hemisphäre gesehen wurde. Wenn er dagegen das Gesehene mit der Hand zeigen soll, so deutet er fast immer auf das Bild, dessen Hälfte von der rechten Hemisphäre gesehen wurde. Für die Lateralitätsforschung ist dabei von Bedeutung, daß jede Hemisphäre bei der Lösung dieser Aufgabe eine andere Strategie zu benutzen scheint. Für unsere Diskussion mit Bezug auf Bewußtsein ist es wichtiger, daß die Patienten beide Gesichter erkennen können, und auch auf gezielte Fragen, ob ihnen etwas Besonderes aufgefallen sei, nichts Abnormales an dem finden, was sie gesehen haben. Wenn sie somit jeweils zwei vollständige Bilder wahrgenommen haben (jede Hälfte plus ihre Ergänzung), so können sie folglich zwei verschiedene Dinge im selben virtuellen Raum sehen. Bei Split-brain Patienten existieren also zwei unterschiedliche Konstruktionen der Welt, eine in jeder Gehirnhälfte (Zusammenfassungen z.B. in Sperry, 1974; Sperry & Preilowski, 1972; Sperry, Gazzaniga & Bogen, 1969).

Die Konstruktionen ihrer rechten und linken Gehirnwelt können auch unterschiedliche Emotionen und Erinnerungen beinhalten, so, wenn einer der Patienten mit der rechten Hemisphäre unter mehreren Bildern immer wieder das Bild seiner Mutter als dasjenige auswählte, das ihm am besten gefiel, aber sich bei der Darbietung in die linke Gehirnhälfte für dasselbe Bild entschied, wenn er zeigen sollte, welches er am wenigsten mochte. Während er das Bild nach der rechtshemisphärischen Darbietung nicht beschreiben konnte, identifizierte er es bei der linkshemisphärischen Darbietung und erwähnte dabei auch, daß es zwischen ihm und seiner Mutter keinerlei Zuneigung mehr gäbe (die Mutter hatte schon vor einigen Jahren die Familie verlassen, der Patient lebte bei seinem Vater).

Die Einheit des Bewußtseins bei Split-brain-Patienten

Trotz der in experimentellen Bedingungen nachweisbaren Trennung der Gehirnwelten beider Hemisphären überwiegt auch bei den Split-brain Patienten der Eindruck einer Einheit des Bewußtseins. Zwar kann es in einem Test auch schon einmal zu widersprüchlichen Reaktionen kommen, aber im Allgemeinen haben die Patienten häufig selbst sofort eine Erklärung parat. Wenn zum Beispiel in dem vorher beschriebenen Chimärentest zuerst mit der linken Hand auf ein Bild gezeigt wird, das nur die rechte Hemisphäre gesehen hatte, und gleich darauf mit der rechten Hand auf ein anderes, nämlich auf das von der linken Hirnhälfte wahrgenommene, dann erklären sie das gewöhnlich damit, daß sie gerade nicht aufgepaßt oder einfach zu schnell reagiert hätten.

Tatsächlich kann es auch zu Behinderungen zwischen beiden Händen beziehungsweise beiden Hemisphären kommen. In sozialen, kommunikativen Situationen scheint im allgemeinen die linke, sprachlich fähigere Hemisphäre zu dominieren. Dies kann sich dann störend bemerkbar machen, wenn man versucht, die Funktionen der rechten Hemisphäre zu testen. Wird Information nur der rechten Hemisphäre dargeboten, etwa durch Projektion in die linke Gesichtsfeldhälfte oder dadurch, daß der Patient eine Aufgabe ohne visuelle Kontrolle nur mit der linken Hand ausführen soll, dann beschwert sich der Patient oft darüber, daß er nichts fühlen oder sehen könne oder daß er nicht wisse, was er zu tun habe. Erst wenn die linke Hemisphäre dann abgelenkt wird, beispielsweise indem man der rechten Hand eine andere anspruchslose Beschäftigung gibt, und wenn man den Patienten davon abhalten kann zu reden, ist es möglich, daß rechtshemisphärische Fähigkeiten zum Zuge kommen. Ebenso kann es sein, daß in einer Aufgabe, für die eine Spezialisierung der rechten Hemisphäre vermutet werden kann, diese immer wieder versucht, in das Geschehen einzugreifen. Zum Beispiel sind die Leistungen bei dem sogenannten Mosaiktest, bei dem verschiedenfarbige Würfel zu einem vorgegebenen Muster zusammengefügt werden müssen, mit der linken Hand wesentlich besser als mit der rechten. Die Durchführung des Tests mit der linken Hand bringt keine Probleme. Will man nun die Leistung der rechten Hand prüfen, versucht der Patient immer wieder, die linke ins Spiel zu bringen. Beim beidhändigen Test kann es dann zu grotesken Ungeschicklichkeiten kommen.

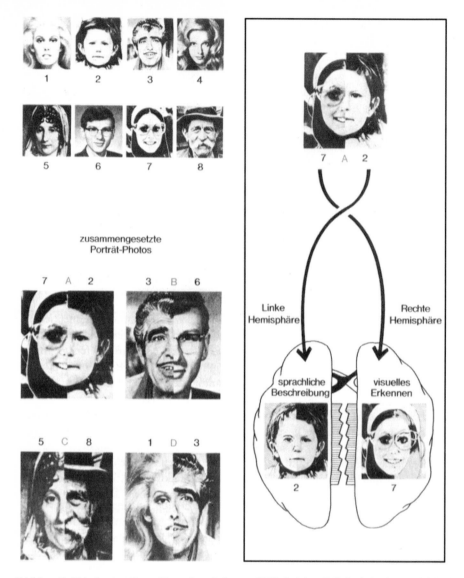

Abbildung 7: Chimärentest (Levy, Trevarthen & Sperry, 1972), bei dem Split-brain Patienten gleichzeitig verschiedenartige visuelle Informationen in beide Hemisphären projiziert werden. Zwei unterschiedliche Bildhälften werden jeweils so dargeboten, daß der Schnitt zwischen den Hälften genau auf den Fixationspunkt fällt. Jede Hemisphäre sieht nur eine Hälfte, was aber den Patienten nicht auffällt. Je nachdem, ob das Gesehene benannt oder aus anderen Bildern wiedererkannt werden soll, können die Patienten sowohl mit der rechten wie mit der linken Gehirnhälfte das Gesehene identifizieren (nach Sperry & Preilowski, 1972).

184

Außerhalb der Testsituation ist der Konflikt zwischen beiden Hemisphären jedoch die Ausnahme. Zwar kann es vorkommen, daß Patienten berichten, mit der einen oder anderen Hand nicht immer das fertig zu bringen, was sie sich vorgenommen haben, aber die Konflikthandlungen, die in der populärwissenschaftlichen Literatur über diese Patienten berichtet wurden, stammen entweder aus der Zeit unmittelbar nach der Operation oder von Patienten, bei denen, außer im Bereich der Kommissurenbahnen, weitere Hirnverletzungen angenommen werden müssen. Das dabei beobachtete »Fremde-Hand-Syndrom«, bei dem fast ausschließlich die linke Hand etwas tut, was der Patient zeitweise nicht kontrollieren kann, ist kein typisches Problem von Splitbrain-Patienten.

Es gibt verschiedene Erklärungen dafür, daß die Patienten trotz nachweisbar separater kognitiver Prozesse in beiden Hemisphären ein einheitliches konfliktfreies Verhalten zeigen und sich auch als Einheit empfinden. Zum einen ist zu bedenken, daß für viele psychische Grundfunktionen ein Informationsaustausch über subkortikale Bereiche des Zwischenhirns und Hirnstammes erfolgen kann. Viele Sinnesmodalitäten haben hier ebenso wie auch im Mittelhirn zusätzliche bilaterale Verbindungen. Zum anderen sind die Erfahrungen beider Gehirnhälften im täglichen Leben identisch, wenn auch qualitative Unterschiede in der Wahrnehmung und weiterer Verarbeitung dieser Erfahrungen in beiden Hemisphären möglich sind. Darüber hinaus scheint es – wie bei uns allen – psychologische Mechanismen der Konfliktvermeidung zu geben. Aus der Sozialpsychologie wissen wir, daß menschliches Verhalten unter anderem dadurch geleitet ist, keine allzu großen Dissonanzen in Einschätzungen, Beurteilungen, Wahrnehmungen oder Erwartungen bestehen zu lassen.

Schließlich scheint auch nach der Durchtrennung der Kommissurenbahnen, wie bei den dissoziierten Gehirnwelten im normalen Gehirn, in einem bestimmten Moment jeweils nur über eine dieser inneren Welten reflektiert werden zu können.

Selbstbewußtsein

Damit kommen wir zu einer besonderen Form des Bewußtseins, die ich bisher noch nicht direkt angesprochen habe. Es geht um das »Selbst« oder »Ich«; Bewußtsein ist das funktionierende Gehirn, Selbstbewußtsein – Sie erinnern sich – ist der Unterschied zwischen der Vorstellung, ein Gehirn zu haben, anstatt ein Gehirn zu sein. Übrigens, wenn man Personen bittet, einen drehbaren Zeiger auf die Mitte des eigenen »Ich« zu richten, dann lassen sie ihn nicht auf den Kopf weisen.

Im Gegensatz zum Konstrukt der Gehirnwelt, das ich verwenden kann, um wissen-

185

schaftlich überprüfbare Vorhersagen zu machen, sind die Möglichkeiten, das »Selbstbewußtsein« wissenschaftlich zu untersuchen, auf einige wenige Teilaspekte beschränkt. Es ist anzunehmen, daß die Einschränkung, jeweils über nur eine Gehirnwelt reflektieren zu können, zu diesem Gefühl der Einheit des »Selbst« beiträgt. Darüber könnte man experimentieren. Ebenso gibt es gewissermaßen autobiographische Gehirnwelten, die zu untersuchen sind. Diese ermöglichen beispielsweise die Konstruktion einer persönlichen Identität und tragen so vermutlich auch zur Konstruktion des »Ich« bei.

Persönliche Identität ist aber nicht mit Selbstbewußtsein gleichzusetzen. So kann bei bestimmten neuropsychologischen Störungen, beispielsweise bei einer transitorischen *globalen Amnesie,* trotz ansonsten erhaltener intellektueller Fähigkeiten ein Verlust der persönlichen Identität auftreten. Während des dabei anfallsartig auftretenden vollständigen Gedächtnisverlusts können komplexe Handlungen durchgeführt und Tätigkeiten ausgeübt werden, die kognitive Funktionen voraussetzen. Der Patient ist aber unter anderem zur eigenen Person vollständig desorientiert, ohne allerdings das Gefühl für ein »Ich« verloren zu haben. Ähnliches gilt für einige schwere enzephalitische oder dementielle Erkrankungen, wie zum Beispiel die Alzheimer Krankheit.

Zerebrale Asymmetrie und Selbstbewußtsein

»Im Allgemeinen sind es die grossen Hirnhemisphären, welche die grösste, wenn man will centrale, Bedeutung für das Seelenleben verrathen [...]; aber sie sind doppelt. Sitzt nun die Seele in der linken oder der rechten Hemisphäre?« (Fechner, 1860, S. 395/396). Seitdem man anfing, das Gehirn mit Funktionen des Geistes in Verbindung zu bringen, hat man sich immer wieder mit dieser Frage beschäftigt. Und bis heute bereitet es manchen Kollegen Schwierigkeiten zu akzeptieren, daß trotz unterschiedlicher Gehirnwelten eine monistische Auffassung eines einheitlichen Selbstbewußtseins möglich ist.

Sprache und Selbstbewußtsein

Um dem Problem der Zweiteilung aus dem Wege zu gehen, hatte man lange Zeit versucht, eine unpaarige Struktur im Gehirn zu finden, die sich als Sitz einer einheitlichen Seele annehmen ließ. An die Stelle der Zirbeldrüse, des dritten Ventrikels oder des Gehirnbalkens als Sitz der Seele, ist in neuerer Zeit die linke Hemisphäre mit ihren sprachlichen Funktionen getreten. Insbesondere diejenigen Wissenschaftler, die aufgrund weltanschaulicher oder religiöser Überzeugungen sowohl dualistische Positionen vertreten als auch a priori eine Einheit des Bewußtseins postulieren, interpretieren die Ergebnisse der »Split-brain« Forschung in diesem Sinne (z.B. Eccles, 1976; Popper & Eccles, 1977). Ihrer Meinung nach besitzt nur die dominante, sprechende, linke Gehirnhälfte Bewußtsein, beziehungsweise hat – wie Eccles es beschreibt – über einen bestimmten Gehirnteil, das sogenannte Liaisongehirn, Verbindung mit der außerhalb des Körpers befindlichen Welt des bewußten Selbst. Während somit die linke Hemisphäre die eigentlich menschliche ist, wird die rechte Hemisphäre als mehr oder weniger hochspezialisierter Automat betrachtet, dessen Funktionen höchstens an die von Schimpansengehirnen heranreichen.[6]

Es gibt auch nicht-dualistische Varianten des linkshemisphärischen, sprachlich gebundenen Selbstbewußtseins. So nimmt beispielsweise Gazzaniga auf der Basis seiner Split-brain Forschung (Gazzaniga, 1985) an, daß unser Verhalten von einer Vielzahl von mehr oder weniger automatisch funktionierenden Modulen determiniert wird. Bewußtsein ist für ihn ein Schema, das ein »left-hemisphere-interpreter« erstellt, um dem Verhalten Sinn zu geben. Ich hatte bereits erwähnt, daß bei der Konstruktion unserer Gehirnwelt psychologische Funktionen daran beteiligt sind, Kontinuität und Konsistenz zu gewährleisten, so etwa das sozialpsychologische Konstrukt der kognitiven Dissonanzreduktion. Solche Funktionen tragen aber nur einen Teil zur Konstruktion des Bewußtseins bei. Andere konstruktive Funktionen sind hierfür ebenso wichtig. Zudem erscheint mir die Bindung des »Übersetzers oder Erklärers« an die linke Hemisphäre und damit an die propositionellen sprachlichen Fähigkeiten nicht zwingend.

Ich glaube schon, daß sprachliche Funktionen für das Bewußtsein und auch für das Selbstbewußtsein von großer Bedeutung sind. Sprache ermöglicht Metafunktionen, symbolische Beschreibung und Abstraktion, also Leistungen, wie sie als Grundlage der Reflektion zur Konstruktion eines Selbstbewußtseins (über die Konstruktion des Bewußtseins hinaus) angenommen werden können. In diesem Zusammenhang ist es sicher nicht unbedeutend, daß eine Reihe von Bewußtwerdungsstörungen, wie die Anosognosie, oder auch Formen der Apraxie, an Situationen gebunden sind, in denen eine abnormale Reaktion erst durch Fragen, Instruktionen oder die Forderung abstrakter oder symbolischer Handlungen ausgelöst wird. Welche spezifische Rolle die Sprache dabei aber spielt, ist noch unklar.

Auch wissen wir nicht, ob die Entstehung höherer Bewußtseinsfunktionen auf der Entwicklung der Sprache basiert, oder ob es sich um gemeinsam aber unabhängig voneinander entstandene Fähigkeiten des Gehirns handelt. In jedem Fall sehe ich im Augenblick keine Notwendigkeit, in Frage zu stellen, daß sprachliche Fähigkeiten, wie sie auch der rechten Hemisphäre zur Verfügung stehen, ausreichen, um ein Bewußtsein zu haben. Das gleiche kann man für wichtige Teilaspekte des Selbstbewußtseins annehmen, soweit dies überhaupt wissenschaftlich überprüft werden kann. Allerdings gebe ich zu, mich auf diesem Terrain weder sicher noch wohl zu fühlen.

Daß ich mich überhaupt auf Fragen des Selbstbewußtseins eingelassen habe, geschah zumindest teilweise eher unfreiwillig. Der freiwillige Teil hatte mit Erfahrungen zu tun, die ich schon während des Studiums über die Reaktionen verschiedener Tiere auf ihr Spiegelbild und dem besonderen Effekt, den das Bild des eigenen Gesichts bei Kindern und Erwachsenen hervorruft, sammeln konnte. Der unfreiwillige Teil war eine Reaktion auf die Behauptung von Eccles, das Niveau des Bewußtseins der rechten Hemisphäre von Split-brain Patienten wäre dem von Tieren gleichzusetzen.

Kann sich die rechte Hemisphäre selbst erkennen?

Sir John Eccles war oft im Labor von Sperry zu Besuch und daher über die Ergebnisse der Forschung mit Split-brain Patienten gut informiert. Aber er blieb bei seiner Interpretation dieser Befunde in dem Sinne, daß nur die linke Hemisphäre menschliches Bewußtsein besitzt. Selbst die Demonstration von typisch menschlichen Emotionen, die nach Stimulation der rechten Gehirnhälfte zu beobachten waren, schienen ihn nicht zu beeindrucken; beispielsweise, wenn die Patienten nach rechtshemisphärischer Darbietung von Pin-up Fotos erröteten und verlegen kicherten, aber nicht erklären konnten, weshalb sie so reagierten (was darauf schließen ließ, daß die linke Hemisphäre die Bilder nicht gesehen hatte).

Nach einem weiteren Besuch von Eccles überredete ich Sperry, mir zu erlauben, Experimente zur Gesichterwahrnehmung durchzuführen. Das Ziel war zunächst, ein nichtverbales Maß für das Erkennen des eigenen Gesichts und später auch andere Hinweise einer emotionalen Selbstidentifikation zu finden. Kurz darauf machte ich zusammen mit einem Studenten die ersten Versuche mit einem psychophysiologischen Maß der Erregung, den Veränderungen der Hautleitfähigkeit.

Aus der experimentellen Psychologie war bekannt, daß hautelektrische Reaktionen, die auf Veränderungen in unserer Umwelt eintreten und Teil der sogenannten Orientierungsreaktion darstellen, bei wiederholter Stimulation habituieren. Das heißt, die Reaktion wird immer schwächer, bis sie schließlich gar nicht mehr meßbar ist. Wir fanden dies auch bei mehrfacher Darbietung von Bildern von Freunden sowie Verwandten, und von erotischen oder sonstigen Fotos mit emotional erregendem Inhalt bestätigt. Eine Ausnahme war das Bild des eigenen Gesichts. Hier blieb die Reaktion gleich stark und nahm bei einigen Versuchspersonen sogar zu.

Bei der Untersuchung von Split-brain-Patienten, denen wir vergleichbare Fotoserien jeweils nur in die rechte und linke Hemisphäre projizierten, konnten wir ebenfalls die größten und am wenigsten habituierenden Reaktionen auf das eigene Bild nachweisen. Im Durchschnitt waren die Reaktionen bei der Wahrnehmung mit der rechten Hemisphäre sogar wesentlich stärker als bei der Darbietung in die linke Gehirnhälfte (Preilowski, Gray & Sperry, 1972).

In Zusammenarbeit mit Eran Zaidel konnten die Experimente einige Jahre später wiederholt werden, wobei wir eine von Zaidel entwickelte Technik der Darbietung verwendeten, bei der über ein optisches System Bilder direkt durch die Pupille in das Auge auf eine Retinahälfte projiziert werden. Zaidel hatte mit dieser Technik, die es den Patienten ermöglichte, eine visuelle Vorlage fast beliebig lange anzuschauen, die sprachlichen Funktionen der rechten Hemisphäre sehr viel gründlicher untersucht, als dies bislang der Fall gewesen war.

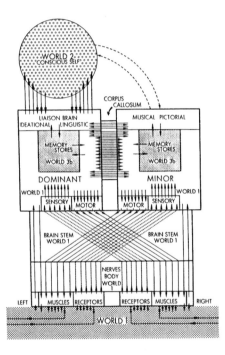

Abbildung 8: Dualistische Vorstellung von der Interaktion zwischen Gehirn (World 1) und „Bewußtem Selbst (World 2)" nach Eccles. A) Interaktion nur über die linke Hemisphäre (z. B. Eccles, 1976). B) Später gestand Eccles auch der rechten Hemisphäre eine beschränkte Interaktion mit dem „Bewußten Selbst" zu (gestrichelte Linien) (Popper & Eccles, 1977).

Bei der Erweiterung der Experimente zur Selbstwahrnehmung durch Sperry und Zaidel spielten sprachliche Aspekte mittlerweile eine immer größere Rolle. Ich selbst fühlte mich bei zu großen Ansprüchen an die rechtshemisphärische Sprache eher unwohl, denn für mich bestand im Zusammenhang mit rechtshemisphärischen sprachlichen Leistungen folgendes Dilemma: die einzige Möglichkeit, um im Nachhinein zu wissen, daß ein Bild tatsächlich nur von der rechten Hemisphäre gesehen worden war, blieb die Unfähigkeit des Patienten, darüber zu reden; eine annähernd korrekte verbale Reaktion war

189

somit entweder ein Anzeichen für einen mißlungenen Test oder aber die Patienten hatten die Fähigkeit zur rechtshemisphärischen Sprache in einem Maße, daß der Verdacht aufkommen konnte, sie seien bezüglich dieser rechtshemisphärischen Leistungen nicht repräsentativ dafür, wie die Gehirne anderer Menschen funktionieren. Während Sperry die sprachlichen Funktionen ausreizen ließ (Sperry, Zaidel & Zaidel, 1979), beschränkte ich mich daher auf die non-verbale Reaktion (Preilowski, 1975, 1979).

Insgesamt zeigen die Daten dieser Untersuchungen, daß die rechte Hemisphäre von Split-brain Patienten selbstbeschreibende Adjektive und Bilder von sich selbst und von persönlichen Besitztümern erkennen kann. Ob es diese Experimente waren, die schließlich dazu führten, daß Eccles einige Zeit später auch der rechten Hemisphäre eine - wenn auch nur als gestrichelte Linie gekennzeichnete - Verbindung mit dem über der linken Hemisphäre angeordneten »conscious self« zugestand, weiß ich nicht.

Wie schon angedeutet, entzieht sich das Phänomen »Selbstbewußtsein« *weitestgehend* einer wissenschaftlichen Untersuchung. Auch die obigen Experimente ergaben nur aufgrund der emotionalen Komponente einen Hinweis auf einen Teilaspekt des Selbstbewußtseins der rechten Hemisphäre, der über ein bloßes Erkennen der persönlichen, autobiographischen Identität hinausgeht.

Bewußtsein und Gehirnfunktionen

In den letzten hundert Jahren sind sehr große Fortschritte in den Neurowissenschaften gemacht worden. Dennoch ist es noch nicht möglich, auf der physiologischen Ebene eine direkte Verbindung zwischen dem hypothetischen Konstrukt Bewußtsein und den Konstrukten von Funktionen des Gehirns, die dieses Bewußtsein ermöglichen, herzustellen. Hier sind wir immer noch auf Metaphern angewiesen. Eine der einfachsten, zumindest für mein Verständnis sehr hilfreiche, und angesichts der neueren Vorstellungen von Oszillationen als Grundlage von Hirnfunktionen (Gray, König, Engel & Singer, 1989), auch sehr aktuelle Vorstellung, ist über 130 Jahre alt. Sie stammt von dem bereits schon einmal zitierten Begründer der Psychophysik, Gustav Theodor Fechner.

Fechner vertrat eine Form von Panpsychismus und glaubte an die Einheit und räumliche wie zeitliche Kontinuität in einem kosmischen Bewußtsein. Dabei benutzte er die Modellvorstellung von unterschiedlichen Intensitäten, die man in Form von Wellen darstellen kann. Mit Hilfe einer zusätzlichen Annahme verschiedener Schwellen konnte er dann innerhalb der größeren, panpsychischen Einheit verschiedenste physische wie psychophysische Untereinheiten unterscheiden. Es ist nicht notwendig, die weltanschaulichen Vorstellungen von Fechner zu übernehmen, um das Modell zu verwenden. Wir brauchen nur die panpsychische Einheit durch die Gesamtheit der Hirnfunktionen zu ersetzen. »Unsere Hauptwellen, an denen unser Hauptbewußtsein hängt, tragen Wellen, an denen unsere besonderen Bewußtseinsphänomene hängen« (S. 533) »Daß alle Oberwellen [d.h. die einzelnen Bewußtseinsphänomene] [...] oberhalb derselben Hauptschwelle in einer Hauptwelle zusammenhängen, ordnet sie demselben Hauptbewußtsein ein und unter, daß sie aber zugleich diskontinuierlich über ihrer eigenen Schwelle sind, lässt sie innerhalb dieses Hauptbewusstseins unterscheiden« (Fechner, 1860, zit. nach der Auflage von 1907, S.532).

In ähnlicher Weise kann man sich vorstellen, daß die verschiedenen Bewußtseinsfunktionen in unterschiedlicher Intensität ablaufen und sowohl mit der Aktivität des gesamten Gehirns als auch der Aktivität bestimmter Bereiche, beispielsweise mit Teilen des Assoziationskortex, zusammenhängen. Veränderungen in der subjektive Bewußtheit oder in basalen Bewußtseinsfunktionen könnten, wie die unterschiedlichen Schwellen Fechners, sowohl zu einem einheitlichen Bewußtsein wie auch zu einer Vielzahl von Bewußtseinsformen führen. Die Anzahl dieser unterschiedlichen Gehirnwelten ist durch keine der bisher bekannten neuroanatomischen oder neurophysiologischen Tatsachen festgelegt.

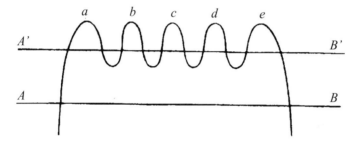

Abbildung 9: Schematische Darstellung der Kontinuitäts- und Diskontinuitätsverhältnisse des Bewußtseins nach Fechner (1860).

Zusammenfassung und abschließende Bemerkung

Ich habe versucht zu zeigen, daß es für das Verständnis von neuropsychologischen Störungen hilfreich sein kann, Bewußtsein als Konstrukt aus einem Komplex von Hirnfunktionen zu betrachten. Bewußtsein ist dabei eine Welt im Gehirn und gleichbedeutend mit den Prozessen, die zum Aufbau und zur ständigen Erneuerung dieser Gehirnwelt beitragen. Mit Hinblick auf neuropsychologische Syndrome kommt den Funktionen, die Erwartungen über Veränderungen der Gehirnwelt entwickeln, besondere Bedeutung zu.

191

Durch einen derartigen Ansatz werden insbesondere auch teilweise sonst unbegreifliche Verhaltensänderungen zumindest soweit verständlich, daß gewisse Vorhersagen über Verhaltensmöglichkeiten gemacht werden können. Das wiederum macht es leichter, dem Patienten, seinen Angehörigen und den behandelnden Personen sinnvolle Hinweise im Umgang mit der Behinderung zu geben, die die Situation des Patienten entscheidend verbessern können. Neuropsychologen und auch andere Personen, die sich um hirngeschädigte Patienten bemühen, können bei dem Versuch, herauszufinden, welche Funktionen zu Fehlern im Aufbau der Gehirnwelt geführt haben könnten, Hinweise für die Entwicklung von Therapien gewinnen. Für die Angehörigen bedeutet es oft schon eine wesentliche Hilfe, wenn man sie aufgrund der Berechenbarkeit bestimmter Defizite davon überzeugen kann, daß der Patient durchaus nicht verrückt ist, obwohl er beispielsweise ausgerechnet sie selbst und die eigenen Kinder nicht erkennt oder andere sonst nur schwer verständliche Reaktionen zeigt.

Aus meiner Darstellung ergibt sich weder eine umfassende, fertig gedachte Definition von Bewußtsein, noch ist es ein Versuch, das Wesen des Bewußtseins naturwissenschaftlich zu erklären. Ob so etwas überhaupt möglich ist, wage ich nicht zu beurteilen. Ganz abgesehen von erkenntnisphilosophischen Gesichtspunkten, ist die Bedeutung einer wissenschaftlich fundierten Definition des Bewußtseins allein im medizinischen, ethischen und rechtlichen Bereich offensichtlich. Nicht umsonst werden zum Thema »Geist und Gehirn« nicht nur Vortragsserien sondern auch Forschergruppen sowie Forschungsschwerpunkte initiiert und letztere auch mit erstaunlich großem Aufwand gefördert. Bei all diesen Programmen fiel mir jedoch auf, daß es keinerlei Ansätze gab, sich auch mit möglichen Konsequenzen auseinanderzusetzen, die sich dann ergäben, wenn es tatsächlich gelänge, eine wissenschaftlich begründete sowie ethisch wie rechtlich eindeutige Definition des Bewußtseins zu finden. Könnte es vielleicht sein, daß keiner so recht daran glaubt, daß dies überhaupt möglich ist?

Aber selbst wenn es so wäre, daß man die Wahrheit über das Bewußtsein nie erlangen könnte, so ist das kein Argument gegen eine Gehirn- und Geisteserforschung. Im Bereich der Wissenschaft ist Wahrheit immer ein unerreichbares Ziel. Durch die Bemühungen der Neuropsychologie, dieses Ziel dennoch zu erreichen, kann zumindest erreicht werden, daß immer mehr Zusammenhänge zwischen Gehirnfunktionen und Verhaltensmöglichkeiten verständlich beschrieben und Vorhersagen ermöglicht werden. Flourens wird der Ausspruch zugeschrieben »La science n'est pas, elle devient«. Sinngemäß könnte man übrigens auch sagen »La conscience n'est pas, elle devient«.

Danksagung

Insbesondere im Zusammenhang mit den klinischen Untersuchungen habe ich vielen Personen Dank abzustatten. Zu allererst den Patienten; sie haben oftmals auch an für sie anstrengenden Untersuchungen teilgenommen, obwohl sie darüber informiert waren, daß sich für sie selbst aus den Ergebnissen keine unmittelbare Verbesserung ihrer Situation ergeben würde. Danken möchte ich auch den Mitarbeitern, vor allem Stefan Hart und Eugen Weber, sowie den ärztlichen Direktoren der neurologischen Kliniken in Ravensburg, Prof. Fröscher und Prof. von Büdingen. Eckart Scheerer und Peter Bieri verdanke ich die Möglichkeit, zumindest zeitweise als Mitglied der von ihnen geleiteten Forschungsgruppe »Mind and Brain« am Zentrum für Interdisziplinäre Forschung der Universität Bielefeld an vielen anregenden Diskussionen und Auseinandersetzungen teilnehmen zu können. Nicht zuletzt gebührt besonderer Dank auch Roger Sperry und Joseph Bogen, für ihre nunmehr schon zwanzig Jahre andauernde geduldige, freundschaftliche und kollegiale Unterstützung.

Anmerkungen

1 Leicht veränderte Fassung eines öffentlichen Vortrags vom 2. Mai 1990 an der Universität Konstanz im Rahmen der Ringveranstaltung »Gehirn und Geist« der Fakultät für Biologie und des Zentrum IV (Philosophie und Wissenschaftstheorie).

2 Ich folge hier einer ausführlicheren Darstellung, die an anderer Stelle zur Entwicklung der Gehirnasymmetrie veröffentlicht wurde (Preilowski, 1988).

3 Diese Frage ist eine von vielen Provokationen Daniel C. Dennetts, denen ich mit Hinblick auf die Entwicklung meines eigenen Denkens über Bewußtsein sehr viel verdanke.

4 Neuropsychologische Störungen sind Veränderungen im Verhalten und in den Verhaltensmöglichkeiten, insbesondere den komplexeren sensomotorischen und intellektuellen Leistungen sowie emotionalen und motivationalen Fähigkeiten, soweit diese auf pathologische Veränderungen im Zentralnervensystem zurückgeführt werden können oder eine solche Ursache zumindest nicht ausgeschlossen werden kann.

5 Ich berichte hier nur über Beobachtungen bei Patienten mit einer vollständigen Kommissurotomie; durch neue bildgebende Verfahren der Gehirndarstellung konnte die Vollständigkeit der Durchtrennung mittlerweile bestätigt werden.

6 Wenn man die Leistungen von Schimpansen betrachtet, die im Rahmen der vergleichenden Verhaltensforschung der letzten Jahre beschrieben wurden (z.B. Matsuzawa, 1990; Oden, Thompson & Premack, 1990; Savage-Rumbaugh, 1987) könnte man die Diskussion darüber, ob die rechte Hemisphäre Bewußtsein besitzt, als erledigt betrachten. Es sei denn, man setzt Bewußtsein mit der Fähigkeit gleich, lautsprachlich kommunizieren zu können.

Literatur

Bibliographisches Institut (1963). Das Herkunftswörterbuch (Der Duden in 10 Bänden. Band 7). Mannheim: Dudenverlag.

Bisiach, E., Capitani, E., Luzzatti, C., & Perani, D. (1981). Brain and conscious representation of outside reality. Neuropsychologia, 19, 543-551.

Corinth, L. (1926). Selbstbiographie. Leipzig: Hirzel.

Eccles, J.C. (1976). Brain and free will. In G. G. Globus, G. Maxwell & I.Savodnik (Eds.), Consciousness and the brain. A scientific and philosophical inquiry. (Pp. 101-121). New York: Plenum Press.

Fechner, G.T. (l860). Elemente der Psychophysik (Zweiter Theil.Auflage von 1907). Leipzig: Breitkopf & Härtel.

Fuchs, W. (1920). Untersuchungen über das Sehen der Hemianopiker und Hemiamblyopiker. Zeitschrift für Psychologie, 84, 67 ff.

Gazzaniga, M.S. (1985). The social brain - discovering the networks of the mind. (Deutsche Ausgabe, 1989: Das erkennende Gehirn - Entdeckungen in den Netzwerken des Geistes). New York: Basic Books, Inc.

Gray, C.M., König, P., Engel, A. K., & Singer, W. (1989). Oscillatory responses in cat visual cortex exhibit inter-columnar synchronization which reflects global stimulus properties. Nature, 338(6213), 334-337.

Gregory, R.L. (1988). Consciousness in science and philosphy: conscience and con-science. In A. J. Marcel & E. Bisiach (Eds.), Consciousness in contemporary science. (Pp. 257-272). Oxford: Clarendon Press.

Inoue, K., & Sugishita, M. (1974). (Drawings by a patient with hemispatial agnosia and his autopathographic recollections after recovery). Neurological Medicine, 1 (1), 162-166. ((original in Japanese)).

James, W. (1890). The principles of psychology. New York: Henry Holt.

James, W. (1892). Psychology (briefer course). New York: Henry Holt.

James, W. (1912). Essays in radical empiricism. New York: Longmans-Green.

Jerison, H.J. (1973). The evolution of the brain and intelligence. New York: Academic Press.

Jung, R. (1974). Neuropsychologie und Neurophysiologie des Kontur- und Formsehens in Zeichnung und Malerei. In H. H. Wieck (Hg.), Psychopathologie musischer Gestaltungen. (S. 27-88). Stuttgart: F. K. Schattauer Verlag.

Levy, J., Trevarthen, C., & Sperry, R. W. (1972). Perception of bilateral chimeric figures following hemispheric deconnexion. Brain, 95, 61-78.

Lissauer, H. (1889). Ein Fall von Seelenblindheit nebst einem Beitrage zur Theorie derselben. Archiv für Psychiatrie und Nervenkrankheiten, 21, 222-270.

Matsuzawa, T. (1990). The perceptual world of a chimpanzee (Research report; including reprints of publications). Inuyama: Kyoto University Primate Research Institute.

Oden, D.L., Thompson, R. K. R., & Premack, D. (1990). Infant chimpanzees spontaneously perceive both concrete and abstract same/different relations. Child Development, 61, 621-631 .

Poppelreuter, W. (1917). Die psychischen Schädigungen durch Kopfschuss im Kriege 1914-16: I. Die Störungen der niederen und höheren Sehleistungen durch Verletzungen des Okzipitalhirns. Leipzig: Voss.

Preilowski, B. (1986). Symmetrie - Asymmetrie und Gehirn. In B. Krimmel (Hg.), Symmetrie in Kunst,

Natur und Wissenschaft (Band 1 - Texte). (S. 59-81; Ausstellung und Symposion Mathildenhöhe Darmstadt 01.06.-24.08. I986). Darmstadt: Mathildenhöhe Darmstadt.

Preilowski, B., Gray, G., & Sperry, R. W. (1972). An attempt to test for self-recognition in the right hemisphere of split-brain patients. Biology Annual Report, California Institute of Technology, 81.

Preilowski, B. (1975). Facial self-recognition after separate right and left hemisphere stimulation in two patients with complete cerebral commissurotomy. Experimental Brain Research, 23(Suppl.), 165.

Preilowski, B. (1979). Consciousness after complete surgical section of the forebrain commissures in man. In I. Steele Russell, M. W. Van Hof & G. Berlucchi (Eds.), Structure and function of cerebral commissures. (Pp.41 1-420). London: The Macmillan Press.

Preilowski, B. (1985). Vergleichende Neuropsychologie: Untersuchungen zur Gehirnasymmetrie bei Menschen und Affen. Konstanz: Universitätsverlag Konstanz GmbH.

Preilowski, B. (1991). Neuropsychologische Syndrome. In W. Fröscher (Hg.), Lehrbuch Neurologie mit Repetitorium. (S. 241-284). Berlin: Walter de Gruyter.

Raab, D.H. (1963). Backward masking. Psychological Bulletin, 60, 118-129.

Savage-Rumbaugh, S. (1987). Ape language: From conditioned response to symbol. New York: Columbia University Press.

Sperry, R.W., Gazzaniga, M. S., & Bogen, J. E. (1969). Interhemispheric relationships: the neocortical commissures; syndromes of hemispheric disconnection. In P. J. Vinken & G. W. Bruyn (Eds.), Handbook of Clinical Neurology. Vol. 4. (Pp. 273-290). Amsterdam: North Holland.

Sperry, R.W., & Preilowski, B. (1972). Die beiden Gehirne des Menschen. Bild der Wissenschaft, 9, 920-927.

Sperry, R.W. (1974). Lateral specialization in the surgically separated hemispheres. In F. O. Schmitt & F. G. Worden (Eds.), The neurosciences. Third study program. (Pp.5-19). Cambridge, Mass.: MIT Press.

Juan D. Delius

Geist als Tradition: Kultur bei Mensch und Tier

1. Einleitung

Es liegt nahe, die Thematik »Geist und Gehirn« im Lichte der Leib-Seele-Problematik zu behandeln. Das belegen mehrere Beiträge in diesem Buch hinreichend. Als erklärter Materialist behagt mir persönlich aber dieser besondere Dualismus überhaupt nicht. Statt dessen ziehe ich es vor, anzunehmen, daß ein ganz anderer Gegensatz, nämlich der zwischen Kultur und Natur mit dem Titelthema angesprochen sein könnte. Das ist durchaus mit einigen kulturbezogenen Definitionen, die, unter vielen anderen, Wörterbücher für den Begriff »Geist« anbieten, vereinbar. Andererseits dürfte die Natürlichkeit des Gehirns unbestritten sein. Zudem ist zumindest unter Psychologen die Diskussion, in welchem Maße das Verhalten und Erleben des Menschen von Kultur oder Biologie bestimmt wird, ein aktuelleres Thema als Überlegungen zur Rolle, die dabei ein hypothetischer, beseelter Geist spielen könnte.

Nun ist aber das Wort »Kultur«, insbesondere im Deutschen ebenfalls vieldeutig. Für die Zwecke dieses einführenden kurzen Essays [1,2] ist es notwendig, seine Definition auf das Elementare zu beschränken. Kultur soll hier verstanden werden als das Ensemble der traditionsbestimmten Verhaltensweisen, die einer Population eigen sind. Traditionsbestimmt sind solche Verhaltensweisen, die ein Individuum aufgrund irgendeiner Art von Nachahmungs-, Beobachtungs- oder Instruktionslernen von anderen Individuen übernimmt. Natürlich können auch Sprach- und Schriftäußerungen solches Verhalten sein. Beispiele traditionsbestimmter Handlungen sind das Anbeten eines besonderen Gottes, das Bauen von besonderen Behausungen, das Sprechen eines besonderen Dialektes, das Essen von besonderer Nahrung, das Tragen besonderer Kleidung, das Lesen besonderer Bücher, das Lehren besonderer Gesetze und dergleichen mehr. Die interindividuelle Verhaltensübertragung kann selbstverständlich auch von Medien (z.B. Büchern, Fernsehen) vermittelt werden. Ausgeschlossen sind aber Verhaltensweisen, die durch biologische Vererbung übertragen werden (angeborene Verhaltensweisen [3], z.B. Lachen, Weinen) und solche, die allein durch individuelles Lernen zustande kommen (z.B. Nasebohren, Onanieren), es sei denn, letztere werden später von anderen Individuen per Nachahmungslernen übernommen. Ausgeschlossen sind auch sogenannte Kulturgüter oder gegenstände (z.B. Barockkirchen, Automobile, Spielkarten), die aber natürlich stellvertretend für das kulturelle Verhalten stehen, das sie erzeugt hat oder das sie eventuell auslösen können. Selbst Bücher sind, wenn ihr Inhalt nicht verhaltenswirksam von jemandem aufgenommen wird, nur Spielbälle kulturellen Verhaltens (z.B. Verkauf, Schenken).

Das kulturelle Verhaltensrepertoire, das einer Population zu eigen ist oder war, seien es die Friesen, Yanomamo, Azteken, Börsianer, Militärs, Schickimickis oder Rocker, ist unbestritten das Produkt eines historischen Prozesses. Die Urprimaten vor 40 Millionen Jahren, von denen die Menschen abstammen, besaßen mit an Sicherheit grenzender Wahrscheinlichkeit keine Kultur. Homo habilis, der vor etwa einer Million Jahren lebte, besaß eine sehr rudimentäre Kultur. Erst vor etwa 10.000 Jahren differenzierte und beschleunigte sich die Kulturentwicklung bei einigen Völkern. Das Thema dieses Essays ist die Analogie zwischen der Kulturgeschichte, dem kulturellen Evolutionsprozeß, und der Stammesgeschichte, dem biologischen Evolutionsprozeß. Daß es Ähnlichkeiten zwischen den beiden Vorgängen gibt, ist bereits mehrfach in den letzten 150 Jahren bemerkt worden. Eine genauere Analyse der Analogie hat aber erst in den letzten Jahrzehnten begonnen. Veranlaßt wurde diese Analyse insbesondere durch wesentliche Fortschritte, die die biologische Evolutionstheorie, die vor etwas mehr als einem Jahrhundert von Charles Darwin begründet wurde, in dem gleichen Zeitraum machte. Vor der Darstellung der Parallelen ist es zweckmäßig, die wesentlichen Züge des biologischen Evolutionprozesses, des zweifelsohne besser verstandenen der beiden, kurz darzustellen. Dies ermöglicht auch, die Entstehung der fundamentalen Voraussetzungen für den kulturellen Evolutionsprozeß zu skizzieren. Dieser bedarf ja ohne Frage als Grundlage geeigneter, kulturfähiger Organismen. Die kulturelle Evolution ist prinzipiell der biologischen Evolution nachgeschaltet, sie wurde erst durch diese ermöglicht.

2. Biologische Evolution

Nach allgemeinen Vorstellungen begann der biologische Evolutionsprozeß auf Erden vor etwa 3,5 Milliarden Jahren mit dem zufälligen Aufkommen von Molekülen, oder besser von Molekülsystemen, die zu einer nicht immer ganz perfekten Selbstvermehrung (Replikation mit gelegentlichen Mutationen) fähig waren. Jede Molekülvariante, die durch diese Vermehrung entstand, aber selbst nicht hinreichend beständig war oder gar nicht mehr replikationsfähig war, entzog sich automatisch dem Spiel. Solche Molekülvarianten, die sich besonders häufig und schnell zu vermehren vermochten, die also mehr Nachkommen hinterließen, konnten über Generationen hinweg weniger effiziente Varianten verdrängen. Dies, weil die verschiedenen replikationsfähigen Moleküle in Konkurrenz um dieselben Umweltressourcen (Energie, Materie) traten, die für die Vermehrung notwendig sind. Nicht alle Varianten waren im Fortbestand und der Vermehrung gleich potent. Einige waren in dieser Hinsicht erfolgreicher als andere (Selektion). In verschiedenen lokalen Umweltbedingungen (Nischen) setzten sich allerdings verschiedene Molekülspezies durch (Artenbildung). Welche am effizientesten in der Ressourcenausnützung war, hing nämlich von den jeweiligen besonderen lokalen Bedingungen ab.

Solche replizierenden Moleküle oder Gene, wie sie fortan genannt werden sollen, die es vermochten, sich mit einer Hülle zu umgeben, und die fähig waren, ein Soma zu synthetisieren (Instruktion), waren gegen örtliche und zeitliche Umweltvariationen besser abgesichert. Sie schafften sich mit der Hülle ein milieu intérieur und wurden zu echten Organismen. Genmutanten, die wiederum, etwa durch Instruktion eines Flagellums oder ähnlichem, die Fähigkeit der Fortbewegung (Mobilität) erlangten, konnten optimale Bedingungen aufsuchen, insbesondere dann, wenn die Bewegungen von ebenfalls instruierten Sinnesorganellen gesteuert wurden. Damit war Verhalten entstanden, dessen Vorteil die Fähigkeit zum gezielten Auffinden von günstigen Umweltbereichen war. Solange diese Organismen in einigermaßen gleichbleibenden Umweltbedingungen lebten, genügten Reaktionen, die genetisch festgelegt auf bestimmte Reize folgten (angeborenes Verhalten). In ökologischen Nischen, die räumlich-zeitlich variabel waren, bestand aber ein Selektionsvorteil für Mutanten, denen es möglich war, die Reiz-Reaktionsverbindungen wechselnd aufgrund vorausgegangener individueller Erfahrung festzulegen. Im einfachsten Falle geschah dies vermittels der Pawlowschen Konditionierung. Reize, die nur durch beständigen zeitlichen oder örtlichen Zusammenhang annäherungs- oder vermeidungsauslösende Bedingungen anzeigen, erhalten bei dieser Art des Lernens selber die Funktion, die geeigneten Handlungen auszulösen.

Der nächste bioevolutionäre Schritt mag das Aufkommen von Mechanismen, die die Thorndikesche Konditionierung ermöglichten, gewesen sein. Durch diese Form des Lernens werden solche Verhaltensvarianten, die erstrebens- oder auch ablehnenswerte Ereignisse herbeiführen, vom Organismus immer häufiger bzw. seltener gezeigt. Solches Lernen führt, wenn es vielfältig genug ist, dazu, daß der Organismus sich im Gedächtnis eine Art symbolische Repräsentation der Umwelt und des Selbst aufbaut. Von der genaueren Natur dieser mentalen (im Gehirn verankerten) Repräsentation wird später noch die Rede sein. Ein weiterer Schritt in der Anpassungsfähigkeit war getan, als Genmutanten auftraten, die es vermochten, diese Repräsentation zur internen Simulation von Handlungsabläufen, in anderen Worten zum Einsichtslernen, zu nutzen. Bei diesem spielen sich die Vorgänge, die zum Lernen führen, nicht in der realen Welt, sondern eben in dem Gedächtnisabbild derselben ab. Ob ein Verhalten zum Erfolg führen könnte oder nicht, kann gewissermaßen im Gehirn ausprobiert werden, bevor es in die Tat umgesetzt wird. Solches »geistiges« Ausprobieren/Umordnen ist aber auch einem elementaren Denken äquivalent.

Die Akkumulation von potentiell verhaltenssteuerndem Wissen im Gedächtnis durch individuelles Lernen ist jedoch ein verhältnismäßig langwieriger Prozeß. Mutationen, die Individuen mit der Fähigkeit ausstatten konnten, Wissen zu übernehmen, das andere Individuen bereits erworben hatten, besaßen unter Umständen einen Selektionsvorteil. Das darin implizierte Soziale (Nachahmungs-, Imitations-) Lernen war gleichzeitig die essentielle Grundlage für das Aufkommen von kulturellen Evolutionsprozessen.

3. Soziales Lernen

Obwohl nicht so allgemein bekannt, ist die Fähigkeit zum Nachahmungslernen bei Wirbeltieren recht weit verbreitet. Einige wenige Beispiele müssen hier als Beleg dafür genügen. Sie sollen auch gleichzeitig die Vielfalt der Formen des Sozialen Lernens dokumentieren. In einem Versuch wurden einige Stadttauben eines Schwarmes gefangen und im Labor darauf dressiert, das Papier, mit dem ihre körnergefüllten Tröge bespannt wurden, zu durchpicken. Sie kehrten, nachdem sie das gelernt hatten und freigelassen worden waren, zu ihrem Schwarm zurück. Das Verhalten ihrer Schwarmkumpanen gegenüber in natürlicher Umgebung angebotenen papierbespannten Futtertrögen wurde anschließend beobachtet. Innerhalb weniger Tage hatten die meisten der zuvor naiven Tauben des Schwarmes das Papierdurchstoßverhalten nachgeahmt. Ein Kontrollschwarm, dem keine kundigen Vorführtauben zur Verfügung standen, hatte im gleichen Zeitraum das Durchstoßverhalten noch nicht entwickelt. Später entdeckte allerdings auch bei ihnen eine Taube das entsprechende Verhalten. Daraufhin verbreitete sich die Technik im Kontrollschwarm ähnlich schnell wie vorher im Experimentalschwarm.

Im Labor ist mehrfach demonstriert worden, daß Tauben durch Beobachten schon kundiger Tiere das Bedienen von Futterautomaten deutlich schneller erlernen. Sorgfältige Analysen haben gezeigt, daß das Beobachten mehrere lernförderliche Komponenten vermittelt. Der Nachahmer lernt zunächst einmal, daß es im Automaten überhaupt Futter gibt, und wo genau dieses Futter angeboten wird. Er lernt auch, daß auf den Bedienungsschalter ausgerichtetes Handeln Futter produziert. Es ist ebenfalls nachgewiesen worden, daß es z.B. hilfreich ist, wenn sich Modell und Beobachter schon von vorher kennen und wenn beide geeignet motiviert, sprich hungrig sind, und daß es besser ist, wenn das Modell nicht allzu perfekt bei der Lösung der Aufgabe ist. Natürlich handelt es sich bei diesem Nachahmungslernen um eine Abwandlung des Thorndikeschen (instrumentellen) Konditionierens.

Wildaufgewachsene Amseln zeigen gegenüber einer Eule, wie auch gegenüber anderen Raubtieren sogenanntes Haßverhalten: sie umflattern die Eule und geben Alarmlaute von sich. Amseln zeigen andererseits gegenüber einer Plastikflasche normalerweise keine besondere Reaktion. Wird es aber so eingerichtet, daß naive handaufgezogene Amseln es erleben, daß eine Wildamsel anscheinend auf eine solche Flasche haßt (tatsächlich haßt sie auf eine Eule, die die naiven Beobachteramseln nicht sehen können), dann beginnen die Beobachteramseln ebenfalls auf die Flasche zu hassen. Sie behalten auch später (ohne Modellamsel) dieses Verhalten bei und können weiteren naiven Jungamseln als flaschenhassende Vorführer dienen. Der Grundstein einer Flaschenhaßtradition ist gelegt. Man geht davon aus, daß die Räubererkennung bei Amseln auch in freier Wildbahn wesentlich von Nachahmungslernen bestimmt wird. Bei dieser Art des sozialen Lernens handelt es sich übrigens um eine Abwandlung des Pawlowschen oder klassischen Konditionierens.

Freilebende, wilde Affen in Japan werden in ihren inzwischen sehr beengten Naturreservaten mit ungesäuberten Süßkartoffeln zugefüttert. Jahrelang haben die Tiere die Erdfrüchte so gefressen. Dann begann eine Äffin, die Kartoffeln in Tümpeln zu waschen, bevor sie sie aß. Sie hatte zunächst nur versehentlich Knollen ins Wasser fallen lassen und wieder aufgefischt. Ihre kleine Tochter beobachtete das gewohnheitsmäßige Waschen, das sich daraus entwickelte, und übernahm es. Jüngere Tiere begannen sie und wiederum einander nachzuahmen. Nach einiger Zeit hatte sich die Waschkultur auf beinahe alle Truppenmitglieder ausgebreitet. Dieselbe Truppe beherrscht auch eine Körneraufschwemmtechnik, die sich auf ähnliche Weise durch Nachahmung verbreitet hat. Bei anderen Japanaffentrupps kommen diese besonderen Traditionen nicht vor, obwohl sie ihnen ebenfalls nützlich sein würden. Offenbar hat bisher noch keines ihrer Mitglieder das adäquate Verhalten entdeckt.

Beim Menschen ist die auffällige Nachahmungsneigung selbst jüngster Babies in mehreren neueren Untersuchungen hervorgehoben worden. Die ausgesprochene Neigung Erwachsener, aktiv und überdeutlich vor Kleinkindern zu agieren, ist wohl auch angeboren. Solches Lehrverhalten ist vereinzelt übrigens auch bei Tieren beschrieben worden. Gut bekannt ist das Spieljagen, das Katzenmütter ihren Jungen mit Mäusen vorführen. Beim Vormenschen haben die genetischen Nachahmungslernveranlagungen sicherlich im Zusammenhang mit Werkzeug- und Waffenherstellung erhebliche Ausweitung erfahren. Am auffallendsten ist jedoch die Rolle des Nachahmens beim Erlernen der Sprache durch das Kleinkind. Das Sprachvermögen wiederum potenziert die Möglichkeiten der interindividuellen Wissensübertragung in ganz bedeutendem Maße. Es ist zu vermuten, daß die Sprachfähigkeit bei Hominiden sich zumindest zum Teil wegen der dadurch erweiterten Möglichkeiten des Instruktionslernens, einer weiteren Variante des Sozialen Lernens, entwickelte. Eine Demonstration, wie man etwa Antilopen zu jagen hat, ist nicht jederzeit ohne weiteres durchführbar. Eine mündliche Anweisung ist da wesentlich einfacher. Die Informationsübertragung vom »Vorführer« zum »Nachahmer« findet hierbei beinahe wie per Gedächtniskurzschluß statt, in einem

Kode, der wahrscheinlich dem Speicherkode sehr verwandt ist. Die Wissensinjektion kann räumlich und zeitlich getrennt von der korrespondierenden Handlungsausführung erfolgen. Das spätere Hinzukommen der Schrift hat dann zusätzlich noch die Notwendigkeit eines räumlich-zeitlichen Zusammentreffens von Modell und Beobachter aufgehoben.

4. Kultur bei Tieren

Die Annahme, daß Kultur ein Phänomen sei, das nur bei der menschlichen Spezies vorkomme, ist weitverbreitet. Wie eingangs definiert, gibt es aber Kultur auch bei Tieren. Beispiele haben wir schon im vorausgegangenen Abschnitt andeutungsweise erwähnt. Zugegebenermaßen sind es sehr rudimentäre Kulturen, kaum mehr als Protokulturen. Bei einer Gruppe von Tieren, den beinahe 4000 Singvogelarten, die die ganze Welt bevölkern, hat aber das Phänomen eine schon komplexere Stufe erreicht. Echte Singvögel (nicht aber die allermeisten anderen Vögel) lernen in der Regel ihren Gesang durch Nachahmung ihrer Eltern. Die Ergebnisse eines Versuches belegen dies gut. Vom Ei an handaufgezogene Gimpel bekamen, kurz nachdem sie flügge wurden, von ihrem Pfleger mehrfach eine einfache Flötenmelodie vorgespielt, die sich deutlich vom normalen Gimpelgesang unterschied. Als die männlichen Tiere ausgewachsen waren, sangen sie diese vom Ziehvater gelernte Melodie. Mehr noch, sie gaben später diesen Kunstgesang an ihre eigenen Nachkommen weiter.

Auffallend ist bei dem eben beschriebenen Gesangsnachahmungslernen, daß in der Zeit, in der die Jungvögel die gehörte Melodie speichern, sie selber noch gar nicht singen können. Erst wenn ihr Stimmapparat Monate später voll entwickelt ist, beginnen sie allmählich einen Gesang zu produzieren, der immer mehr der Vorlage ähnelt. Versuche haben erwiesen, daß der gehörte Gesang zunächst im auditorischen Gedächtnis aufgenommen wird (per Prägungslernen) und daß der Vogel später durch einen Versuch-und-Irrtum-Vorgang lernt, den Klang seiner Vokalisationen dieser Vorlage anzupassen. Für gewöhnlich singen die Weibchen nicht, aber mittels männlicher Hormone können sie dazu gebracht werden. Es zeigt sich, daß sie dann ebenfalls den Gesang produzieren, den sie als Jungvögel gehört haben. Das auditorische Modell, das sie ja offensichtlich gespeichert haben, führt bei den Weibchen normalerweise zur Bevorzugung der entsprechend singenden Männchen. Das Partnerwahlverhalten der Weibchen ist also zumindest teilweise ebenfalls kulturell bestimmt.

Da Jungvögel auch dann, wenn sie im Winter über große Entfernungen abwandern, in der Regel wieder in die unmittelbare Nähe ihres Geburtsortes zurückkehren, bilden sich lokale Dialekte aus. Singammer aus den verschiedenen Bezirken um San Francisco, Kalifornien singen zum Beispiel jeweils deutlich verschieden. Baumläufer in Süddeutschland singen anders als solche in Norddeutschland. Bei manchen Arten ist der kulturell bestimmte Gesang sehr komplex. Ein Individuum einer solchen Art beherrscht etliche hundert Gesangselemente gleichzeitig. Bei mehreren Arten ahmen die einzelnen Vögel nicht nur ihren Vater nach, sondern auch Nachbarn, die sie erst als Erwachsene hören. Bei einigen Singvögeln – in Mitteleuropa ist der Star dafür bekannt – erstreckt sich das Nachahmen auch auf Laute, die Artfremde produzieren.

Man geht davon aus, daß der Ursingvogel, von dem alle heutigen echten Singvögel abstammen und der vor etwa 40 Millionen Jahren gelebt haben dürfte, ebenfalls schon einen traditionsbestimmten Gesang besaß. Traditionsbestimmtes Verhalten kommt nur bei einigen modernen Affen vor, nicht aber bei Halbaffen. Die ersten Affen vor etwa 20 Millionen Jahren, die Ahnen der zukünftigen Menschen, mögen bereits nachahmungsgelerntes Verhalten gezeigt haben. Darauf könnten die ersten Hominiden vor etwa 5 Millionen Jahren aufgebaut haben. Auf jeden Fall ist aber die Gesangskultur der Singvögel viel älteren Datums und erstreckt sich auf sehr viele verschiedene Arten.

Außer bei den echten Singvögeln gibt es auch bei anderen Vogelordnungen eine tradierte Stimmgebung. Die Kulturfähigkeit ist demnach bei den Vögeln aller Wahrscheinlichkeit nach mehrfach im Laufe ihrer Phylogenese »erfunden« worden. Allgemein bekannt ist die Nachahmungsbegabung der Papageien. Einige von ihnen können unter künstlicher menschlicher Obhut auch satzweise sprachliche Äußerungen nachahmen lernen. Neuerdings ist außerdem der wissenschaftliche Nachweis gelungen, daß sie Wörter adäquat zur Beschreibung von Objekten und Tätigkeiten benutzen können und diese Bezeichnungen auch sachgemäß neu kombinieren können, um zum Beispiel den Pfleger zu erwünschten Handlungen zu veranlassen. Die tradierten Vokalisationen der Vögel haben insgesamt viele Ähnlichkeiten mit der ebenfalls tradierten Sprache des Menschen, deren Gebrauch gewissermaßen als Prototyp des kulturellen Verhaltens gilt. Das geht sogar so weit, daß, genau wie die Sprache, der Vogelgesang vorwiegend von der linken Vorderhirnhälfte gesteuert wird.

5. Meme

Gene sind molekulare Informationsträger, die sich, gelegentlich etwas fehlerhaft, replizieren können. Sie sind die maßgeblichen Elemente des biologischen Evolutionsprozesses. Die biologische Evolution ist eine Konsequenz des Spieles, das sich zwangsweise aus dieser fundamentalen Eigenschaft der Gene ergibt. Die Vielfalt der Mikroorganismen, Pflanzen, Tiere und Menschen ist das Produkt dieses selbständigen Prozesses. Angesichts der zentralen Rolle der Gene gebietet die bestehende Analogie zwischen der kulturellen Evolution und der biologischen Evolution dringend die Identifikation eines kulturellen Genäquivalents.

Der Gesang der Vögel bietet sich für solche Überlegungen geradezu an. Es ist experimentell gezeigt worden, daß er besonders in einer Struktur des linken Vorderhirns eingespeichert ist, wie bereits erwähnt. Lädiert man operativ dieses Gebiet, dann können z.B. Kanarienvögel ihren durch Nachahmung gelernten Gesang nicht mehr produzieren. Ein mikroskopischer Vergleich dieses Hirngebietes bei Tieren, die gehalten worden waren, ohne jemals einen Gesang zu Ohr zu bekommen, mit demjenigen von Tieren, die etliche verschiedene Gesänge gehört und auch gelernt hatten, wies deutliche strukturelle Unterschiede nach. Nachahmungslernen, welcher Art auch immer, muß wie andere Formen des Lernens zur Speicherung von Informationen im Gedächtnis, also zu Änderungen im Gehirn führen.

Anderweitige neurobiologische Untersuchungen zeigen, daß Gedächtnisspuren aus Änderungen an ausgewählten Synapsen bestehen. Dies sind punktuelle informationsübertragende Kontaktstellen zwischen Nervenzellen, von denen das menschliche Gehirn z.B. etwa 10^{15} enthält. Sie können durch Lernvorgänge von einer inaktiveren in eine aktivere Form (manchmal vielleicht auch umgekehrt) überführt werden. Verschiedene Gedächtnisinhalte sind als verschiedene Konstellationen von aktivierten Synapsen zu rekonstruieren, die die Konnektivität von Nervenzellverbänden verändern. Man hat berechnet und auch empirisch gezeigt, daß in Netzwerken mit genügend vielen veränderlichen Synapsen, sogenannten assoziativen Netzen, eine Vielfalt von Informationen in hochorganisierter Form effizient gespeichert werden kann. Anders als bei den besser bekannten Computermemories ist in diesen Speichern die Information nach Inhaltsverwandtschaft angeordnet. Darüber hinaus haben besondere Versionen solcher Assoziationsnetze komplexe Fähigkeiten, z.B. die der Selbstorganisation oder die der Reizkategorisierung.

Die Inhalte einer Kultur, so wie sie am Anfang dieses Essays definiert wurden (Elemente der Grußgebräuche, der Tanzkunst, der Kleidungsmode, des Aberglaubens, der Autotechnik, der Düngepraxis, des Dorfklatsches, der Existenzphilosphie, oder was auch immer), sind als Gedächtnisinhalte, also als Konstellationen aktivierter Synapsen, die das traditionsbestimmte Verhalten der einzelnen Kulturgemeinschaftsmitglieder kodieren, aufzufassen. Diese informationstragenden Strukturen können sich vermehren, wenn auch etwas umständlicher als Gene. Durch die eine oder andere Form von Nachahmungslernen übertragen sie sich von einem Individuum auf mehrere. Genau wie Gene replizieren sie sich nicht immer perfekt: Nachahmungslernen ist naturgemäß fehleranfällig. Neue Kulturinhalte werden zudem laufend durch individuelles Lernen kreiert. Traditionskodierende Synapsenkonstellationen, ab hier »Meme« genannt, mutieren also. Dadurch, daß sie neuronale Konnektivitäten festlegen, sogar etwas direkter als das Gene können, instruieren sie Verhalten.

Nicht alle Meme sind gleich beständig und vermehrungsfähig. Wie noch näher zu erläutern sein wird, unterliegen Memmutanten einer kulturellen Selektion. Neue Traditionen verdrängen alte, manche Gebräuche setzen sich kulturell durch, andere sterben aus. Verschiedene Meme haben offensichtlich unterschiedliche kulturelle Fitness. Damit sind die essentiellen Voraussetzungen für ein evolutionäres Spiel gegeben, das dem der biologischen Evolution notwendigerweise ähneln muß.

6. Symbiosen

Der Vergleich zwischen Genen und Memen könnte dennoch als hinkend empfunden werden, weil die Besonderheit besteht, daß Meme für gewöhnlich nur in Gehirnen existieren können, die von Genen instruiert werden. Das ist aber auch bei manchen Genen durchaus der Fall. Gene von Symbionten sind ebenfalls bei Organismen zu Gast, die von anderen Genen synthetisiert werden. Nicht selten bewohnen sie auch insbesondere das Gehirn ihrer Wirte und beeinflussen das Verhalten ihrer Gastgeber. Ein klassisches Beispiel ist das parasitäre Tollwutvirus, das neben den Speicheldrüsen auch das Stammhirn von Hundeartigen infiziert und dort beim Wirt aggressives Verhalten induziert. Der Phänotyp des infizierten Tieres wird insgesamt so beeinflußt, daß es nicht mehr im Dienste seiner eigenen Gene steht, sondern gewissermaßen zum Sklaven der Gene der Viren wird und für deren Vermehrung sorgt.

Ähnlich verhält es sich bei einer Schafsleberegelart. Die Eier dieser Symbionten gelangen mit dem Kot des Wirtes ins Freie und infizieren Schnecken, die sich von den Exkrementen ernähren. Die dann schlüpfenden Egellarven dringen in die Schleimdrüsen der Schnecken ein. Der ausgesonderte Schleim wird gerne von Ameisen gefressen, in deren Darm sich dann die Egellarven weiterentwickeln. Einzelne finden aber den Weg in das Gehirn der Ameise und veranlassen diese zu einem ungewöhnlichen Verhalten. Anstatt wie normal abends zum Nest zurückzukehren, steigen die egelmanipulierten Ameisen an Pflanzenhalmen hoch und beißen sich fest. Sie werden von äsenden Schafen mitgefressen, die sich so mit den Egellarven infizieren. Diese gelangen in die Schafsleber und entwickeln sich dort zu ausgewachsenen, eierlegenden Egeln.

Symbionten können aber außer Parasiten auch Kommensale und Mutualisten sein, abhängig davon, ob sie dem Wirt schaden, für ihn indifferent sind, oder ihm sogar helfen. Ein frappierendes Beispiel für Mutualisten stellen die Mitochondrien dar, die bei höheren Lebewesen regelmäßige, für die Zellatmung verantwortliche Zellbestandteile sind. Sie sind aber unabhängig von den Genen ihrer Wirte sich vermehrende Organismen. Das Zytoplasma der Eizelle infiziert sich schon bei ihrer Entstehung mit Mitochondrien. Spermien enthalten keine Mitochondrien. Alle Zellen eines höheren Organismus sind somit mit mütterlichen Mitochondrien infiziert, auch die Nervenzellen. Diese sind sogar besonders abhängig von der energieliefernden Tätigkeit der Symbionten. Gehäuft kommen sie in den sehr stoffwechselaktiven Synapsen vor, die ja als Memsubstrate hier von Wichtigkeit sind.

Man kann gewisse Gene, die Introns, als Kommensale bezeichnen, da sie in den Genomen der meisten etwas komplexeren Organismen vorkommen, dort aber keine Funktion erfüllen. Sie instruieren keine Proteinsynthese, vermehren sich aber mit den übrigen Genen mit. Sie sind gewissermaßen harmlose Mitläufer, die keinen Schaden anrichten. Geläufiger als Kommensale dürfte den Lesern die Darmflora sein, einige hundert verschiedene Mikroorganismenarten, die in riesigen Zahlen regelmäßig beim Menschen vorkommen, ohne daß sie ihm normalerweise wesentlich nutzen oder schaden.

Für unsere Zwecke ist, wie schon bemerkt, wichtig, daß Gene ähnlich wie Meme regelmäßig als Gäste bei Organismen auftreten, die andere Gene synthetisiert haben. Wichtig ist ebenfalls, daß sich Gäste und Wirte, zumindest teilweise, unabhängig voneinander entwickeln. Obwohl sie in natura verwoben sind, ist es konzeptuell dienlich, penibel zwischen der Darwinschen Fitness der Wirte und der der Symbionten zu unterscheiden. Am deutlichsten wird das am sogenannten evolutionären »Wettrüsten«, das bei Parasiten und deren Wirten abläuft. Letztere perfektionieren im Zuge ihrer Anpassung laufend die Abwehr gegen erstere, diese steigern wiederum im Interesse ihres Fortkommens ständig ihre Infektiosität. Parasiten riskieren andererseits, wenn sie ihre Virulenz extrem steigern, daß sie ihre Wirte und damit sich selbst ausrotten. Es kommt somit zu einem doppelten Selektionsdruck dahingehend, daß die Parasiten sich zu Kommensalen, ja sogar zu Mutualisten wandeln sollten. Davon, daß das dennoch keine zwingende Entwicklung sein muß, zeugt allerdings die Vielzahl der real existierenden Parasiten.

7. Meme als Symbionten

Meme können, in Anlehnung an die obigen Ausführungen, als Analoga zu symbiotischen Genen aufgefaßt werden, die die Gehirne ihrer Gastgeber infizieren[4] und deren Verhalten beeinflussen. Sind nun Meme im Rahmen dieser Analogie im Einzelfall Mutualisten, Kommensale oder Parasiten? In anderen Worten, tragen sie zu der Fitness der Gene ihrer Wirte bei, sind sie in dieser Hinsicht neutral oder beeinträchtigen sie sogar deren Überleben und Vermehrung? Genauer gesagt, es muß sorgfältig zwischen der Fitness der Gene und der Fitness der Meme unterschieden werden – unter Beachtung der Tatsache, daß sie gegensinnig aufeinander wirken könnten.

In den frühesten Stadien der Kultur, als das Nachahmungslernen sich gerade erst entwickelte, müssen Meme gezwungenermaßen Mutualisten gewesen sein. Selektionsdruck für Nachahmungslernfähigkeiten, also für Genmutanten, die es vermochten, in den Gehirnen der relevanten Tiere Nischen (durch Soziales Lernen auffüllbare Gedächtnisnetzwerke) für Meme zu installieren, kann nur dann wirksam geworden sein, wenn das Verhalten, das die Meme schließlich instruierten, tatsächliche Vermehrungsvorteile für die relevanten Genvarianten brachten. Diese Sachlage trifft sicher für das traditionelle Kartoffelwaschen der Japanaffen oder die kulturelle Werkzeugherstellung der Vormenschen zu. Die entsprechenden Meme sind hier gewissermaßen Diener, die im Auftrag der Gene wirken. Da Genome von der Mehrung solcher servilen Meme Vorteile haben, sollten sich die organischen Fähigkeiten zum Nachahmungslernen im Laufe der Zeit erweitern. Wenn das nicht bei allen höheren Tierarten geschehen ist, dann deswegen, weil auch Fitnesskosten entstehen, nämlich diejenigen, die mit einem größeren Hirn verbunden sind. Mehr Meme brauchen mehr synaptischen Raum. Größere Hirne müssen ernährt werden, bedeuten zusätzliches Gewicht, erschweren die Fortbewegung. Da Gene das Habitat für Meme schaffen, sollten sie auch fähig sein, die Qualität dieser Symbionten in dem Sinne zu überprüfen, daß sie genfitnesssteigernd sein sollten. Derartige angeborene Memzensurmechanismen gibt es zweifelsohne. Teilweise wirken so dieselben Prozesse, die sicherstellen, daß das beim individuellen Lernen entstehende Wissen biologisch adaptiv ist. Ein verhältnismäßig einfacher Mechanismus besteht darin, daß solche Reize, die im Laufe der Artgeschichte konsistent Fitnessgewinne (z.B. Wasser bei Durst, Futter bei Hunger, Sexualpartner bei Paarungsbereitschaft) oder Fitnessverluste (z.B. Übelkeit, Schmerz, Feind) signalisiert haben, vom Wahrnehmungsapparat der jeweiligen Art mit einem besonderen Etikett versehen werden, der sie zum angeborenen appetitiven oder aversiven Verstärker macht. Wissen, das mit dieser besonderen Reizklasse zusammenhängt, wird dann beim Lernen bevorzugt zur Gedächtnisspeicherung zugelassen. So werden bei der klassischen Konditionierung nur solche Reize behalten, die diesen Verstärkern unmittelbar vorangehen. Bei der instrumentellen Konditionierung werden nur Verhaltensreaktionen festgehalten, auf die diese Verstärker folgen. Da Meme ihren Ursprung häufig in einer der etlichen Arten von individuellem Lernen haben[5], müssen sie gleich zu Beginn eine Kontrolle dieser Art überstehen. Später, wenn andere Individuen das Mem über den Weg irgendeiner Form von Nachahmungslernen übernehmen und ihm gemäßes Verhalten zeigen, wird der Test auf genbezogene Nützlichkeit wiederholt. Diese Prüfung braucht aber nicht unbedingt mit der tatsächlichen Ausführung des meminstruierten Verhaltens verbunden zu sein, sie kann auch aufgrund einer internen Simulation, durch Einsicht wirksam werden.

Gene bedienen sich aber auch weiterer Mechanismen, um die Güte von Memen im Rahmen von Nachahmungslernen möglichst sicherzustellen. Einer besteht darin, daß Organismen Meme bevorzugt von Eltern, oder höchstens von Verwandten übernehmen. Verwandtschaft fördert nämlich einen genetisch bestimmten Altruismus, der mit der Vermittlung von gennachteiligen Memen kaum verträglich ist, wie noch zu besprechen sein wird. Tatsächlich werden bei primitiveren Kulturen, ob tierischen oder menschlichen, die allermeisten Meme von den allernächsten Verwandten akquiriert. Ebenso werden Meme vorzugsweise von solchen Individuen übernommen, die offensichtlich biologisch erfolgreich sind, etwa von den ranghöchsten Tieren einer Gruppe. Meme, die von vielen Individuen angeboten werden, scheinen ähnlich favorisiert zu werden, vermutlich, weil Verbreitung einer Eigenschaft meistens für biologische Qualität bürgt. Wenn Singvögel den Gesang von Nachbarn nachahmen, dann bevorzugen sie in der Regel die populärsten Gesangsvarianten. Sprichwörtlich ist darüberhinaus die vermutlich angeborene Tendenz der Menschen, immer das nachzuahmen, was alle bereits tun. Inwieweit die menschlichen Gene es mit diesen Strategien tatsächlich schaffen, sich gegen für sie nutzlose Meme zu wehren, muß jetzt noch beurteilt werden.

8. Kulturelle Evolution

In den Anfängen sind Kulturen wie dargelegt nichts anderes als eine Strategie, mit der Gene über die Instruktion von Nachahmungslernfähigkeiten ihre biologische Fitness erhöhen. Meme ähneln in diesem Stadium den Mitochondrien, Mutualisten par excellence. Ihre eigene kulturelle Fitness, ihre Fähigkeit sich zu verbreiten, ist im höchsten Maße davon bestimmt, inwieweit sie die biologische Fitness der Gene, bei denen sie zu Gast sind, fördern. Die Gene ihrer Wirte gestalten die Umwelt der Meme so präzise und damit die Auswahl der zugelassenen Varianten so einschneidend, daß die Selektion der Meme ausschließlich nach dem Kriterium der Folgevorteile für die Gene wirkt. Die Frage ist, ob sich Meme im Laufe der weiteren Evolution von den zensierenden Einflüssen der Gene zumindest teilweise befreien konnten, so daß die kulturelle Evolution sich zum eigenständigen Prozeß wandeln konnte. Anders formuliert, ist es denkbar, daß sich Meme durchsetzen konnten, die nicht Mutualisten, sondern Kommensale und eventuell sogar Parasiten der Gene waren?

Zumindest bei einigen Tierarten, aber besonders bei den Vormenschen, hat eine Ausweitung der Memaufnahmekapazität, die Fähigkeit zur Übernahme von mehr Wissen von anderen, trotz der vorher erwähnten Kosten, offensichtlich einen bedeutenden biologischen Vorteil gebracht. Die Erweiterung des Memhabitats, die Vergrößerung neuronaler Assoziationsnetze, die Vermehrung der Zahl plastischer Synapsen, dürfte als rein quantitativer bioevolutionärer Schritt kaum wesentliche Schwierigkeiten gemacht haben. Die damit verbundene Notwendigkeit einer Ausweitung der Memzensurmechanismen dürfte aber genetisch-evolutionär eine bedeutend komplexere Anforderung gewesen sein. Das gelegentliche Sich-Einschleichen von biologisch nutzlosen, aber nicht wesentlich nachteiligen Memvarianten zwischen den vielen zweckmäßigen Memen scheint eine unvermeidliche Entwicklung gewesen zu sein. In der Tat sind Moden und Launen, die mit Sicherheit nicht zur Darwinschen Fitness ihrer Träger beitragen, in der menschlichen Kultur gang und gäbe. Aber auch bei Singvögeln ist es zweifelhaft, ob diese oder jene Gesangsvariante immer mit biologischen Vorteilen verbunden ist.

Das Aufkommen von parasitären Memen wäre der nächste logische Schritt. Dafür ist an sich nur notwendig, daß die genetisch bedingte Memzensur etwas weniger als unfehlbar ist. Das Immunsystem der Wirbeltiere, das den entsprechenden Zensurmechanismus für Symbionten darstellt, zeugt davon, daß Perfektion auf diesem Gebiet wohl kaum zu erreichen ist. Es vermag Wirte nicht immer gegen alle infektiösen Mikroorganismen zu schützen. Die rezente und rasante Verbreitung von Aidsviren bei Menschen ist dafür ein schlagender Beweis. Wesentlich für diese Fehlbarkeit ist, daß gewöhnlich das Ansteckungspotential der parasitischen Symbionten schneller evolviert als die nachziehenden Abwehrmechanismen bei den Wirten. Meme haben vergleichbar hohe Mutations- und Vermehrungsraten, so daß sie dazu prädestiniert sind, die doch umständlichen, zudem noch vergangenheitsbezogenen Zensurmechanismen ihrer langsamer evolvierenden Wirte zu überlisten. Tatsächlich kommen zumindest in der menschlichen Kultur Meme vor, die eindeutig mit einer Minderung der genetischen Fitness ihrer Träger einhergehen. Epidemieartig haben sich Meme, die mit dem Einnehmen von Drogen zusammenhängen, in den letzten Jahrzehnten weltweit ausgebreitet. Sie vermögen die Zensur der Gene auszutricksen, weil die Drogen den vorher beschriebenen hedonistischen Verstärkermechanismus, der normalerweise angepaßtes Lernen sicherstellt, täuschen. Eine kulturell bestimmte Geburteneinschränkung hat sich inzwischen bei vielen Völkern eingebürgert. Wieder ist wesentlich, daß die technisch-medizinischen Verhütungsmittel, die daran beteiligt sind, die anderweitig wirksame Kopplung zwischen Vermehrung und Genuß künstlich auflösen. Das schon ältere, den Zölibat bei Priesterschaften bewirkende Mem, ist ebenfalls in der hier definierten Weise parasitär. Es scheint, als ob in diesem Falle das Mem die biologische Vermehrung des Wirtes mindert, um ihn anstelle dessen in den Dienst einer verstärkten Vermehrung des Memkomplexes, zu dem es gehört, zu stellen. Das erinnert an die Umpolung, die das Tollwutvirus bei seinem Wirt bewerkstelligt. In mindestens einer religiösen Gemeinschaft trachtet dann aber interessanterweise eines der mit dem Zölibat gekoppelten Meme danach, die ungehemmte Vermehrung der Gefolgschaft zu bewirken.

Diese wenigen Anmerkungen und Beispiele müssen hier genügen, um die zumindest teilweise Unabhängigkeit des kulturellen Evolutionsprozesses zu belegen. Im folgenden sollen einige der Parallelen zwischen biologischer und kultureller Evolution aufgezeigt werden. Der biologische Evolutionsprozeß ist stark von einem Konkurrenzkampf um die Umweltressourcen geprägt, die für Überleben und Vermehrung notwendig sind. Diese Konkurrenz äußert sich nicht selten in aggressivem Verhalten. Meme sind ähnlich wie Gene auf solche Ressourcen angewiesen. In der Hauptsache ist das der Gedächtnisraum in den Gehirnen ihrer Wirte, aber u.a. auch ein Anteil ihres Verhaltens. Tatsächlich rufen Meme im Rahmen der Konkurrenz um diese Ressourcen ebenfalls häufig Aggression bei ihren Wirten hervor. Über Mord und Totschlag zwischen Andersgläubigen, seien es Mitglieder verschiedener religiöser Sekten, politischer Parteien oder von Sportvereinen, wird täglich in den Nachrichten berichtet. Bei Singvögeln setzen sich Anderssingende nicht selten einer gewaltsamen Verfolgung aus.

Andererseits kann die biologische Evolution auch altruistisches Verhalten zuwege bringen. Besonders wird dies durch die sogenannte Verwandtenselektion bewirkt. Verwandte tragen naturgemäß einen zu ihrem Verwandtschaftsgrad proportionalen Anteil gemeinsamer Gene. Nun ist es für den Evolutionsprozeß gleichgültig, welches der identischen Gene sich vermehrt. Daraus ergibt sich die Aufopferungsbereitschaft gegenüber Verwandten als eine evolutionär mögliche Strategie. Die Aufopferung der Eltern für ihre Nachkommen ist verbreitet; selbst bei Tieren sind aber auch z.B. Onkel und Tanten oft bereit, einiges für das Fortkommen ihrer Nichten und Neffen zu leisten, auch dann, wenn ihnen daraus eigene Fitnessnachteile erwachsen. Extreme Beispiele sind die nicht vermehrungsfähigen Arbeiterinnen bei Honigbienen, die sich für Geschwister völlig aufopfern. Analog dazu haben Individuen, die zur gleichen kulturellen Gruppe gehören, definitionsgemäß einen großen Anteil gemeinsamer Meme. Sie sind memetische Verwandte. Und in der Tat ist helfendes Verhalten zwischen solchen kulturell Zusammengehörigen die Regel: Freimaurer helfen sich gegenseitig, Rotarier bevorteilen Rotarier, Korpsbrüder halten zueinander, usw.

Allgemein gesprochen scheinen die Selektionskräfte, die auf die Memvarianten wirken, mit fortschreitender Komplizierung und Anreicherung der Kultur immer weniger von den Genen gestaltet zu werden. Es sind vielmehr die anderen Meme, die vornehmlich die Nischen der Meme gestalten. Hat sich in dem Gehirn eines Individuums irgendwie ein Satz Meme eingenistet, so ist dieser weitgehendst bestimmend dafür, welche weiteren Meme dort noch Chancen haben. Dies ist von der biologischen Evolution her ein bekanntes Phänomen. Im tropischen Regenwald etwa gehen die Selektionsdrücke, die auf Genmutanten ihrer Bewohner wirken, kaum mehr von der anorganischen Umwelt aus, sondern vorwiegend von den anderen Genen der Lebensgemeinschaft, genauer von den von ihnen instruierten Organismen. Das ist ein prinzipiell instabiles Arrangement, das durchaus fähig ist, Extravagantes zu produzieren, so z.B. Schmetterlingsraupen, die wie Schlangen aussehen, Orchideenblüten, die wie Schmetterlinge aussehen, Schmetterlinge, die genau wie andere unverwandte Schmetterlinge aussehen. Kulturelle Extravaganzen, wie z.B. Pyramidenbau, Tulpomanie oder Opernaufführungen, gehen aller Wahrscheinlichkeit nach auf analoge Aufschaukelungsprozesse zwischen Memen zurück. Genau diese Bereiche der Kultur bedürfen aber noch einer eingehenderen Analyse im Rahmen des Evolutionsmodells.

Wenn Meme schon Meme auslesen können, vermögen dann Meme auch Gene auszuwählen? Das würde ja sinngemäß dem immer wieder herbeigewünschten Sieg des Geistes über die Natur entsprechen. Eine bejahende Antwort auf die Frage wurde bereits bei der Aufstellung der Analogie zwischen Memen und Parasiten vorweggenommen. Letztere sind ja bekanntermaßen ungemein einflußreiche Akteure bei der natürlichen Zuchtauswahl der Organismen. Tatsächlich besteht kaum Zweifel, daß memetisch bedingte Verhaltenskomplexe sich als sehr maßgebliche genselektive Kräfte auswirken können. Das weiß man, z. B. im Falle des tradierten Gesanges der Singvögel. Bei Populationen mit verschiedenen Gesangsdialekten wird der bioevolutionär wichtige Genfluß über den Weg der selektiven Partnerwahl ganz bedeutsam kulturell beinflußt. Besonders deutlich wird aber das Phänomen bei den höherentwickelten menschlichen Kulturen. Erwähnt wurde bereits die durch verschiedenartige Geburtsbeschränkungsgewohnheiten verursachte differentielle Vermehrung verschiedener Bevölkerungsgruppen. Ähnlich wirkt aber auch die teilweise massiv unterschiedliche Sterblichkeit verschiedener Volksgruppen, die etwa durch kulturell bedingte ungleiche medizinische Versorgung, oder noch schlimmer, abwegiger Glaubenskriege, verursacht wird. Die Triumphe des so gepriesenen Geistes sind eben nicht immer besonders erfreulicher Natur!

Anmerkungen

1 Dieses Kapitel ist eine leicht überarbeitete Fassung eines Beitrages, der in der Zeitschrift für Semiotik, 12: 307-321 (1990), Sonderheft »Kultur und Evolution«, Hrsg. R. Posner, Berlin, unter dem Titel »Zur Naturgeschichte der Kulturgeschichte: Gene und Meme« erschienen ist. Für die Abdruckgenehmigung danke ich Herausgeber und Verlag.

2 Um den Text flüssiger zu halten, wurde auf Literaturzitate verzichtet. Dem Leser sei aber versichert, daß nur wenige der vorgestellten Ideen und Fakten vom Verfasser selbst stammen. Die am Ende aufgelistete Literatur stellt einige der wesentlichsten Quellen zusammen.

3 Die Unterscheidung zwischen Angeborenem und Erlerntem ist schwierig und oft sogar unzweckmäßig. Hier wird »angeboren« zur groben Charakterisierung von Verhaltenseigenschaften benutzt, die sich beim Individuum ohne nennenswertes und spezielles Lernen entwickeln. Ähnlich kann es aus prinzipiellen und/oder praktischen Gründen im Einzelfall schwierig sein, zwischen kulturell

und nicht-kulturell bestimmtem Verhalten zu unterscheiden. Dennoch ist hier verständlicherweise aus didaktischen Gründen eine dichotome konzeptuelle Differenzierung sinnvoll.

4 Obwohl der Kontext es schon deutlich machen sollte, sei hier ausdrücklich betont, daß etliche Termini in diesem Essay abweichend von der Umgangssprache in einem ethisch und gnostisch wertungsfreien technischen Sinne verwendet werden. Zum Beispiel kann es vorkommen, daß ein Mem als täuschender Parasit bezeichnet wird, obwohl es vom Inhalt her möglicherweise faktisch wahr und moralisch gut ist.

5 Weil Memmutanten anders als Genmutanten zumindest teilweise nicht zufällig entstehen, sondern durch zielstrebiges individuelles Lernen zustandekommen, wird gelegentlich argumentiert, daß das in der Biologie mittlerweile widerlegte Lamarcksche Evolutionsmodell (das die Vererbung von individuell erworbenen Eigenschaften annimmt) besser als das Darwinsche Modell auf die kulturelle Evolution passe. Es gibt gute Gründe dafür, diesem Vorschlag nicht zu folgen. Sie können aus Platzmangel hier nicht näher dargestellt werden; es muß der Hinweis genügen, daß auch individuelles Lernen schon als evolutionärer Prozeß verstanden werden kann.

6 Für wesentliche und prompte Hilfe bei der Fertigstellung des Manuskripts bin ich Martina Siemann und Julia Delius sehr dankbar. Meine Tochter hat mit Einwänden und Vorschlägen viel zur konzeptuellen Klärung und besseren Darstellung beigetragen. Der Essay wurde verfaßt, während die anderweitige Forschung des Verfassers von der Deutschen Foschungsgemeinschaft großzügig gefördert wurde.

Literatur

Ball, I.A. (1984): »Memes as Replicators«. *Ethol. Sociobiol. 5*: 145-161.

Barker, M.C. und M.A. Cunningham (1985): »The Biology of Bird Song Dialects«. *Behav. Brain Sci. 8*: 85-133.

Biederman, G.B., H.A. Robertson, und M. Vaughan (1986): »Observational Learning of Two Visual Discriminations by Pigeons: a Within-subject Design«. *J. Exper. Anal. Behav. 46*: 45-49.

Bonner, J.T. (1980): *The Evolution of Culture in Animals*. Princeton: University Press.

Boyd, R. und P.J.V. Richerson (1985): *Culture and the Evolutionary Process*. Chicago: University Press.

Cavalli-Sforza, L.L. und M.W. Feldman (1981): *Cultural Transmission and Evolution, a Quantitative Approach*. Princeton: University Press.

Curio, E., E. Ernst und W. Vieth (1978): »Cultural Transmission of Enemy Recognition: One Function of Mobbing«. *Science 202:* 899-901.

Dawkins, R. (1976): *The Selfish Gene*. London: Oxford University Press.

Delius, J.D. (1989): »Of Mind Memes and Brain Bugs, a Natural History of Culture« In: W.A. Koch (ed.), *The Nature of Culture*. Bochum: Brockmeyer.

Delius, J. D. (1991): »The Nature of Culture« In R. and M. Dawkins (eds.), *The Tinbergen Legacy*. Oxford: University Press.

Devoogd, T.J., B. Nixdorf und F. Nottebohm (1985): »Synaptogenesis and Changes in Synaptic Morphology Related to Acquisition of a New Behaviour«. *Brain Res. 329*: 304-308.

Durham, W.A. (1991): *Coevolution. Genes, Culture, and Human Diversity.* Stanford: Stanford University Press.

Futuyma, D.J. und M. Slatkin (1983): *Coevolution.* Sunderland, Mass.: Sinauer.

Hewlett, B.S. und L.L. Cavalli-Sforza (1986): »Cultural Transmission among Aka Pygmies«. *Amer. Anthropol. 88*: 922-934.

Kroodsma, D.E. und E.H. Miller (eds.) (1982): *Acoustic Communication in Birds.* New York: Academic Press.

Lefebvre, L. (1986): »Cultural Diffusion of a Novel Food-finding Behaviour in Urban Pigeons: an Experimental Field Test«. *Ethology 71*: 295-304.

Lumsden, C.J. und E.O. Wilson (1981): *Genes, Mind and Culture: The Coevolutionary Process.* Cambridge, Mass.: Havard University Press.

Minkhoff, E.C. (1983): *Evolutionary Biology.* Reading, Mass.: Addison Wesley.

Moore, J. (1984): »Parasites That Change the Behaviour of Their Host«. *Sci. Amer. 250*: 82-89.

Morris, R.G.M., E.R. Kandel und L.R. Squire (eds.) (1988): »Learning and Memory«. *Trends Neurosci.* 11: 125-179.

Nishida, T. (1987): »Local Traditions and Cultural Transmission«. In: B.B. Smuts, D.L. Cheney, R.M. Seyfarth, R.W. Wrangham und T.T. Struhsaker (eds.), *Primate Societies.* Chicago: University Press.

Palm, G. (1982): *Associative Memory.* Berlin: Springer.

Slater, P.J.P. (1986): »The Cultural Transmission of Bird Song«. *Trends Ecol. Evol. 1*: 94-97.

Smith, D.C. und A.E. Douglas (1987): *The Biology of Symbiosis.* London: Arnold.

Staddon, J.E.R. (1983): *Adaptive Behavior and Learning.* Cambridge: University Press.

Vogel, C. und E. Voland (1988): »Evolution und Kultur«. In: K. Immelmann, K.R. Scherer, C. Vogel und P. Schmoock (eds.), *Psychobiologie, Grundlagen des Verhaltens.* Stuttgart: Gustav Fischer.

Zentall, T. R. und Galef, B. G. (eds:) (1988): *Social Learning: Psychological and Biological Perspectives.* Hillsdale: Erlbaum.

FRIEDRICH KAMBARTEL

Kann es gehirnphysiologische Ursachen unseres Handelns geben?

Zusammenfassung

Zunächst wird gezeigt, daß die Vorstellung physiologischer Ursachen unseres Handelns begrifflich unverträgliche Verhältnisse zusammenbindet. Die Untersuchung argumentiert dann dagegen, dieser Antinomie so zu begegnen, daß Handlungsereignisse einerseits in eine *praktische,* andererseits in eine *kausale* Welt (Sprache) eingeordnet werden. Auch materialistische »Lösungen« werden mit begrifflichen und ethischen Argumenten zurückgewiesen. Schließlich ergibt sich, daß ein Experiment, welches für eine bestimmte Handlung ceteris paribus deren kausale Abhängigkeit von physiologischen Vorgängen empirisch bestätigt, begrifflich unmöglich ist.

Die der Titelfrage zugrunde liegende Paradoxie

Was geschieht, wenn wir *handelnd* etwa eine Körperbewegung ausführen, wenn ich, sagen wir, meinen linken Arm hebe? – Das folgende Bild ist manchen von uns nach den Nachrichten aus der naturwissenschaftlichen Medizin und der Biologie inzwischen selbstverständlicher geworden:

Der Bewegung meines linken Armes gehen physiologische, etwa chemische und elektrodynamische, Vorgänge in den zugehörigen Nerven und Muskelfasern vorher, Vorgänge, welche die Armbewegung schließlich mit kausaler Notwendigkeit hervorrufen. Diese physiologischen Prozesse wiederum sind über eine Kette jeweils ursächlicher Ereignisse, welche sich in den Nervenbahnen vollziehen, schließlich mit Zuständen und Vorgängen im *Gehirn* verbunden; so daß also bestimmte Ereignisse im Gehirn, so genannte *neuronale* Erregungszustände und *Impulse* die ganze Folge des Geschehens bis zum Heben meines linken Armes *kausal* anstoßen; wie es bei geeignet aufgestellten Dominosteinen der Fall ist, die jeder beim Fallen einen nächsten Stein mitnehmen und

215

nur eines Anstoßes für den ersten Stein bedürfen, eines Anstoßes, der in unserer Vergleichssituation dem letztendlichen Gehirnimpuls entspricht.

Natürlich ergibt sich hier gegenüber der Dominokette ein wesentlicher Unterschied, insofern wir, wie es scheint, das Zusammenkommen einer ganzen Reihe von Ereignissen in meinem Gehirn, eine *komplexe* physiologische Situation also, für meine Armbewegung kausal verantwortlich machen und im übrigen noch eine Abwesenheit störender Einflüsse, z. B., daß mein Arm nicht in Ketten liegen darf, unterstellen müssen.

Die geschilderte Sicht der Dinge wird, so scheint es, auch durch einen alltäglich vertrauten medizinischen Umstand bestätigt: Treten Störungen bekannter einschlägiger physiologischer Abläufe und Zustände auf, z. B. durch Nervenkrankheiten oder Autounfälle, so sind wir etwa gelähmt, können also beabsichtigte Bewegungen *nicht* ausführen. Auch auf diese Weise zeigt sich das physiologische Geschehen kausal verbunden mit unserer humanen Alltagswelt, in der es Personen und ihre Handlungen gibt.

Andererseits haben wir uns in unserem Beispiel auf eine Leibesbewegung bezogen, die ich als Handlung *willentlich* herbeigeführt habe, die mir also nicht lediglich *zugestoßen* ist, wie es etwa bei einem spastischen Krampf der Fall wäre. Was aber durch einen Impuls unseres Gehirns kausal erzwungen wird, vollzieht sich offenbar *ohnedies*, *ohne unser Zutun*, ist ja, bis auf das makroleibliche Endergebnis, im allgemeinen sogar unserer Wahrnehmung entzogen. Die paradoxe Situation, in welche wir so geraten, ist offensichtlich:

Entweder ist das, was wir, z. B. wenn wir uns bewegen, tun, wirklich *durch uns* zustande gekommen – oder es *stößt* uns lediglich als ein kausal verursachtes Ereignis *zu*. Tertium non datur! So scheint es. Und unser Verständnis dieses Ereignisses als unsere *Handlung*, und damit jede Art von Verantwortung und Entscheidung in unserem Leben, ist dann im zweiten Falle ein begrifflicher Fehler.

Der Wille als Handlungsursache

Es ist nicht verwunderlich, daß die Philosophen und auch philosophierende Naturwissenschaftler eine Menge Mühe darauf verwendet haben, uns die Unverträglichkeit beider Verständnisse vom Halse zu schaffen. Nahe liegt es etwa, die unsere »Handlungen« angeblich auslösenden Gehirnimpulse als Wirkung oder als *Parallel*erscheinung eines besonderen *geistigen* Vorganges, eines *Willensereignisses* etwa, zu verstehen. Das würde nun allerdings bedeuten, daß wir das durch unseren Willen unmittelbar hervorgerufene oder ihm korrelierte Ereignis in unserem Gehirn aus den sich ins Unabsehbare erstreckenden Ereignisketten des natürlichen Kausalzusammenhanges herausnehmen müßten, d. h. dafür weder äußere Einflüsse über unsere Wahrnehmung, noch eine gehirninterne kausale Vorgeschichte unterstellen dürften.

Nun führt die Vorstellung, wir würden Ereignisse in unserem Gehirn willentlich veranlassen, welche dann wiederum kausal unsere Handlungen zur Folge haben, auch noch ein anderes Problem mit sich: Wir können ja im allgemeinen die Geschehnisse in unserem Gehirn nicht *direkt* bewirken; wenn wir von besonderen mechanischen oder elektrischen Eingriffen absehen. Direkt hervorbringen lassen sich dagegen unsere Leibesbewegungen. Das heißt, wir können sie einfach, ohne jeden vermittelnden physiologischen Hebel sozusagen, tun. Sollte es also spezifische Impulsereignisse geben, welche etwa dem Heben meines linken Armes als Ursache im Gehirn notwendig vorhergehen, so kann ich diese Ereignisse nun andererseits dadurch indirekt kausal hervorrufen, daß ich meinen linken Arm hebe. Sollte überdies der durch das Heben meines linken Armes bewirkte Gehirnimpuls dem Heben meines linken Armes zeitlich wesentlich vorhergehen, so entstünde die paradoxe Möglichkeit einer in die Vergangenheit eingreifenden, einer so genannten *rückwirkenden Verursachung.*

Der Mensch als Bürger zweier Welten

Ein anderer Versuch, die Paradoxien einer vorgestellten physiologischen Verursachung unseres Handelns philosophisch aufzulösen, ist bereits in Kants *Kritik der reinen Vernunft* zu finden.[1] Dieser Versuch geht davon aus, daß wir Menschen gewissermaßen Bürger *zweier Welten* sind: der Welt der *Natur,* in der alles mit naturgesetzlicher Kausalität geschieht, ohne daß ein handelnder Einfluß des Menschen hier überhaupt denkbar wäre – und der Welt der *Freiheit,* in der wir Menschen für bestimmte Ereignisse auch in unserer *natürlichen* Umgebung verantwortlich sind, nicht (dem Zwang) der Naturdetermination unterliegen, sondern uns nach Gründen für oder gegen einen von uns abhängigen Verlauf der Dinge entscheiden können. Bei Kant heißt der Mensch, insofern er Teil der Natur ist, ein »*empirischer* Charakter«, insofern er eine frei handelnde Person darstellt, ein »*intelligibler* Charakter«.

Lassen Sie mich beides noch einmal mit Kants Worten sagen. Da heißt es einerseits:[2] »Weil dieser empirische Charakter selbst aus den Erscheinungen als Wirkung und aus der Regel derselben, welche Erfahrung an die Hand gibt, gezogen werden muß: so sind alle Handlungen des Menschen in der Erscheinung aus seinem empirischen Charakter und den mitwirkenden anderen Ursachen nach der Ordnung der Natur bestimmt, und wenn wir alle Erscheinungen seiner Willkür bis auf den Grund erforschen könnten, so würde es keine einzige menschliche Handlung geben, die wir nicht mit Gewißheit vorhersagen und aus ihren vorhergehenden Bedingungen als notwendig erkennen könnten. In Ansehung dieses empirischen Charakters gibt es also keine Freiheit, und nach diesem können wir doch allein den Menschen betrachten, wenn wir lediglich beobachten, und, wie es in der Anthropologie geschieht, von seinen Handlungen die bewegenden Ursachen physiologisch erforschen wollen.« Kurz vorher[3] lesen wir jedoch andererseits: »[...] so gibt die Vernunft nicht demjenigen Grunde, der empirisch gegeben ist, nach, und folgt nicht der Ordnung der Dinge, so wie sie sich in der Erscheinung darstellen, sondern macht sich mit völliger Spontaneität eine eigene Ordnung nach Ideen, in die sie die empirischen Bedingungen hinein paßt und nach denen sie so gar Handlungen für notwendig erklärt, die doch nicht geschehen sind und vielleicht nicht geschehen werden, von allen aber gleichwohl voraussetzt, daß die Vernunft in Beziehung auf sie Kausalität haben könne; denn, ohne das, würde sie nicht von ihren Ideen Wirkungen in der Erfahrung erwarten.«

Wiederum, so scheint es, kann doch ein Geschehen im unverträglichen Falle nur *einer* der beiden Sphären angehören. Eine wesentlich veränderte Sicht der Dinge ergibt sich hier erst dann, wenn wir mit Kant die begriffliche Konstitution der beiden Welten als *durch uns selbst geleistet* verstehen, sie also nicht schlicht als *gegeben* hinnehmen, als etwas in unserem Leben, für unsere Wahrnehmung schlicht Vorhandenes. – Daß uns ein Ereignis wie das Heben meines linkes Armes einmal als kausal determiniertes reines *Naturgeschehen*, und dann wieder als ein in unserer *Verfügung* stehender Verlauf, als *Handlung* also, entgegentritt, dies hat dann seinen Grund gewissermaßen in einem *Wechsel der begrifflichen Perspektive*, unter der wir unsere Welt betrachten oder besser: unsere Weltbetrachtung organisieren.

Als *empirischer* und andererseits als *intelligibler* Charakter spielen wir demnach gleichsam verschiedene kosmologische Spiele. Züge, welche nach den Regeln des einen Spieles erlaubt sind, können im anderen Spiel unmöglich sein. Paradoxien entstehen hier nur dann, wenn wir die Erscheinungen, welche sich uns in verschiedenen Betrachtungsweisen als diese oder jene, kausal oder praktisch etwa, zeigen, *zusammen* in eine »an sich«, unabhängig von unseren Verständnisbildungen, gegebene Welt versetzen, in der sie uns dann *unverträglich* gegenübertreten.

Seit der letzten Jahrhundertwende ist die Philosophie mehr und mehr von der Einsicht geprägt worden, daß philosophische Probleme stets auch und häufig wesentlich Probleme der *Sprache* sind, in der wir die philosophischen Probleme darstellen (artikulieren). So nimmt es nicht wunder, daß die Kantische Lösung unseres Problems inzwischen auch eine *sprachanalytische* Fassung erhalten hat; z. B. bei dem Philosophen Abraham J. Melden.[4]

Danach können wir uns bestimmten Geschehnissen sowohl in der (kausal orientierten) Ding-Ereignis-Sprache als auch etwa in einer Person-Handlung-Sprache nähern. Wiederum läßt sich dann formulieren: Wenn wir etwas als »Ereignisse« beschreiben, die sich an »Dingen« vollziehen, dann steht uns nicht zugleich die damit unverträgliche logische Grammatik des Redens über Personen und ihre Handlungen zur Verfügung. Die Vermischung zweier *Sprach*spiele erzeugt also in dieser Perspektive die Paradoxien der kausalen Bewirkung unserer Handlungen.

Löst dieses Verständnis der begrifflichen Situation (also der so genannte Zwei-Welten- oder Zwei-Sprachen-Ansatz) wirklich unsere Probleme auf? – Wohl nicht, denke ich: Es ist nämlich schlicht *falsch*, daß wir uns mit unseren Reden von Dingen, Ereignissen, Ursachen, Wirkungen, Personen, Handlungen, Verantwortungen usf. im allgemeinen *nicht* in derselben Welt oder Sprache bewegen. Wäre dies so, so könnten wir im Zweifelsfalle nicht darüber diskutieren, ob uns etwas als Ende einer unterstellten *Kausalkette* lediglich zugestoßen ist – oder ob wir dafür als für unsere *Tat* verantwortlich sind.

Solche Abwägungen sind häufig dann notwendig, wenn es darum geht, ob wir für bestimmte Geschehnisse getadelt oder bestraft werden können. Für die moralische und juristische Bewertung der Folgen einer Bewegung unseres Körpers macht es offenbar einen wesentlichen Unterschied, ob wir diese Bewegung unterlassen konnten oder selbst dabei (»von außen« sozusagen) bewegt worden sind. – Man könnte nun sagen, in einer solchen Abwägung sei auch das *uns zustoßende* Geschehen bereits Teil einer human (praktisch) verstandenen Welt - und nicht ein objektives Naturereignis, wie es die Gegenstände physikalischer oder physiologischer Forschung darstellen.

Aber auch wenn wir auf *physikalische* Ereignisse und Objekte im engeren Sinne blicken, gibt es unzweifelhaft sinnvolle Sätze, die in die praktische Welt hinüberreichen: Schließlich läßt sich offensichtlich sinnvoll darüber nachdenken, ob wir durch bestimmte Handlungen, z.B. durch das, was wir essen und trinken, die physiologischen Bedingungen in unserem Gehirn beeinflussen (und dies durchaus im *kausalen* Sinne des Wortes »beeinflussen«). – Wenn es richtig ist, daß Rauchen Lungenkrebs hervorruft und wenn zum Lungenkrebs auch physiologische Charakteristika (z. B. Stoffwechsel und Reproduktionsmechanismen der Krebszellen) gehören, so operiert eine Mahnung, das Rauchen wegen dieser Auswirkungen zu unterlassen, sprachlich gewissermaßen zwischen den Welten des Empirischen und Intelligiblen im Sinne Kants. – Die Situation verstehen wir hier ganz allgemein so, daß wir durch unsere Handlungen in der Welt der Natur, insbesondere der physikalischen Natur, einen kausalen Einfluß ausüben. Ein Satz, der semantisch die Trennlinie zwischen physikalischen und praktischen Aspekten unseres Lebens durchschneidet, kann also nicht von vornherein sinnlos sein.

Wissenschaftlicher Materialismus

Eine Strategie zur Auflösung unserer Paradoxie enthalten auch die verschiedenen Spielarten des *wissenschaftlichen Materialismus*. Was haben wir in unserem Zusammenhang unter dem »wissenschaftlichen Materialismus« zu verstehen? – Der gebotenen Kürze halber will ich gleich eine Antwort geben, welche bereits den »linguistic turn« der Philosophie im Rücken hat, eine sprachanalytisch gewendete Antwort also. Sie läßt sich im übrigen an das bisher Gesagte anschließen, und zwar so, daß die modernen wissenschaftlichen Materialisten behaupten, das intersubjektiv sinnvolle Reden über den praktischen, insbesondere sozialen und kulturellen, Zusammenhang des menschlichen Lebens lasse sich ohne Verlust des Wesentlichen im Rahmen von Sätzen über Dinge, Ereignisse und Strukturen redefinieren, wie sie uns in den physikalischen und technischen Wissenschaften entgegentreten. Der endgültig nicht so reformulierbare Sprachbestand erscheint dann entsprechend als für eine aufgeklärte Weltorientierung verzichtbar, Inhalt eines bloßen Glaubens ohne Substanz in der Realität. – Die fortgeschrittenste Version des wissenschaftlichen Materialismus ist inzwischen die Annahme, es habe sich im Laufe der Evolution unser Gehirn zum Steuerungsorgan einer komplexen Maschine (aus Fleisch und Blut sozusagen) selbst programmiert.

Der so verstandene Materialismus muß von so genannten szientistischen Perspektiven unterschieden werden. Der *Szientismus* überträgt *Methoden* der Naturwissenschaften auf sozial- und kulturwissenschaftliche Analysen unseres Lebens, versteht bestimmte grundlegende naturwissenschaftliche Verfahrensweisen, darunter häufig auch Formen des wissenschaftssprachlichen Verkehrs, als *Normen der Wissenschaftlichkeit überhaupt.* – Materialistische Rekonstruktionen unserer Lebenswelt, der Sprache, heißt das, in und mit der wir uns in dieser Lebenswelt bewegen – materialistische Rekonstruktionen also betreffen zunächst den *Inhalt* dessen, wovon wir reden, nicht lediglich den *methodischen Umgang* mit diesem Inhalt; mag im übrigen auch eine bestimmte methodische Einstellung nur mit bestimmten Inhalten verbindbar, nur für diese angemessen sein.

Der wissenschaftliche Materialismus tilgt durch geeignete sprachliche Rekonstruktionsvorschläge oder durch ihre abstrakte Ankündigung die Differenz zwischen den beiden Sprachwelten, zwischen denen die paradoxe Vorstellung physiologisch verursachten Handelns spielt. Ein durch den wissenschaftlichen Materialismus aufgeklärtes Bewußtsein sieht sich in *einer* Welt, die, wenigstens im Prinzip, vollständig in einer *physikalisch-technisch* orientierten Sprache artikulierbar ist. Die begriffliche Widerspenstigkeit des Handlungsbegriffes gegenüber dem physiologischen Innenleben des Menschen wird in einer materialistischen Rekonstruktion zum sprachlich bedingten Schein, der durch neue oder reduzierte Verständnisse dessen, was wir mit unseren Worten allenfalls meinen könnten oder eigentlich meinen sollten, beseitigt wird.

Warum sollte der wissenschaftliche Materialismus mit seinen Rekonstruktionen unseres Redens nicht recht haben können? – Verstehen wir den wissenschaftlichen Materialismus als eine *semantische* Operation, und das habe ich hier per Definitionen getan, so lassen sich bestimmte damit verbundene Schwierigkeiten in der folgenden Weise artikulieren.

Zunächst läßt sich ein geeignetes physikalisch-technisches Vokabular nicht einfach als (bloße) »Präzisierung« der handlungsbezogenen umgangssprachlichen Ausdrücke ausgeben. Wir können dies daran sehen, daß begriffliche oder empirische Aussagen über die physiologische Natur unseres Gehirns oder unseres Leibes und seiner Bewegungen keinen *semantischen* Zusammenhang mit der praktisch orientierten Rede über die menschliche Welt haben. (Das ist, nebenbei gesagt, das Richtige an der Zwei-Sprachen-Vorstellung.):

Wenn ein Mensch mit uns in vertrauter Weise praktischen Umgang pflegte, ohne daß jedoch in seinem Gehirn oder in seinen Nerven die üblichen Vorgänge abliefen, wenn z. B. Messungen lauter Null-Linien lieferten – wir hätten keinerlei *begrifflichen* Anlaß, unsere praktisch-hermeneutischen Aussagen zu und gegenüber dieser Person zu verändern oder anders zu verstehen. Es gehört, so könnte man sagen, zu den Menschenrechten, daß wir nach unserer *praktischen Person* und nicht nach unserer *physiologischen*, oder genetischen *Natur* verstanden und beurteilt werden. Physiologische Aussagen über den Menschen, heißt das, können allenfalls *Symptome*, nicht aber *Kriterien* von Verhältnissen sein, welche einer hermeneutisch-praktischen Beschreibung zugänglich sind.

Diese Tatsache wird insbesondere durch die Verwendung eines *anthropomorphen* Vokabulars etwa in der Informatik immer wieder verschleiert. Letztendlich sind »Information«, »Intelligenz«, »Gedächtnis«, »Verarbeitung«, und ähnliche Ausdrücke der neuen Technikwissenschaften von der Kognition, anthropologische *Metaphern*, d.h. Ausdrücke, die hier nur *bildhaft* und *analog* zu ihrem *primären* Gebrauch in der Sphäre des menschlichen Handelns und Redens auftreten. Zugleich erfahren diese Ausdrücke in der Informatik eine rein technisch orientierte *Re*definition; was für interne Zwecke im allgemeinen keine Probleme erzeugt. – Problematisch wird es allerdings, sobald die metaphorischen Beziehungen die Legitimation für eine Rückausdehnung des nun technischen Vokabulars auf unsere praktischen Selbstverständnisse abgeben. So erscheinen diese dann als in den technischen Reden »präzisiert«. Ein sprachliches, metaphorologisches Mißverständnis erweckt die Maschinen zu menschlichem Leben, indem es menschliches Denken und Kommunizieren in einer maschinenorientierten Sprache rekonstruiert.

Der wissenschaftliche Materialismus ist aber im Grunde kein bloß *semantisches*, sondern ein *ethisches*, oder sagen wir allgemeiner: ein *praktisch-philosophisches* Problem.

Semantische Reduktionen der Lebenswelt stehen und fallen nämlich mit unserem Willen, uns einer (praktischen) Veränderung unseres Lebenswelt zu widersetzen, welche die Verhältnisse erst schaffte, die dann ein verändertes Sprachverständnis, veränderte, z.B. materialistisch reduzierte begriffliche Formen, adäquat erscheinen lassen könnten.

Bedingungen und Ursachen des Handelns

Lassen es aber nicht die Ergebnisse der Hirnforschung inzwischen evident erscheinen, daß unser Handeln von Zuständen und Prozessen im Gehirn abhängig ist? – Hier wird eine »logische« Unterscheidung ganz wesentlich, die in den von uns betrachteten Vorstellungen und Überlegungen meistens kaum beachtet wird, die Unterscheidung nämlich zwischen *Bedingungen* und *Ursachen* unseres Handelns:

Sicherlich gibt es (*notwendige*) physiologische *Bedingungen* unseres Handelns, etwa Situationen und Vorgänge im Gehirn, ohne deren ungestörtes Vorliegen oder Auftreten uns bestimmte Handlungen unmöglich sind. Häufig sind solche Bedingungen auch *hinreichend,* d.h., sind sie gegeben, so sind wir ceteris paribus in der Lage, bestimmte Fähigkeiten zu lernen und auszuüben, sonst nicht. Der Wegfall solcher Bedingungen *verursacht* im allgemeinen den Ausfall der entsprechenden *Kompetenz* K. Auch ihre Restitution möchten wir in bestimmten Fällen als *Ursache* dessen verstehen, daß K wieder verfügbar ist (wird). Nur folgt aus all dem nicht, daß die konkrete Ausübung oder Aktualisierung von K durch ein bestimmtes Handlungs»token«, eine *konkrete* Handlung, ebenfalls physiologisch verursacht ist oder die für K maßgebenden physiologischen Bedingungen gar auch als Ursache einer *Aktualisierung* von K in Frage kämen.

Daß wir eine Handlung unter geeigneten Umständen nach Belieben tun oder lassen können, läßt sie bereits aus begrifflichen Gründen zur Ausübung einer Kompetenz werden. *Dabei* ist dann eine notwendige Bedingung von K auch eine notwendige Bedingung jeder Aktualisierung von K.

Was ergibt sich aus dieser Unterscheidung? – Sie liefert uns eine Erklärung dafür, daß es empirische (empirisch untersuchbare), ja sogar kausale, Beziehungen zwischen unserer *physiologischen Natur* (einerseits) und unserer *Handlungswelt* (andererseits) gibt; Beziehungen, welche jedoch mit der begrifflichen Tatsache verträglich sind, daß wir ein Geschehen nicht zugleich als *Handlung* und als physiologisch *verursacht* verstehen können. Diese Beziehungen bestehen darin, daß bestimmte physiologische *Bedingungen* erfüllt sein müssen, wenn uns ein bestimmtes Handeln möglich sein soll. Und das bedeutet zugleich, daß das Fehlen oder Zerstören dieser Bedingungen als *Ursache* für die Nichtverfügbarkeit des entsprechenden Handelns in Frage kommt. Nur ist dies offenbar etwas ganz anderes, als die physiologische Innervation einer konkreten Handlung zu unterstellen.

Zur Frage einer experimentellen Bestätigung physiologischer Handlungsursachen

Die neurophysiologische Forschung, insbesondere die Hirnforschung, hat nach meinem Urteil bisher nirgends mehr als *Bedingungen* unseres Handelns zutage gefördert. Insbesondere insofern etwa bestimmten Hirnarealen bestimmte *Kompetenzen* zugeordnet sind, oder von Hirnfunktionen gesprochen wird, läßt sich das wachsende Wissen dazu recht gut als Differenzierung der gehirnphysiologischen *Bedingungen* unserer Handlungs*kompetenzen* verstehen.

Gleichwohl läßt es sich doch, so könnte man meinen, *nicht ausschließen*, daß zukünftige Untersuchungen uns Einblick in physiologische *Ursachen* unseres Handelns gewähren, daß wir uns schließlich doch auch, ganz oder partiell, als von unserem Gehirncomputer physiologisch gesteuerte Maschinen verstehen lernen. – Ob wir mit Forschungen, welche Ergebnisse in dieser Richtung haben, prinzipiell rechnen müssen, ist allerdings zunächst eine *begriffliche*, keine empirische Frage. Und wir können es in der Tat mit begrifflichen Gründen ausschließen, daß uns eine derartige materialistische Aufklärung über uns selbst bevorsteht.

Fragen wir uns also, ob es eine experimentelle Forschung geben könnte, welche für eine bestimmte *Handlung h* ceteris paribus deren *kausale* Abhängigkeit von physiologischen Vorgängen empirisch bestätigt? – Eine solche Untersuchung müßte offenbar eine (typische) Situation *S* beschreiben, deren Herstellung die betrachtete Handlung *h* unter geeigneten Umständen zur regelmäßigen Folge hat. Ferner müßte sich ergeben, daß *h* ceteris paribus nicht auftritt, wenn *S* unterbunden wird.

Zu den unverzichtbaren Rationalitätskriterien empirischer Forschung gehört es nun andererseits, daß die Reproduktion ihrer Ergebnisse öffentlich zugänglich und so kontrollierbar ist.

Zur Öffentlichkeit zählen in unserem Falle insbesondere die »Versuchspersonen«, d. h. jeweils diejenigen, deren bestimmtes Handeln als kausal abhängig von dem Bestehen von *S* behauptet wird. Ein kausaler Mechanismus, der nur dann besteht, wenn er der Wahrnehmung und Kontrolle der ihm Unterliegenden entzogen ist, wäre in unserem Falle keine sinnvolle Vorstellung.

Jedenfalls bedeutete die methodisch verordnete »Blindheit« der Versuchspersonen eine *wesentliche* Einschränkung. Die fingierte Erfahrung könnte dann nämlich nicht zeigen, daß es für einen bestimmten Handlungsablauf eine ceteris paribus *spezifische* auslösende physiologische Konstellation gibt.

Natürlich liegt hier zunächst die Parallele zum Blindversuch nahe, wie er etwa bei Forschungen über die Wirksamkeit von Arzneimitteln üblich ist oder doch üblich sein sollte. Zu den Bedingungen des Blindversuches gehört es, daß die Person P, bei der ein Wirkungszusammenhang untersucht werden soll, nicht weiß, ob jeweils die zu prüfende ursächliche Situation oder, zum Vergleich, eine andere Situation hergestellt worden ist. (Die Verfeinerung der Versuchsstrategie durch den so genannten Doppelblindversuch ist, das sei nebenbei bemerkt, für unseren Zusammenhang nicht relevant.) Wenn dann im Blindversuch die vorhergesagte Wirkung bei Vorliegen der Ursache tatsächlich regelmäßig eintritt und sonst ausbleibt, so wird die Wirkung im allgemeinen nicht als *abhängig* von einem *Wissen* der Versuchsperson um das Vorliegen der Ursache angesehen.

Der Verweis auf den Blindversuch ist allerdings in unserem Falle irreführend. Ob wir es mit einem für die Person *P als Handlung* verfügbaren Geschehen zu tun haben, kann und muß u.a. schließlich gerade dadurch überprüft werden, daß P dieses Geschehen nach Belieben, das heißt: insbesondere nach Aufforderung, unterlassen kann, auch wenn die angeblichen kausalen Determinanten wirksam sind. Jedenfalls wäre es merkwürdig, wollten wir durch die Versuchsanlage ausschließen, daß die Versuchsperson zeigt, daß sie ihre Handlungen unabhängig von den angenommenen physiologischen Determinanten tun oder unterlassen kann.

Wollte man hier zunächst darauf abstellen, daß nur die *nicht eingeweihte* Versuchsperson von den untersuchten kausalen Handlungsdeterminanten gesteuert wird, so würde man offenbar eine *veränderte* Kausalhypothese untersuchen: Die in sie eingehende komplexe Ursache u bestünde dann in der ursprünglich betrachteten physiologischen Situation (u_1) zusammen mit (u_2) dem *Nichtwissen* der Versuchsperson um den gerade aktuellen Versuchsverlauf oder dessen unterstelltem physiologischen Korrelat.

Aber auch darüber hinaus entstünden im Falle eines Blindversuches begriffliche Schwierigkeiten. Stellen wir uns etwa vor, daß die Versuchsleitung dem sukzessiven Ein- oder Abstellen der Ursachensituation jeweils ein bestimmtes Muster zugrunde legt. Andererseits wird auch die Versuchsperson P das untersuchte Handeln im allgemeinen nicht nach Art eines Zufallsgenerators aktualisieren, vielmehr dies in einer durch die jeweilige Situation und die darin zu bewältigenden Probleme gegebenen Ordnung tun. – Es ist dann im allgemeinen nicht zu erwarten, daß das hinter dem Rücken von P festgelegte Determinantenmuster einerseits und das aus Absichten abgeleitete Handeln von P andererseits im Sinne einer regelmäßigen Ereignisfolge oder Parallelität übereinstimmen. Und daß diese Übereinstimmung nicht zu erwarten ist, hat hier im allgemeinen nicht die Form einer *Prognose*, sondern ergibt sich *a priori*, von vornherein aus der

Kenntnis des Versuchsmusters und, andererseits, der Pläne und der Handlungssituation der Versuchsperson.

Könnte sich aber eben bei solchen Versuchen nicht gerade regelmäßig herausstellen, daß die Versuchsperson eine intendierte, von dem Determinantenmuster abweichende Ordnung ihres Handelns gegen die Versuchsanordnung nicht durchsetzen kann? – Genau dann aber müßte die Versuchsperson den Effekt der physiologischen Manipulation als Verhaltens*zwang* erfahren, der ihr nicht mehr die *Wahl* zwischen Tun und Unterlassen läßt. Der Versuchsverlauf würde dann nicht die kausalen Determinanten einer *Handlung* zum Gegenstand haben, sondern die Möglichkeit, physiologisch ein bestimmtes *Zwangsverhalten* hervorzurufen.

Betrachten wir daher nun die begriffliche Situation für den Fall, daß die Versuchsperson *P weiß*, ob die zu prüfenden physiologischen Determinanten erfüllt sind oder nicht. P kann sich dann bemühen, den angeblichen kausalen Mechanismus außer Kraft zu setzen, indem sie ihr Handeln *abweichend einrichtet*. Hier lassen sich begrifflich drei Möglichkeiten unterscheiden:

Zunächst kann es P, erstens, gelingen, *anders zu handeln*, als es die eingestellten physiologischen Ursachen gleichsam »vorschreiben«. In diesem Falle ist die entsprechende Kausalhypothese schlicht *widerlegt*. – P kann zweitens erfahren, daß sich trotz aller Bemühung gegen den physiologisch angestoßenen Wirkungsmechanismus nicht anhandeln läßt. In diesem Falle haben wir dann nicht etwa ein empirisches Indiz für die Möglichkeit der physiologischen Bewirkung von Handlungen. Die fragliche Handlung findet schließlich als solche gar nicht statt. Stattdessen erfährt *P* den *Zwang* zu einem bestimmten Verhalten, nimmt, gegebenenfalls auch leiblich, wahr, daß sich bestimmte Reaktionen gegen seine Handlungsintentionen durchsetzen. – Auch dieser Ausgang des Experimentes liefert also keine Bestätigung dafür, daß es nicht nur physiologische Bedingungen, sondern auch physiologische Ursachen unseres *Handelns* gibt.

Sind damit die möglichen Entwicklungen der geschilderten experimentellen Situation erschöpft? – Ich denke, wir sollten noch eine weitere Alternative erwägen:

Die Person P könnte ihre *Absicht*, gegen den unterstellten physiologischen Einfluß zu handeln, nicht durchhalten und ein Verhalten zeigen, das mit den vorhergesagten Kausaleffekten *übereinstimmt*. Befragt, warum sie von den Versuchsvereinbarungen abgewichen sei, würde *P* etwa sagen, sie habe sich anders entschlossen, und dafür eventuell Gründe nennen.

Beim einmaligen Auftreten einer solchen Situation müßte es offen bleiben, ob die dabei resultierende *Übereinstimmung* mit den Vorhersagen der Kausalhypothese ein merkwürdiger Zufall ist, oder sich P gar bewußt zu einem solchen Verhalten entschlossen hat. In beiden Fällen würden sich keine Daten ergeben, die wirklich für die Kausalhypothese sprechen. – Das Experiment müßte daher jedenfalls wiederholt werden, um zu sehen, welcher Verlauf der Dinge sich gegebenenfalls *regelmäßig* entwickelt. Sollte dabei immer wieder die dritte Alternative resultieren, so hätten wir in der Tat Anlaß, die entstandene Situation aufzuklären.

Auch hier allerdings steht uns eine Deutung zur Verfügung, welche uns keine begrifflichen Absurditäten zumutet, nämlich die Einstufung der Beschreibungen und Bekundungen von *P* als *Handlungsillusion*. Das heißt, wir können die Situation so verstehen, daß *P's* Verhalten von der Illusion begleitet ist, für *P* nach Belieben, insbesondere nach Gründen, verfügbar zu sein. Die von *P* etwa angegebenen Gründe hätten zugleich als »Rationalisierungen« zu gelten. – Auch in diesem (dritten) Falle bewirkt also der untersuchte physiologische Mechanismus nicht ein bestimmtes *Handeln*, sondern eine bloße Verhaltensreaktion, welche von der *Illusion*, sie sei ein Handeln, begleitet ist.

Was folgt aus all dem? – Zunächst, daß es aus *begrifflichen* Gründen keine Forschungsergebnisse geben kann, die uns *zwingen*, gegen das uns begrifflich Selbstverständliche, die Absurdität physiologisch verursachten Handelns als empirisch bestätigt anzunehmen. Uns steht immer eine Deutung der physiologischen Forschungen zur Verfügung, welche mit dem gewöhnlichen praktischen Selbstverständnis des Menschen vereinbar ist.

Dies mag uns beruhigen. Daß jemand, zum Beispiel in bestimmten Wissenschaften, die begrifflichen Formen unseres Handlungsverständnisses selbst verändern, z.B. materialistisch transformieren möchte, können wir mit den von mir angestellten begrifflichen Analysen gleichwohl nicht verhindern. Wir können uns allerdings dagegen wehren, in einer Welt zu leben, in welcher unser gewissermaßen alteuropäisches Handlungsverständnis an den Rand gedrängt wird, im Sinne einer Kolonialisierung unserer Lebenswelt durch technizistische Verständnisse des Menschen.

Unsere Betrachtungen sind, das möchte ich am Schluß betonen, auf die Vorstellung einer *physiologischen*, oder allgemeiner: einer *physikalisch-technischen* Verursachung unseres Handelns beschränkt. In anderen Zusammenhängen läßt sich, selbstverständlich, von einer *Verursachung* menschlichen Handelns sprechen. Wenn wir etwa wissen, welche Regeln des Handelns sich eine Person oder Gruppe als einigermaßen feste *Gewohnheiten* zu eigen gemacht hat, so können wir in vielen Fällen Situationen schaffen, welche die Prämissen dieser gewohnheitsmäßig befolgten Handlungsregeln erfüllen, und dann rebus stantibus einigermaßen sicher sein, daß das von den Gewohnheiten geforderte Handeln erfolgt. Dies ist ein Sinn, neben anderen, in welchem wir sagen können, daß wir *Handeln bewirken*; ohne daß dieses hier allerdings seinen Handlungscharakter verliert. Denn Gewohnheiten haben nicht die Härte der Naturnotwendigkeit. Wir können uns in weiten Grenzen entschließen, sie abzulegen oder im Einzelfalle ihnen nicht zu folgen. Auf diese Weise bleiben Gewohnheiten, wenn sie nicht zum Zwangsverhalten geworden sind, »*handlungs*zugänglich«, sind lediglich eine besondere *Form* unseres Handelns.

226

Allgemeine Schlußbemerkungen zum Thema »Gehirn und Denken«

Dieser Vortrag steht unter dem Leithema »Gehirn und Geist«. Was ich gesagt habe, betrifft dieses Thema:

Insbesondere ist auch unser Sprechen und Denken ein *Handeln*, und als dieses also nicht durch neuronale Prozesse im Gehirn *bewirkt*, oder, mit dem heute verbreiteten Bild, durch solche Prozesse (und die Regeln, denen sie folgen) *gesteuert*; auch wenn es sicher durch neuronale *Bedingungen* gewissermaßen »getragen«, empirisch ermöglicht wird. Das Denken ist ein Handeln, das heißt im übrigen auch: etwas, was im Prinzip der *ganze* Mensch vollzieht, nicht etwas, was sich in unserem Gehirne abspielt.

Wir haben beim Handeln, und insbesondere beim Denken, im allgemeinen keinen bewußten Zugriff auf die physiologischen Zustände oder Abläufe in unserem Gehirn. Das Gehirn ist also auch kein *Instrument* unseres Denkens, wie es etwa Bleistift und Papier sein können.

Wir denken also weder im Gehirn noch mit Hilfe des Gehirns. Und schon gar nicht denkt unser Gehirn selbst, oder bewirkt physiologisch unser Denkhandeln. Wohl aber gibt es *physiologische Bedingungen* im Gehirn, die unser Denken ermöglichen, erleichtern oder erschweren, z. B. wenn sie uns, im *wörtlichen* Sinne, Kopfschmerzen bereiten, beim Nachdenken etwa über die Frage: »Kann es gehirnphysiologische Ursachen unseres Handelns geben?«

Anmerkungen:

1 Cf. zur folgenden Analyse der Überlegungen Kants auch die ausführlichere Darstellung in F. Kambartel: *Bemerkungen zum praktischen Selbstverständnis des Menschen, in Kantischer Perspektive,* in G. Prauss (Hrsg.): *Handlungstheorie und Transzendentalphilosophie* (Frankfurt a. M. 1986), 132-143 ferner in: F. Kambartel, *Philosophie der humanen Welt* (Frankfurt a. M. 1989), 132-145.

2 *Kritik der reinen Vernunft,* B 577 f.

3 ibis. B 576.

4 A. J. Melden: *Free Action* (London [1]1961), dtsch. Teilübersetzung in A. Beckermann (Hrsg.): Analytische Handlungstheorie, Bd. 2 (Frankfurt a. M. 1977), 120-167.

Glossar[1]

Alltagspsychologie (engl. folk psychology, common sense psychology): Bezeichnung für jene, an unseren alltäglichen Redeweisen orientierte Form der Psychologie, die Beziehungen zwischen unseren Überzeugungen, Wünschen, Plänen, Hoffnungen, Handlungen etc. herstellt. Z.B. kann ein Satz wie »Jede Person, die auf das Eintreten eines bestimmten Ereignisses hofft, ist erfreut, wenn dieses Ereignis tatsächlich eintritt« als ein Satz der Alltagspsychologie betrachtet werden. Allgemein läßt sich die Alltagspsychologie durch folgende beiden Merkmale charakterisieren: (1) Verwendung intentionaler (→Intentionalität) Begriffe, (2) Bezug der Gesetzmäßigkeiten auf die in ihren intentionalen Sätzen auftretenden propositionalen Einstellungen bzw. auf die Gehalte dieser Einstellungen. Im Rahmen der gegenwärtigen Kognitionswissenschaft wird heftig darüber gestritten, ob die Alltagspsychologie Verläßlichkeit und wissenschaftliche Dignität beanspruchen kann, oder ob sie eine historisch überholte Betrachtungsweise darstellt, die restlos z.B. durch →Neurowissenschaft zu ersetzen ist. Viele sehen im Programm einer solchen Ersetzung einen Angriff auf zentrale Gehalte des Menschseins überhaupt, da sich die bisherigen Grundorientierungen der Menschen in neurowissenschaftlicher Perspektive als unzeitgemäß und durch den wissenschaftlichen Fortschritt widerlegt darstellen würden. Da die Alltagspsychologie an →mentale Redeweisen gekoppelt ist, trifft Kritik an der Alltagspsychologie insofern auch alle Positionen, die eine Eigenständigkeit des mentalen Bereichs vertreten.

analog (engl. analog(ical)): In der Informatik Bezeichnung für Darstellungs- bzw. Verarbeitungsverfahren, die der Struktur des Dargestellten bzw. Verarbeiteten stetig veränderbar ähnlich sind, wogegen die Veränderungen im digitalen Fall nur in diskreten Schritten erfolgen.

Behaviorismus (engl. behaviorism): Bezeichnung für psychologische Theorien, die sich ausschließlich auf Verhaltensbeschreibung von Organismen, d.h. auf deren Reaktionen auf Reize, beschränken. Irgendwelche →mentalen Verarbeitungsprozesse spielen in behavioristischen Konzeptionen keine Rolle.

Bezug (engl. reference, denotation): Ältere (z.B. G. Frege, B. Russell) Theorien des

1 Das vorliegende Glossar stützt sich insbesondere auf M. Carrier/J. Mittelstraß, Geist, Gehirn, Verhalten. Das Leib-Seele-Problem und die Philosophie der Psychologie, Berlin/New York (W. de Gruyter) 1989.

Bezugs sprachlicher Zeichen (Wörter, Sätze) bestimmen deren Bezug als die Objekte oder Sachverhalte, die bezeichnet werden. Die Bezugsobjekte stellen hier die Bedeutung (engl. meaning) der Zeichen dar. Die neuere, kausal-historische Auffassung (z.B. H. Putnam, S. Kripke) nimmt keine feststehende (»magische«) Beziehung von Sprachzeichen und Gegenstand an, sagt also nicht, was Bezug ist, sondern erläutert vielmehr, wie Bezug zustandekommt: Bezug wird durch die Umstände und Intentionen des Einführungsereignisses (z.B. Lehrbücher, soziale Situationen usw.) sowie die auf dieses kausal rückführbaren späteren Modifikationen verursacht. Es besteht eine enge Verwandtschaft zwischen Theorien des Bezugs und Theorien der mentalen Repräsentation, da sich auch in letzteren die Frage nach Art und Gegenstand ihres Bezugs stellt.

eliminativer Materialismus (engl. eliminative materialism): Programm, die angeblich überholte und inadäquate, alltägliche Redeweise (→Alltagspsychologie) über mentale Phänomene durch Neurophysiologie (→Neurowissenschaft) zu ersetzen. Nach Auffassung des eliminativen Materialismus ist der alltagspsychologische Ansatz mit hoher Wahrscheinlichkeit falsch, da er u.a. eine Vielzahl von Phänomenen unerklärt läßt, und sich seit den frühesten, überlieferten Zeugnissen alltagspsychologischen Räsonierens nicht weiterentwickelt hat. Die Neurowissenschaft hat die Alltagspsychologie auf die gleiche Weise zu ersetzen, wie die Newtonsche Physik die Aristotelische Physik ersetzt hat.

Emergenz (engl. emergence): Bezeichnung für das Auftreten neuer Eigenschaften auf einem höheren Integrationsniveau. Z.B. weist Wasser Eigenschaften auf, die seine beiden chemischen Komponenten nicht besitzen; oder Organe haben Eigenschaften, die sich nicht bei Zellen finden lassen; schließlich kann Bewußtsein als eine emergente Eigenschaft neurophysiologischer Prozesse verstanden werden. Dabei bleibt zunächst offen, ob sich die Eigenschaften integrierter Systeme aus den Eigenschaften ihrer Komponenten und deren Wechselwirkungen ableiten lassen. Im Falle prinzipieller Emergenz ist eine solche Ableitung unmöglich.

Epiphänomenalismus (engl. epiphenomenalism): Bezeichnung für Positionen bezüglich des Leib-Seele-Problems, die Bewußtsein nicht als eine selbständige Realität, sondern als eine Begleiterscheinung (»Epiphänomen«) physiologischer Prozesse verstehen. Eine umgekehrte Beeinflussung physiologischer Prozesse durch Bewußtseinsprozesse ist ausgeschlossen.

Erklärung (engl. explanation): Als wissenschaftliche Erklärung bezeichnet man meistens ein (nach Carl G. Hempel und Paul Oppenheim benanntes) Schlußschema, in dem der zu erklärende Sachverhalt (Explanandum) sich als logische Folgerung aus zwei Prämissen (Explanans) ergibt, deren erste aus Anfangs- bzw. Randbedingungen und deren zweite aus (mindestens) einem wissenschaftlichen Gesetz besteht.

Extension und Intension von Begriffen (engl. extension and intension of concepts): Als Extension eines Begriffs (bzw. Eigennamens, bzw. Satzes) bezeichnet man die Klasse der Gegenstände, die unter diesen Begriff fallen, den Begriffsumfang (bzw. den benannten Gegenstand bzw. den Wahrheitswert des betreffenden Satzes). Unter der Intension eines Begriffs (Eigennamens, Satzes) versteht man dagegen die Gesamtheit der Merkmale eines Begriffs, den Begriffsinhalt (bzw. den Individualbegriff (d.h. die Eigenschaften des benannten Gegenstandes)), bzw. die Proposition (→propositionale Einstellung) des betreffenden Satzes.

Funktionalismus (engl. functionalism): Bezeichnung für die gegenwärtig überwiegend vertretene Interpretation mentalistischer Begrifflichkeit. Danach sind mentale Zustände ihrer logischen Natur nach von Gehirnprozessen verschieden. Sie stellen vielmehr abstrakte, funktionale Zustände des gesamten Organismus dar und sind durch die kausalen Beziehungen charakterisiert, durch die sie in den informationsverarbeitenden Prozessen eines Organismus wirksam werden. Schmerz ist z.B. durch seine äußere Ursache (etwa eine Verletzung), seine Verhaltenskonsequenzen (etwa lautes Klagen) und durch seine Relationen zu anderen kognitiven Prozessen (etwa den Wunsch, den Schmerz zu stillen) charakterisiert. So verstandene mentale Zustände sind abstrakt und speziesinvariant konzipiert, sind also nicht auf Menschen beschränkt, sondern können auch anderen Lebewesen und vielleicht sogar Computern zugesprochen werden. Für den Funktionalismus sind daher psychologische Begriffe als funktionale Arten aufzufassen, d.h. von gleichem Status wie »Mausefalle« oder »Ventilheber«. Sie bezeichnen eine bestimmte Funktion, ohne daß die materielle Realisierung dieser Funktion entschieden würde. Es gehört zu den definierenden Merkmalen eines funktionalen Zustandes, daß er sich auf mehrfache, verschiedenartige Weise physikalisch realisieren läßt. Der Funktionalismus fordert, daß alle psychischen Mechanismen auf eine solche Weise spezifiziert werden müssen, daß sie als Programm einer →Turing-Maschine formulierbar sind.

generative Linguistik (auch: generative Grammatik bzw. Transformationsgrammatik (engl. generative transformational grammar)): Von Noam Chomsky begründeter Zweig der Linguistik, der erklären will, wie es möglich ist, mittels einer endlichen Menge von Regeln die unüberschaubare Menge der Sätze einer natürlichen Sprache zu erzeugen (daher die Bezeichnung »generativ«).

Inkommensurabilität: Der Wissenschaftsphilosophie Thomas S. Kuhns und Paul Feyerabends entstammende Bezeichnung für das Verhältnis historisch aufeinanderfolgender Theorien eines Bereichs zueinander, wenn sich Problemlösungsstandards oder die Bedeutung der Begriffe und damit insgesamt die Weltsicht geändert haben.

Intentionalität (engl. intentionality): Seit Franz Brentano (1874) Gerichtetheit psychischer Akte auf einen Sachverhalt (keine Konnotation mit »Absicht«). Intentionalität wird als wesentliches Merkmal des Mentalen betrachtet und dient der Unterscheidung zwischen physischer und mentaler Welt. Nur psychische Akte weisen eine solche Bezogenheit auf Gehalte auf: stets weiß, befürchtet, glaubt, plant (...) man *etwas*. Wichtig ist, daß die Objekte oder Sachverhalte, auf die sich psychische (oder dann auch: intentionale) Akte richten, nicht wirklich existieren müssen. So können sich intentionale Akte auf Pegasus oder auf eine Szene des Märchens »Rotkäppchen« richten, ohne daß damit im üblichen Sinne die Existenz von Pegasus oder die Historizität der Geschichte von Rotkäppchen behauptet würde. Gegenstände intentionaler Akte haben vielmehr eine eigene Existenzweise, die Brentano als »intentionale Inexistenz« bezeichnet. Roderick Chisholm lieferte mit seiner Interpretation intentionaler Akte als →propositionaler Einstellungen eine sprachphilosophische Reformulierung der Brentanoschen Konzeption.

Kognition (engl. cognition): Bezeichnung für das gesamte, speziestypische Erkenntnisvermögen.

Kognitionswissenschaft (engl. cognitive science): Interdisziplinärer Ansatz zur Untersuchung aller (insbesondere der menschlichen) Formen des Erkennens und Wissens. Insbesondere geht es um die Beantwortung traditioneller, erkenntnistheoretischer Fragen wie derjenigen nach der Natur, den Bestandteilen, den Quellen, der Entwicklung und den Anwendungen der Erkenntnis. Die hauptsächlich beteiligten Disziplinen sind Philosophie, Psychologie, Künstliche-Intelligenz-Forschung, Linguistik, →Neurowissenschaft und Anthropologie (→kognitive Anthropologie). Kognitionswissenschaft läßt sich dadurch charakterisieren, daß sie eine eigenständige Ebene wissenschaftlicher Analyse in Form →mentaler Repräsentationen annimmt und Computer unterschiedlichen Typs als Modellierungen des menschlichen Geistes betrachtet. Um kognitionswissenschaftliche Untersuchungen nicht zu komplizieren, werden möglicherweise wichtige Faktoren wie Gefühle, historische und kulturelle Faktoren sowie Hintergrundkontexte in ihrer Bedeutung eher heruntergespielt.

kognitive Anthropologie (engl. cognitive anthropology, auch Ethnosemantik (engl. ethnosemantics)): Untersuchung der kulturellen Varianten bei Benennung, Klassifikation und Begriffsbildung sowie die formale Charakterisierung solcher sprachlichen und kognitiven Praktiken in unterschiedlichen Kulturen.

Konnektionismus (engl. connectionism, parallel distributed processing): Neben den →Symbolverarbeitungstheorien der zweite, hauptsächliche Ansatz der →Kognitionswissenschaft. Der Konnektionismus beruht im wesentlichen auf der Annahme einfacher, einheitlicher Verarbeitungseinheiten, die in rudimentärer Form bestimmte Eigenschaften von Nervenzellen bzw. deren Synapsen darstellen. Man spricht deshalb auch von neuronalen Netzwerken. Die Repräsentationen (d.h. das »Wissen«) sind nicht, wie in den Symbolverarbeitungstheorien, in Symbolen kodiert, auch nicht in den Verarbeitungseinheiten, sondern in den Verbindungen zwischen den Einheiten, genauer in den Mustern ihrer unterschiedlichen Gewichtungen. Der symbolverarbeitungstheoretische Dualismus von repräsentationellen Symbolen und regelgeleiteten Operationen besteht im Konnektionismus nicht. Die Repräsentationen selbst sind aktiv und das Verhalten des Systems ist regelhaft ohne regelgeleitet zu sein. Konnektionistische Systeme arbeiten nicht mit einer vorab definierten Datenbasis, sondern erwerben ihr »Wissen« durch Lernvorgänge, die die Gewichtungsmuster der Verbindungen zwischen den Einheiten verändern. Eine eigenständige Symbolebene existiert ebensowenig wie syntaktische Durchgliederung. Kognitive Leistungen ergeben sich als emergente (→Emergenz) Eigenschaften aus dem Zusammenwirken subkognitiver oder subsymbolischer Prozesse.

Kybernetik (engl. cybernetics): Disziplin, die sich mit Steuerungs- und Regelungsvorgängen in Biologie, Technik und Gesellschaft befaßt und Modelle zur Darstellung, Umwandlung und Verarbeitung von Information entwirft. Alle automatischen Datenverarbeitungsanlagen sind in diesem Sinne kybernetische Maschinen.

mental: Aus dem Englischen in die deutsche Fachsprache übernommene Bezeichnung für das, was im Deutschen gewöhnlich als »psychisch« bezeichnet wird.

mentale Repräsentation (engl. mental representation), auch »mentaler Gehalt«: Zentralbegriff der →Kognitionswissenschaft. Im Unterschied zu anderen Auffassungen wie dem →eliminativen Materialismus oder dem →Behaviorismus geht die Kognitionswissenschaft davon aus, daß bei Menschen (und bestimmten, entsprechend entwickelten anderen Organismen) zwischen der naturwissenschaftlich beschreibbaren Ebene der Aufnahme von Reizen und der Ebene des Verhaltens eine dritte, methodologisch selbständige Ebene für die wissenschaftliche Untersuchung existiert. Es ist dies die Ebene unserer Vorstellungen, Begriffe, Wünsche, Überzeugungen, Pläne etc., die sich in Symbolen, Bildern, →Propositionen, Regeln etc. ausdrücken, in denen tatsächliche oder mögliche Zustände der Welt dargestellt, repräsentiert werden. Nur bei Annahme einer selbständigen, mentalen Repräsentationsebene sei eine adäquate Erklärung menschlichen Denkens, Handelns und Verhaltens möglich. Der Begriff der mentalen Repräsentation ist mit Blick auf die sich in der Alltagssprache ausdrückende, lebensweltliche Erfahrung völlig unproblematisch, da wir ständig und ohne Probleme von unseren Wünschen, Vorstellungen, Überzeugungen usw. reden.

Modularität: Bezeichnung für eine Erklärung der Gehirntätigkeit, die analog zu den Fuktionseinheiten in technischen Systemen einzelne Gehirnstrukturen, die bestimmte Funktionen bereitstellen, als funktionell aufeinander bezogene Module auffaßt.

Naturalisierung (engl. naturalizing strategies): Bezeichnung für ein philosophisches Programm, wonach alle Gegenstände und Ereignisse, die wissenschaftlich und auch sonst ernst genommen werden sollen, mit den Mitteln und Methoden der empirischen Wissenschaften analysierbar und erklärbar sein müssen. In diesem Sinne vertreten z.B. W.V.O. Quine eine Naturalisierung der Erkenntnistheorie und Jerry Fodor eine Naturalisierung des Mentalen.

natürliche Arten (engl. natural kinds): Als natürliche Arten bezeichnet man solche durch Prädikate vorgenommenen Einteilungen der Welt, die durch eine innere Merkmalsähnlichkeit der betreffenden Gegenstände oder Qualitäten bestimmt ist, die unter das Prädikat fallen. So sind z.B. »gelb«, »Gold«, »Apfel« usw. Prädikate natürliche Arten, während die Prädikate »grot« (definiert als »vor dem 1.1.1993 grün und nachher rot«) oder »alle Gegenstände im Umkreis von 1 km um den Stammtisch des Bierkellers der Universität Konstanz« keine natürlichen Arten bezeichnen. Gesetzesaussagen der Wissenschaften sind nur über natürlichen Arten möglich.

natürliches Schließen (engl. natural deduction): Als Systeme des natürlichen Schließens bezeichnet man am tatsächlichen Schlußfolgern der Menschen orientierte Kalkülisierungen der Logik, in denen mittels einer festen Menge von Schlußregeln aus gegebenen Annahmen gefolgert wird.

Neurowissenschaft(en) (engl. neuroscience(s)): Bezeichnung für die Gesamtheit der naturwissenschaftlichen Disziplinen und Theorien, die sich mit Struktur und Funktion des Gehirns sowie mit deren Beziehungen zu mentalen Zuständen oder Akten befassen. Der →eliminative Materialismus ist der Auffassung, daß die Neurowissenschaften die einzig verläßlichen, wissenschaftlichen Aussagen über Zustände und Vorgänge erlauben, die in anderen Konzeptionen einer eigenständigen, mentalen Ebene zugeordnet werden.

Paradigma (engl. paradigm): Aus der Wissenschaftsphilosophie Thomas S. Kuhns stammender Begriff zur Charakterisierung der begrifflichen Unterscheidungen, charakteristischen Problemstellungen und Lösungsmethoden, die den Mitgliedern einer wissenschaftlichen Gemeinschaft gemeinsam sind.

Physikalismus (engl. physicalism): In vielfältiger Weise verwendeter Begriff, der im vorliegenden Kontext meistens bedeutet, daß Personen mit ihren psychischen Attributen nichts weiter sind als Körper mit physischen Eigenschaften. Eine ontologische Eigenständigkeit des Mentalen wird also bestritten. Dem entspricht auf methodologischer Ebene die Forderung, als adäquat nur solche Beschreibungen und Erklärungen aufzufassen, die sich der Begrifflichkeit der Physik oder - schwächer - der (auch nicht-physikalischen bzw. auf Physik reduzierbaren) Naturwissenschaften (wie z.B. der Biologie) bedienen.

propositionale Einstellung (engl. propositional attitude): Der Begriff der propositionalen Einstellung ergibt sich aus der sprachphilosophischen Reformulierung des Begriffs der →Intentionalität. Intentionale Akte sind durch ihr Gerichtetsein auf einen bestimmten Gehalt charakterisiert. Spricht man nun von intentionalen Sätzen statt von intentionalen Akten, dann erhält man Sätze der Art: »Gabriele glaubt (denkt, hofft, wünscht usw.), daß p«, wobei »p« die Bedeutung eines Prädikats oder Satzes, z.B. »Bodensee« oder »es regnet« darstellt. Intentionale Sätze bringen so im allgemeinen die Einstellung (Glaube, Hoffnung, Wunsch usw.) einer Person hinsichtlich einer Proposition zum Ausdruck. Kennzeichen intentionaler Sätze ist, daß ihre Wahrheit oder Falschheit nicht mit dem tatsächlichen Bezug des in ihnen vorkommenden Gehaltprädikats bzw. der Wahrheit oder Falschheit des Gehaltsatzes verknüpft sind. So folgt z.B. aus der Wahrheit der Sätze »Gabriele denkt an Pegasus« und »Gabriele

234

wünscht, daß es regnet« ebensowenig die Existenz von Pegasus, wie daß es tatsächlich regnet.

Realismus (engl. (scientific) realism): In der Wissenschaftstheorie Bezeichnung für eine philosophische Position, die die Existenz der durch die Prädikate bzw. Sätze wissenschaftlicher Theorien angesprochenen, nicht direkt beobachtbaren Gegenstände und Sachverhalte annimmt. Es wird behauptet, daß die in erfolgreichen wissenschaftlichen Theorien verwendeten Begriffe (wie »Elektron«) wirkliche Objekte (eben Elektronen) bezeichnen.

Reduktion (engl. reduction): Bezeichnung für die Ersetzung einer Theorie T_1 durch eine, im allgemeinen als grundlegender betrachtete, Theorie T_2 unter Erhaltung grundlegender begrifflicher Merkmale. Beispiele sind die Ersetzungen der phänomenologischen durch die statistische Thermodynamik sowie der Mendelschen durch die molekulare Genetik. Für eine erfolgreiche Reduktion einer Theorie T_1 auf eine Theorie T_2 ist es erforderlich, daß die Begriffe von T_1 in die Begriffe der reduzierenden Theorie T_2 derart übersetzbar sind, daß die Theoreme von T_1 zu übersetzten Theoremen von T_2 werden. Man spricht von einer Reduktion von Disziplinen (engl. branch reduction), wenn grundlegende Theorien der einen Disziplin auf grundlegende Theorien einer anderen reduzierbar sind. Mögliche Beispiele sind die Reduktion der Chemie auf Physik und der Psychologie auf Biologie. Es wird vielfach bestritten, daß es bisher auch nur eine einzige erfolgreiche Reduktion einer Theorie gegeben hat.

rekursiv (engl. recursive): Als rekursiv bezeichnet man die Definition z.B. eines Problems, einer Funktion oder eines Verfahrens durch Angabe des ersten Schrittes oder Anfangswerts sowie durch die Angabe einer Regel, wie man einen »späteren« Schritt oder Wert aus gegebenen »früheren« erhält. Z.B. wird die arithmetische Fakultätsdefinition (Zeichen: !) definiert durch (a) 0!=1 sowie (b) für n>0 gilt: n!=n · (n-1)!.

Rückwärtspropagierung (engl. back propagation): In einigen konnektionistischen (→Konnektionismus) Systemen schließt der Verarbeitungsprozeß eine »Rückwärtspropagierung«, d.h. eine Aktivitätsvermittlung in Richtung der Eingabeseite, ein. Rückwärtspropagierung wird beim Lernen durch Fehlerkorrektur eingesetzt.

Symbolverarbeitungstheorie bzw. Rechnertheorie des Geistes (engl. theory of physical symbol systems, computational theory of mind): Neben dem →Konnektionismus der zweite der beiden hauptsächlichen Ansätze der →Kognitionswissenschaft. Symbolverarbeitungstheorien, die vor allem in funktionalistischen (→Funktionalismus) Konzeptionen vertreten werden, betrachten mentale Repräsentationen als Verkettungen von Symbolen, die sich durch »Übersetzung« der mentalen Repräsentation in eine formale Sprache ergeben haben. Die Symbole wurden syntaktisch (d.h. formal) korrekt gebildet und werden bei Rückübersetzung in mentale Repräsentationen semantisch gehaltvoll (→Syntax und Semantik). Jedem semantischen Unterschied entspricht dabei ein syntaktischer Unterschied (aber nicht umgekehrt). Die Umbildung mentaler Repräsentationen stellt sich so als Rechnen, d.h. als Symbolverarbeitung nach bestimmten, explizit formulierten und ebenfalls syntaktisch artikulierten Regeln dar. Mentale Prozesse weisen damit eine algorithmische Struktur auf, deren »Software« als autonom gegenüber der »Hardware» betrachtet werden kann: ein und dasselbe Programm kann durch verschiedene, materielle Systeme realisiert werden (z.B. durch Computer oder Gehirne).

Syntax und Semantik (engl. syntax and semantics): Als Syntax einer Sprache bezeichnet man die Gesamtheit der Regeln zur Bildung sinnvoller Sätze aus dem gegebenen Zeichen-Bestand, die zusammengenommen diese Sprache ausmachen. Die Semantik einer Sprache besteht in den Bedeutungen, die den Zeichen der Sprache zugeordnet werden.

Turing-Maschine (engl. Turing machine): Turing-Maschinen sind gedachte Verfahrensschemata, die jeden formalen Algorithmus tatsächlich berechnen können. Sie benötigen nur eine geringe Zahl von Grundoperationen, nämlich die Fähigkeit, sich auf einem in Felder abgeteilten Band hin und her zu bewegen, Felderinhalte zu lesen und Felder zu bedrucken. Turing-Maschine sind gleichsam ideelle Konstruktionspläne für materielle Rechner und auf vielfältige Weise technisch realisierbar.

Kurzbiographien der Autoren

WILLIAM BECHTEL, Ph. D., geboren 1951; Studium der Theologie am Kenyon College (Baccalaureat 1973) und der Philosophie an der University of Chicago (Ph.D. 1977). Wissenschaftliche Stationen: Northern Kentucky University (1977-80); University of Illinois at the Medieal Center (1980-83); seit 1983 Professor der Philosophie an der Georgia State University. Wichtigste Veröffentlichungen: Integrating Scientific Disciplines (1986); Philosophy of Science: An Overview for Cognitive Science (1988); Philosophy of Mind: An Overview for Cognitive Science (1988); Connectionism and the Mind: An Introduction to Parallel Processing in Networks [mit Adele Abrahamsen] (1991); Discovering Complexity: Decomposition and Localization as Scientific Research Strategies [mit Robert Richardson] (1992).

MARTIN CARRIER, Dr. phil., geboren 1955; Studium der Physik, Philosophie und Pädagogik an der Universität Münster; Promotion 1984 in Philosophie ebd.; Habilitation 1989 an der Universität Konstanz. Seit 1989 Akademischer Rat an der Universität Konstanz. Arbeitsgebiet: Theorie und Geschichte der empirischen Wissenschaften. Buchveröffentlichungen: (mit J. Mittelstraß) Geist, Gehirn, Verhalten. Das Leib-Seele-Problem und die Philosophie der Psychologie (1989) (engl. 1991); The Completeness of Scientific Theories. On the Derivation of Empirical Indicators within a Theoretical Framework (1993).

JUAN D. DELIUS, Dr. rer. nat., geboren 1936 in Essen, aufgewachsen in Argentinien; Studium der Zoologie in Bonn, Freiburg und Göttingen. 1962-1981 wissenschaftlicher Assistent an den Universitäten Oxford und Durham, England. 1981-87 Professor für Tierpsychologie an der Universität Bochum. Seit 1987 Professor für Allgemeine Psychologie an der Universität Konstanz, Arbeitsgebiet Verhalten und Neurophysiologie der Taube insbesondere Lern- und Kognitionsprozesse. Dazu eine größere Anzahl Veröffentlichungen in Fachzeitschriften und Sammelbänden. Seit 1985 freizeitlich an den biologischen Grundlagen des kulturellen Verhaltens bei Tieren und Menschen interessiert.

PETER JANICH, Dr. phil., geboren 1942; Studium der Physik, Philosophie und Psychologie in Erlangen und Hamburg 1961 bis 1967; 1969 Promotion zum Dr. phil. Universität Erlangen; 1969/70 Gastdozent an der Universität von Texas in Austin; 1971 Wissenschaftlicher Rat; 1978 Professor für Wissenschaftstheorie und Wissenschaftsgeschichte der exakten Wissenschaften an der Universität Konstanz; seit 1980 Professor für Philosophie in Marburg, Lehrstuhl 1. Veröffentlichungen: Bücher: Die Protophysik der Zeit (1969); Wissenschaftstheorie als Wissenschaftskritik (mit F. Kambartel u. J.

Mittelstraß) (1974); Die Protophysik der Zeit. Konstruktive Begründung und Geschichte der Zeitmessung (1980); Englische Übersetzung in: Boston Studies in the Philosophy of Science, Bd. 30 (1985); Euklids Erbe. Ist der Raum dreidimensional? (1989); Englische Übersetzung in: The University of Western Ontario Series in Philosophy of Science, Bd. 52 (1992); Grenzen der Naturwissenschaft. Erkennen als Handeln (1992). Als Herausgeber: Wissenschaftstheorie als Wissenschaftsforschung (1981); Methodische Philosophie. Beiträge zum Begründungsproblem der exakten Wissenschaften in Auseinandersetzung mit Hugo Dingler (1984); Protophysik heute. Sonderheft von „Philosophia Naturalis" (1985); Entwicklungen der Methodischen Philosophie (1992). Aufsätze zur Wissenschaftstheorie und Wissenschaftsgeschichte von Geometrie, Physik, Biologie, Psychologie, Chemie, Physiologie, Informatik sowie zu Sprachphilosophie, Handlungstheorie, Phänomenologie, Erkenntnistheorie, Naturphilosophie.

FRIEDRICH KAMBARTEL, Dr. rer. nat., geboren 1935; Studium u.a. der Physik, Mathematik, mathematischen Philosophie und Logik an der Universität Münster; Promotion 1959; Habilitation 1966; seit 1966 Professor an der Universität Konstanz. Veröffentlichungen u.a.: Erfahrung und Struktur. Bausteine zu einer Kritik des Empirismus und Formalismus (1968/²1976); Theorie und Begründung. Studien zum Philosophie- und Wissenschaftsverständnis (1976); Philosophie der humanen Welt (1989); Mitherausgeber des nachgelassenen Briefwechsels von Gottlob Frege, der Bernard Bolzano Gesamtausgabe und des Historischen Wörterbuchs der Philosophie. - Aufsätze zu Problemen der Sprachphilosophie, Logik, Wissenschaftstheorie und praktischen Philosophie.

ERNST PÖPPEL, Dr. phil., geboren 1940; Professor für Medizinische Psychologie an der Universität München (beurlaubt). Wissenschaftliche Stationen: Max-Planck-Institut für Verhaltensphysiologie, Max-Planck-Institut für Psychiatrie, Massachusetts Institut of Technology (Department of Psychology), Institut für Medizinische Psychologie München. Neuerdings Mitglied des Vorstands im Forschungszentrum Jülich mit Zuständigkeit für Umwelt und Lebenswissenschaften. Publikationen (als Autor und Herausgeber): Lust und Schmerz (1982); Grenzen des Bewußtseins (1985); Gehirn und Bewußtsein (1989); Medizinische Psychologie (1990); Neuropsychological Rehabilitation (1992).

BRUNO PREILOWSKI, M.Sc., Ph.D., geboren 1943 in Kassel; Studium an der Universität Marburg und der Tulane University in New Orleans; 1970 bis 1972 Postgraduiertenstudium am California Institute of Technology in Pasadena; 1972 bis 1979 Wissenschaftlicher Assistent in Konstanz; 1979 Habilitation; seit 1979 Professor für Physiologische Psychologie in Tübingen; Visiting Professorships in Auckland, Santa Barbara und Seoul; zur Zeit McDonnell-Pew Fellow in Cognitive Neuroscience am W. M. Keck Foundation Center for Integrative Neuroscience Research der University of California in San Francisco. Veröffentlichungen zur experimentellen und klinischen Neuropsychologie - Gehirn und Verhalten, mit Schwerpunkt Lateralität und interhemisphärische Interaktion: (mit R. W. Sperry) Die beiden Gehirne des Menschen (1972); Vergleichende Neuropsychologie: Untersuchungen zur Gehirnasymmetrie bei Menschen und Affen (1985); (in W. Fröscher (Hg.), Lehrbuch der Neurologie) Neuropsychologische Untersuchungsmethoden; Neuropsychologische Syndrome (1991).

STEPHEN P. STICH, Ph.D., geboren 1943 in New York City; B.A. in Philosophie an der University of Pennsylvania (1964), Ph.D. in Philosophie an der Princeton University. Professuren für Philosophie an der University of Michigan (1968-78) und der University of Maryland; Professuren für Philosophie und Kognitionswissenschaft an der University of California (San Diego) (1986-89) und an der Rutgers University (seit 1989). Wichtigste Publikationen: From Folk Psychology to Cognitive Science (1983); The Fragmentation of Reason (1990); Philosophy and Connectionist Theory (mit W. Ramsey & D. E. Rumelhart, 1991).

HOLM TETENS, Dr. phil., geboren 1948; Professor für Philosophie an der Universität-Gesamthochschule Paderborn. Publikationen: Experimentelle Erfahrung - Eine wissenschaftstheoretische Studie über die Rolle des Experiments in der Begriffs- und Theoriebildung der Physik (1987); Geist, Gehirn, Maschine - Philosophische Versuche über ihren Zusammenhang (1993).

GEREON WOLTERS, Dr. phil., geboren 1944; Studium der Philosophie und Mathematik in Tübingen und Kiel. Seit 1988 Professor für Philosophie an der Universität Konstanz. Buchveröffentlichungen: Basis und Deduktion. Studien zur Entstehung und Bedeutung der Theorie der axiomatischen Methode bei J. H. Lambert (1728-1777) (1980); Mach I, Mach II, Einstein und die Relativitätstheorie. Eine Fälschung und ihre Folgen (1987); (ed.): Franz Anton Mesmer und der Mesmerismus. Wissenschaft, Scharlatanerie, Poesie (1988); (ed. mit Wesley C. Salmon): Logic, Language, and the Structure of Scientific Theories (1993).

KONSTANZER BIBLIOTHEK IM ÜBERBLICK UVK

*Bitte fordern Sie unser
aktuelles Gesamtverzeichnis an!*

UVK · Universitätsverlag Konstanz · Postfach 102051 · D-78420 Konstanz · Tel. 07531/23058